Mit zwanzig Jahren ging Erich Kästner von seiner Heimatstadt Dresden nach Leipzig und trat in die Redaktion einer Tageszeitung ein. Bald zog es ihn nach Berlin. Dazu verhalf ihm ein »Fußtritt Fortunas«, wie es Luiselotte Enderle, Erich Kästners Lebensgefährtin, in ihrer Biographie des Autors einmal genannt hat. Im Laufe einiger Jahre war er als »Gebrauchslyriker«, als Erzähler und Autor von Kinderbüchern eines ganz neuen, großstädtischen Typs ein Erfolg in ganz Deutschland geworden.

Mit den Nazis hatte Erich Kästner von Anfang an nichts im Sinn; prompt bekam er es zu spüren, und jäh schien seine Karriere 1933 zu Ende. Aber er dachte nicht an Emigration: Seine Mutter hätte die Trennung nicht überlebt. Er schrieb ihr über ein Vierteljahrhundert fast täglich, und sie antwortete ihm täglich. Trotz Veröffentlichungsverbot versuchte er weiterzuarbeiten, durfte später sogar unter Pseudonym Drehbücher schreiben. Unmittelbar vor Kriegsende konnte sich Kästner mit einem Film-Team von Berlin nach Tirol absetzen. Nach Kriegsende fing er erfolgreich in München neu an, wo er am 29. 7. 1974 verstarb.

ERICH KÄSTNER

Mein liebes, gutes Muttchen, Du!

Dein oller Junge

Briefe und Postkarten
aus 30 Jahren
Ausgewählt und eingeleitet
von Luiselotte Enderle

GOLDMANN
VERLAG

Made in Germany · 5/84 · 1. Auflage · 1115
Genehmigte Taschenbuchausgabe
© Albrecht Knaus Verlag, Hamburg 1981
Umschlaggestaltung: Design Team München
Umschlagfoto: Manfred Limroth
Druck: Elsnerdruck GmbH, Berlin
Verlagsnummer: 6745
ES · Herstellung: Peter Papenbrok
ISBN 3-442-06745-6

Inhalt

STILLER BESUCH

Jüngst war seine Mutter zu Besuch.
Doch sie konnte nur zwei Tage bleiben.
Und sie müsse Ansichtskarten schreiben.
Und er las in einem dicken Buch.

Freilich war er nicht sehr aufmerksam.
Er betrachtete die Autobusse
und die goldnen Pavillons am Flusse
und den Dampfer, der vorüberschwamm.

Langsam fiel der Vollmond in ein Haus.
Und weil er wie eine Münze rollte,
schien es fast, als ob Gott sparen wollte.
Gottes Sparsamkeit sieht anders aus...

Seine Mutter hielt den Kopf gesenkt.
Und sie schrieb gerade an den Vater:
«Heute abend gehn wir ins Theater,
Erich kriegte zwei Billetts geschenkt.»

Und er tat, als ob er fleißig las.
Doch er sah die Nähe und die Ferne,
sah den Himmel und zehntausend Sterne
und die alte Frau, die drunter saß.

Einsam saß sie neben ihrem Sohn.
Leise lächelnd. Ohne es zu wissen.
Stadt und Sterne wirkten wie Kulissen.
Und der Wirtshausstuhl war wie ein Thron.

Ihn ergriff das Bild. Er blickte fort.
Wenn sie mir schreibt, mußte er noch denken,
wird sie ihren Kopf genau so senken.
Und dann las er. Und verstand kein Wort.

Seine Mutter saß am Tisch und schrieb.
Ernsthaft rückte sie an ihrer Brille.
Und die Feder kratzte in der Stille.
Und er dachte: Gott, hab ich sie lieb!

Vorwort

«Mein Junge verschweigt mir nichts», sagte Frau Kästner stolz eines schönen Tages zum Lehrer Bremser.
Warum? Der Herr Lehrer hatte den lebhaften Knaben wiederholt ermahnt, während des Unterrichts nicht zu schwatzen. Der kleine Erich flüsterte aber doch verstohlen ein bißchen weiter. Da riß dem Lehrer der Geduldsfaden, und er drohte: «Wenn das nicht endlich anders wird, werde ich deiner Mutter einen Brief schreiben.» Kaum hatte Erich zu Hause die Wohnungstür hinter sich geschlossen, bereitete er die Mutter auf den angedrohten Brief vor.
Ida Kästner erschrak über die Gelassenheit seines Berichts nach einer solchen Lehrerdrohung! Ihr Junge! Ihr Stolz! Und nun das! Sie eilte also anderntags heimlich zu Herrn Bremser und erzählte ihm alles. Lehrer Bremser aber lachte laut auf: «Ein komischer Junge!» rief er. «Jeder andere würde abwarten, bis der Brief kommt!» Er war sehr vergnügt über diese Eröffnung.
Frau Kästner guckte erst verdutzt, aber plötzlich ging ihr ein Licht auf, strahlend wie eine Festillumination! Gelassenheit? Gleichgültigkeit? Nein! Diese Offenheit war ein Zeichen des großen Vertrauens, das der kleine Erich zu ihr hatte.
Das Siegel für eine rückhaltlose Freundschaft zwischen Mutter und Sohn. Darum sagte sie glücklich: «Mein Junge verschweigt mir nichts!» Und vermutlich ist sie auf rosa Wolken nach Hause geschwebt.
Sie hatte nicht zuviel gesagt zu Lehrer Bremser. So war es und so blieb es. Ein ganzes — ihr ganzes Leben lang bestand unerschütterlich diese einmalige innig-vertraute Beziehung.
Erich Kästner schrieb einmal: «Da sie die vollkommene Mutter sein wollte und war, gab es für mich keinen Zweifel: Ich

mußte der vollkommene Sohn werden. Wurde ich's?» Und ein andermal: «Meine Mutter war mein bester Freund!»
Als er, herangewachsen, zum Studium nach Leipzig übersiedelte und diese täglichen Geschehnisberichte mündlich nicht mehr stattfinden konnten, begann der vertrauensvolle Briefwechsel zwischen Mutter und Sohn. Jeden Tag wenigstens eine Postkarte, eine einfache Postkarte, die man vorn und hinten vollschreiben konnte, schickte der Sohn. Und von den Reisen auch Ansichtskarten, damit die Mutter sich ein Bild machen konnte von dem Ort, wo er sich aufhielt.
Die intimeren Dinge schrieb er natürlich im Brief. Alles erzählte er ihr, auch die heikelsten Geschichten mit Mädchen, vom Beruf und über die Gesundheit. Als er später in Berlin wohnte und seine ersten großen Erfolge mit seinen Kinderbüchern, Gedichten, Funk-Revuen und Theaterstücken hatte, setzte er den Briefwechsel mit Muttchen getreulich fort; auch in den folgenden Kriegs- und Katastrophenzeiten schrieb er seine «Rechenschaftsberichte» nach Dresden, wo die Mutter wohnte. Und als er sich nach Kriegsende in München niederließ, gingen regelmäßig Päckchen, Briefe und Postkarten nach Dresden ab, deren Empfang bei den unsicheren Postverhältnissen der ersten Nachkriegsjahre von ihm genau kontrolliert wurde.
Ida Kästner antwortete Erich getreu, Tag um Tag, trotz der vielen Arbeit, die sie plagte. Sie hatte nicht nur einen Mann, einen Haushalt und einen Untermieter, sie hatte auch Kunden. Mit 35 Jahren hatte sie noch den Beruf einer Friseuse erlernt, um Geld zu verdienen, damit sie ihren Jungen gut ernähren, kleiden und in eine gute Schule schicken konnte. Von dem, was der Vater, von Beruf Sattler, mit seiner wunderbar sauberen und haltbaren Arbeit verdiente, konnten sie zu dritt nicht leben. So schrieb sie ihre langen Briefe oft an der Herdkante oder am Küchentisch, neben der Arbeit, zwischen zwei Frisuren, die sie vorm großen Spiegel im Schlafzimmer den Kundinnen aufs Haupt zauberte. Und dann lief sie schnell noch, oft auch mitten in der Nacht, zum Briefkasten. Damit der Junge bald ihre Antwort hatte! Sie schrieb ihm, wie er sich anziehen solle, daß er genug essen solle, daß

er sparen solle, aber nicht an Essen und Schlaf. Daß er nicht so viel rauchen und daß er die Wäsche schicken solle. Sie ließ es sich nicht nehmen, sie selbst zu waschen und zu bügeln, solange sie konnte. Sie tröstete ihn, wenn er Liebeskummer hatte, sie schimpfte, wenn er sich übermütig Berufsärger eingebrockt hatte, sie reiste nach Leipzig oder später nach Berlin, wenn sie den Eindruck hatte, daß es Zeit sei, mal wieder nach dem Rechten zu sehen. Die Sehnsucht gab ihr Flügel; der Sohn freute sich wie ein Schneekönig, wenn die Mutter kam. Alle Freunde wußten, Erichs Mutter kommt. Oder sie fragten: «Ist die Karte an Muttchen heute schon im Kasten?» Und sie sagten: «Grüß dein Muttchen recht schön von mir.» Kästners Muttchen war berühmt, noch ehe es ihr Sohn wurde.

Als Muttchen Kästner alt und geistig hinfällig geworden war, hatten Erich und sein Vater sie in einem Sanatorium untergebracht, in dem sie die beiden letzten Jahre ihres Lebens verbrachte. Eine gute Pflege zu Hause war nicht mehr möglich. Einmal, als Erich Kästner sie dort besuchte, und es sollte das letzte Mal sein, daß er sie lebend sah, sprach er sie lächelnd an. Sie schaute zu ihm auf mit leeren Augen und fragte: «Wann kommt denn der Erich?» Ihre Sinne hatten sie verlassen. Aber ihr Herz kannte bis zum Schluß nur eine Frage — die Frage nach ihrem Sohn.

Ida Kästner starb 1951. In der Zeit danach hielt der Sohn die Verbindung mit dem Vater aufrecht. Emil Kästner war schon über 80 Jahre alt, als er ihn in seinem Münchner Domizil besuchte. Wir bemühten uns, ihn zu verwöhnen, und hatten das Glück, ihm schöne Tage voll neuer, überraschender Eindrücke bereiten zu können. Emil Kästner starb an Silvester 1957.

E. K. übergab mir zu Lebzeiten die Korrespondenz mit seiner Mutter zu meiner Verfügung; sie war nach dem Tod des Vaters nach München gelangt. Ich sehe jetzt den Zeitpunkt gekommen, sie zu veröffentlichen; denn diese Briefe und Nachrichten sind nicht nur für seine Freunde und seine Leser von Interesse, sondern können als ein Schlüssel für seine Persönlichkeit und für die Zeitumstände, in denen er lebte, gelten. Auf Mitteilungen, die nur für den Tag bestimmt waren oder sich nicht für eine Veröffentlichung eignen, habe ich verzichtet und diese Auslassungen durch Pünktchen gekennzeichnet.

Erich Kästner schrieb mit einem weichen Bleistift, nur ganz selten nahm er den Federhalter. Diese so geschriebenen Briefe und Postkarten an Muttchen sind nicht aus allen Jahren zwischen 1922 und 1947 erhalten geblieben. Die fast tägliche Korrespondenz mancher Zeitabschnitte weist auch Lücken auf. Das gilt besonders für die Jahre 1939 und 1943. In den Datierungen verzichtete E. K. häufig auf Ortsangaben, sie sind jedoch im Zusammenhang der zeitlichen Abfolge der Briefe schlüssig. Auf den Postkarten finden sie sich selten, bei Ansichtskarten sind sie ohnehin entbehrlich. Hier ist der Ort des Poststempels zur Orientierung des Lesers in eckige Klammern [] vor das Datum gesetzt. Alle Postkarten sind mit einem P. am Beginn der Datumszeile gekennzeichnet.

Eigenheiten und Inkonsequenzen in der Schreibweise und Zeichensetzung oder in Abkürzungen wurden beibehalten. Mancher Name und Begriff aus der Welt dieser Dokumente «steht noch nicht im Meyer, und auch im Brockhaus nicht». In einem Verzeichnis am Ende des Bandes habe ich versucht, dazu dem Leser einige Aufschlüsse zu geben.

München, im Frühjahr 1981   Luiselotte Enderle

Leipzig

1923—1927

Als vorzüglicher Schüler bekam Erich Kästner 1919 das Goldene Stipendium der Stadt Dresden. Der Nachteil des Vorteils lag darin, daß es nur für eine sächsische Universität Gültigkeit hatte. Es gab nur eine: Leipzig.

So fuhren Mutter und Sohn 1919 nach Leipzig und suchten eine Studentenbude. Um Taschengeld dazuzuverdienen, schrieb Erich Kästner Skizzen und kleine Betrachtungen. Eine, «Max und sein Frack», wurde sofort von der «Neuen Leipziger Zeitung» gedruckt. Verlagsdirektor Richard Katz las sie dort, bestellte den hoffnungsvollen jungen Mann und engagierte ihn vom Fleck weg als Redakteur.

Während des vierten Semesters, das Kästner in Rostock verbrachte, hatte er die Studentin Ilse J. kennen- und liebengelernt. Man beschloß, wenn der junge Mann seinen «Doktor gemacht» und eine Stellung gefunden habe, zu heiraten. Aber es kam anders.

Nach acht Jahren war Ilses Zuneigung abgekühlt. Man löste die Verbindung. Erich Kästner war zutiefst gekränkt.

Zu dieser Zeit traf ihn noch ein zweiter Schicksalsschlag: Er erhielt seine Kündigung als Redakteur. Ursache: Er hatte ein freches erotisches Gedicht geschrieben, das «Abendlied eines Kammervirtuosen». Es begann mit der Zeile

> *«Du meine neunte, letzte Sinfonie*
> *wenn du das Hemd anhast mit rosa Streifen...»*

und erschien ausgerechnet im Jahr des hundertsten Todestages von Beethoven.

Die «bürgerliche» Konkurrenzzeitung «Leipziger Neueste Nachrichten» blies es zum Skandal auf, und der moralische Entrüstungssturm fegte den Dichter bis nach Berlin. Seine Doktorarbeit hatte er noch in Leipzig geschrieben.

So landete der junge Dr. phil. Erich Kästner in der damaligen Weltstadt.
Dieser unverhoffte Ortswechsel sollte sich als Fußtritt Fortunas erweisen.

P.   Leipzig, den 24. 1. 22
Mein Gutes, kannst Du mir eine ganze Kleinigkeit Geld —
für bis Sonnabend — schicken? Denn ich werde *post* nume-
rando bezahlt, kriege also das Februargeld erst am 1. März.
Aber *gar nicht* viel, ja?
Höchstens 5 Mark   Dein Junge

P.   4. 2. 23
Liebes Muttchen!
Ist gemacht! 200 M Anfangsgehalt. Vorläufig ein Probemo-
nat. Also: Wenn mir's zuviel Arbeit wird, rücke ich wieder ab.
Aber ich glaube, das wird ganz gut gehen.
Am Sonnabend komme ich nach Hause. Jetzt will ich eben in
die Baugesellschaft; denn dort muß ich ja nun abbrechen.
Mit Schramm schon besprochen. Freust Du Dich über Dei-
nen kleinen Redakteur?
Grüße an Papa, bes. Tante Martha!   Dein Junge

                          Leipzig, Donnerstag, 23. 10. 24
Mein liebes gutes fleißiges Muttchen!
Heute früh kam Deine Karte, die mir von der Erika erzählt.
So ein feiner Preis-Erlaß! Herrlich! Ist denn ein festes Köf-
ferchen um die Kleine? Und hat Tante ernsthaft & ohne mit
der Wimper zu wackeln, das viele Geld gegeben? Dann sag
ihr nur von mir vielen, vielen Dank. Ich will damit noch viel
Geld verdienen. Es geht auch schon ganz fein. Stefan Großmann, Berlin, dem ich für seine Zeitschrift «Tagebuch» ein
Gedicht schickte, schrieb mir vorgestern, er fände dies Gedicht reizend, nähme es an & bäte mich, ihm *jede Woche* einen oder mehrere Beiträge für seine Berliner Zeitung «Mon-
tag-Morgen» (sie erscheint nur montags) zu schicken. Ich
hab in der letzten Zeit zwei, drei solche Zuschriften erhalten;
wenn das so weitergeht und die Leute anständig bezahlen,
kann ich bald soweit sein, daß ich mich selbständig mache.
Um so eher, als nun Klein-Erika bald ankommt. Es wird
noch alles gut werden, und der Doktor kommt dann auch
mit dran.

                                                     15

Muttchen schreibt, daß sie am Montag erkältet war! Weißt Du etwas Näheres davon? Hat Dir mein Muttchen was darüber erzählt? Und geht ihr's jetzt besser? . . .

Ich hab mir heut schon mehrmals überlegt, wie es möglich wäre, daß Du zu Mittag & zu Abend richtigen Appetit hast & richtig ißt. Soll ich Dir jeden Tag eine oder zwei Karten schreiben, die Du dann zum Essen liest? Ich befürchte nur, es hilft nicht sehr viel.

Wie wäre es denn, wenn Du essen gingest? Wird das zu teuer? Wieviel Geld bleibt Dir denn von den Krankenkassen? Sehr wenig. Ich muß erst abwarten, bis ich von den Zeitungen & Zeitschriften, die angenommen haben, Geld kriege. Ich kann Dir dann sicher öfter schicken. Da gehst Du dann in ein nettes Restaurant in der Stadt. Denn das geht ganz unmöglich, daß Du Dein Bäuchlein wieder verlierst. Wir haben uns alle so daran gewöhnt. Auf keinen Fall darfst Du mir das antun.

Hast Du Dich viel über Dein Söhnchen geärgert, als es in Dresden war? Nein, nicht wahr? Der kleine Erich ist ein bißchen leichtsinnig im Geldausgeben. Das muß er sich unbedingt noch abgewöhnen. Jeden Tag mach ich ihm Vorhaltungen. Glaubst Du, es hilft etwas? Ach wo, er sagt, er brauche doch wirklich nicht allzuviel. Und dann rechnet er mir vor. Und der Junge hat gar nicht so unrecht!

Na ja, man hat schon seinen Ärger mit ihm! Manchmal macht er einen ganz netten Eindruck. Findest Du auch? Und direkt schlecht ist er ja wohl auch nicht.

Hoffentlich krieg ich bald erfreuliche Nachrichten von Dir. Sag der Tante vielen Dank. Schreiben kann ich ihr ja nicht gut davon. Wie? Grüße EK von mir und laß Dich recht lieb umarmen von Deinem kleinen Schriftsteller

Leipzig, Freitag, 8. 11. 24

Mein liebes gutes Muttchen!

Schönen Dank für Deine Karte! Daß die Sache mit der Krankheit & Dresden sich bequem geordnet hat, hast Du inzwischen also schon erfahren. Sonst hat sich nichts Aufregendes ereignet. — Etwas ganz Amüsantes — aber nicht tun, als ob Du's wußtest —: Paulchen erzählte mir: Gebbing, der Zoodirektor & Onkel, habe mit ihm die Zukunft besprochen & gesagt: *Ich* wolle doch noch den Doktor machen. Da könne ich doch ein paar Monate Urlaub nehmen und Paulchen könne mich inzwischen im Verlag vertreten. Er wolle das mit Marguth schon regeln. — Nun ist mir natürlich klar: Gebbing & Marguth wollen für Paulchen Platz schaffen. Es ist keiner da. Also muß wer verschwinden. Und da ich meine Arbeit noch machen will, kann man die Sache gut deichseln. — Natürlich gehe ich drauf ein. Aber nur mıt Kontrakt. Daß ich nach Ablauf von so & so viel, etwa 3 Monaten unbedingt im Verlag wieder eintrete. Na, bis jetzt ist es ja noch nicht soweit! Lieb wäre mir der Urlaub selbstverständlich! Und wenn es hinterher möglich wäre, daß ich irgendwo einen besseren Posten bekäme, würde ich Paulchen in Gottes Namen dortlassen. — Also, Muttchen & Erich halten vorläufig den Mund drüber, ja?

Gib doch am Dienstag, Mittwoch oder so Obacht in der «Dresdner Neusten»! Da steht eine Theaterkritik von mir über heut abend drin. Heb sie auf, ja?

Vielleicht kommt Ilse heut. Ich weiß es noch nicht genau.

Nun, mein Gutes, hoff ich, von Dir ein Briefchen zu bekommen, in dem Du mir erzählst, wie Dir's geht. Recht bald, gelt?

Laß Dir's recht, recht gutgehen. Sobald als möglich komm ich wieder hinüber nach Dresden. Ich muß erst einmal schauen, ob nächsten Sonnabend oder Sonntag Kritik ist. Diese Tage ist andauernd was los. Heut abend, morgen früh, übermorgen abend, Dienstag abend — bringt nur nicht viel ein, macht mich aber in Leipzig bekannt. Hans Georg Richter, den ich jetzt mal traf, sagte, er fände Krell als Kritiker sehr schlecht. Ich hätte das sicher viel, viel besser gemacht.

Tausend Grüße & Küsse

Grüße Tante Lina.   Dein Junge.

Mein liebes Muttchen!

Du hast gedacht, Ilse sei am vorigen Sonntag bei mir gewesen? Aber nicht doch! Sie hat mir, ganz im Gegenteil, ein ärgerliches Briefchen geschrieben, weil sie Theaterkarten besorgt hatte. Nein, nein, ich war Sonnabend und Sonntag ganz allein. Und hab, wahrscheinlich auch deswegen, das Weihnachtsstück vom Alten Theater so heruntergerissen in der Kritik, daß Natonek und Dr. Kronacker, der Theaterdirektor, ganz erschrocken waren. Ich bring die Kritiken am Sonnabend mit.

Du hast mir doch, vor längerer Zeit schon, geschrieben, Du hättest am 2. Dezember Wäsche? Das ist doch am Dienstag erst! Und nun weichst Du Sonnabend ein? Hat sich also der Termin geändert? Das wäre ja sehr schade, wenn Du keine Zeit hast! Dadurch, daß Ploch das Feuilleton der «Neuen Leipziger Zeitung» übernimmt, werde ich nicht mehr so viel Kritiken haben. Er wird vieles selber machen wollen. Na, wennschon. Dann hab ich abends wieder mehr Zeit für mich. Man muß sich dran gewöhnen, in allem, was einem begegnet, das Gute herauszulesen. Dann braucht man sich über nichts mehr aufzuregen. Nicht?

Zu Weihnachten fahr ich vermutlich Heiligabend Mittag hier weg und dritten Feiertag früh wieder nach Leipzig. Da gehen wir am Heiligabendnachmittag in die Stadt, gucken uns die schönen Läden alle an und kaufen für Muttchen etwas recht Hübsches. Ich freu mich schon sehr darauf.

Daß Du Dir diesmal mit dem Backen keine Schererei machen willst, finde ich sehr vernünftig, Gutes. Höchstens eine ganze Kleinigkeit für die Feiertage.

Du schreibst mir, daß Du wieder krank warst & Dich erkältet hast. Sieh Dich doch ja recht vor! Das Gesundwerden ist so viel schwerer als das Krankwerden!

Daß Ilse sowenig zu Dir kommt, ist freilich recht ägerlich. Aber Du mußt doch bedenken, daß sie jeden Tag bis in den Abend im Laboratorium steckt. Sie hatte mir letzthin auch über eine Woche fast nicht geschrieben. — Gestern schrieb sie mir, ob wir Sonnabend oder Sonntag ins Theater gehen

wollten. Es wird aber wohl nichts Rechtes gespielt: «Der Galgenstrick» von Erler ist sicher nichts Gescheites. Und «Die Wette» — von wem ist das überhaupt?
So, nun geht's wieder an die Arbeit!
Leb recht herzlich wohl. Am Sonnabend auf frohes Wiedersehen   Dein Junge.

12. Juli 1926
Mein liebes gutes tüchtiges Muttchen!
Ilse ist noch gestern abend wieder fort — weil vermutlich heute ihr Vater mit einer Cousine eintraf in Dresden — und ich wollte Dir, als sie 8.50 abdampfte, ein Briefchen schreiben. Aber da traf ich dummerweise auf Frau Schramm und mußte mich hinsetzen. Nichts zu machen...
Also fein: Kästners fahren nach Müritz! Das ist so schön: Rostock wiedersehen und Graal und das alles. — Ich freu mich sehr, sehr drauf. Auf zu Lebermanns! Mit Franzl ins Familienbad! Muttchen in den Wellen schwimmend. Oha! Das Wetter ist auch ausgezeichnet.
Am Sonnabendabend, wahrscheinlich 8.50, fahre ich hier los. Geht der Sonderzug am Montag? Das wäre nett. Da könnten wir am Sonntag mal in die Kunstausstellung und mit Ilse besprechen, ob sie Geld vom Vater kriegt. Wenn es irgend geht, wollen wir also Anfang August nach Paris. Sonst — bei weniger Geld — ins Maintal oder Böhmerwald. Hoffentlich klappt's aber mit Paris.
Na, mal abwarten. —
Du könntest doch aber im August noch eine Zeit mit Tante und Franzl in Müritz bleiben . . . Was, mein gutes Muttchen? — Husch, jetzt muß ich erst die Zeitung umbrechen! Winkewinke! —
So. Umbruch erledigt. Jetzt schreib ich Dir noch ein bißchen. Dann kauf ich mir bißchen was zum Abendbrot und fahr nach Hause. Heut hab ich Vorschuß nehmen müssen. Es ging nicht länger. Will mir Paar Schuhe kaufen dieser Tage. Und einen Schlips. Sonst brauch ich nichts. Was nehm ich mit? Bringe ich beide Koffer mit? *Und* die Handtasche? Oder

kann ich einen Koffer hierlassen? — Was pack ich ein? Kragen, Schlipse, die braunen Halbschuhe, Hausschuhe, paar Bücher, den guten Anzug von Petersen, . . . Mantel und Hut. Weiter nichts. Ja? Den kurzhosigen Anzug hab ich, für alle Fälle, in Dresden. Schreib mir noch, Schätzchen, damit ich nichts vermaßle!
Und dann — auf in die Ostsee!
Oh, jetzt ist mein Zimmerchen voll! Lehmann und Kiemeyer und Seidel — ein verflixter Krach! . . .

P.   [Sandvige] 13. 8. 26
Liebes gutes Muttchen! Nach 9stündiger Dampferfahrt bei Nacht, in Schlafkabinen, sind wir heut früh auf Bornholm in Rönne angekommen, haben sofort das Gepäck eingestellt, und sind quer durch die Insel gefahren, haben an der Felsenküste eine ganz wundervolle Partie gemacht. Jetzt sind wir auf dem Rückwege nach Sandvige, fahren heut abend nach Rönne zurück und übernachten dort. Sonntag fahren wir mit Dampfer nach Saßnitz. Hier ist's wie im Paradies.
                                                                    Dein Junge

P.   Berlin, 15. 8. 26, Hotel Terminus
Liebes Muttchen!
Soeben — Sonntag, 5 h nachmittags — sind wir in Berlin angekommen und wohnen im Hotel Terminus, dessen Adresse ich auf der Rückseite notiert habe. Kleines, verhältnismäßig billiges Gasthaus beim Potsdamer Platz. Morgen seh ich mal zur Hauptpost, ob aus Saßnitz noch etwas nachgeschickt worden ist; denn ich vermute doch als ganz sicher, daß mir mein Muttchen nach S. geschrieben hat. Morgen kommen dann auch Krell, Hildenbrandt usw. dran. Bis Dienstag bleiben wir sicher hier, so daß Du mir noch nach hier paar Zeilen schreiben kannst. Ist irgend etwas Wichtiges unterwegs? . . . Und vor allem: Wie geht Dir's? Haben die dummen Kopf- und Rückenschmerzen endlich abtelefoniert? Jetzt sitzen wir auf der «Terrasse» unseres Hotels und wollen

mal ganz gründlich essen. Dann wird sich umgezogen und nachher Berlin bei Abend bißchen bestaunt. Bin sehr fröhlich, wieder mal in diesem Radaunest zu sein.
Und jetzt ein Winkewinke! Tausend Grüße   Dein Junge

P.   Leipzig, 21. 8. 26
Liebes gutes Muttchen! Bin eben ein paar Minuten zu Hause: Hab eben einen Artikel gegen den Generaldirektor der Eisenbahn geschrieben. Gestern schon einen Leitartikel über das Eisenbahnunglück. Und dann Nachtdienst. Man nimmt mich also ganz hübsch ran. Damit ich auf andre Gedanken komme, scheint's. Grade kam Dein Telegramm, in dem Du leider abschreibst. Warum eigentlich? Nun, sobald es geht, komm ich nach Dresden. Morgen nicht. Denn: Bis nachts im Verlag, dann 6 h in den Zug — und Montag früh wieder zurück, da ich dann Tagesdienst habe — ich glaube: lieber nicht. Vielen Dank für Deinen lieben besorgten Brief. Ja, ich weiß nicht, was wird, bevor I. nicht anders wird! Ich hab ihr heute früh einen langen Brief geschrieben. Aber Briefe schreiben in solchen Fällen ist furchtbar. Alles kann mißverstanden werden. — Dabei meine ich's mit ihr besser als mit mir! Es ist recht aufreibend. — Sobald ich Zeit habe, schreibe ich Dir mehr . . .

                                                              25. 8. 26
Mein liebes gutes Muttchen!
. . . Für Deinen Brief, der heute früh kam, hab recht vielen Dank, gutes Muttchen! Du bist durch den Konflikt zwischen Ilse und mir auch stark aufgeregt worden. Ich glaub Dir's. Aber es ließ sich nicht gut vermeiden. Was nun wird, weiß ich nicht. Ilse tut immer noch, als sei nichts weiter losgewesen. Das beste wird sein, den ganzen Kram nicht mehr zu erwähnen und die Sache laufen zu lassen. Wie's kommt, muß es dann eben gefressen werden.
. . . Aber genug davon. Ich hab schon viel zu viel darüber nachgedacht und geschrieben. Wenn die andere Seite Klar-

heit nicht will, kann man reden und schreiben, bis man alt-
backen und blöd wird. Es nützt gar nichts.

... Ich kann unmöglich am Sonntag nach Dresden kommen,
mein Muttchen. Die Messe geht am Sonnabend los, und da
muß man immer parat sein. Jedenfalls in Leipzig sein. Du
hast doch noch keine Messe miterlebt. Willst Du am Sonnabend herüberkommen? Am Abend hab ich doch frei. Sonntag schauen wir uns die Messehäuser bißchen an. Ich muß
über Glas und Porzellan schreiben. Abends Nachtdienst,
aber das wäre ja nicht schlimm. Und ab Montag sicher auch
Nachtdienst, so daß wir die Vormittage für uns hätten und
die Nachmittage. Frau Dr. Hübler ist heute nach Bärenfels
gefahren und sagte, Du könntest dann doch sehr gut bei ihr
schlafen. Was?
Im Verlag hab ich auch bißchen Ärger gehabt. Mit dem Eisenbahnartikel, dessen Anfang von der «Sächs. Arbeiterzei-
tung» als Kitsch usw. bezeichnet worden ist. Na, dazu ist
man in diesem Beruf. Man muß sich dran gewöhnen, Stiche-
leien einzustecken. Für Michael hab ich den zweiten Teil des
Referats, von dem der Anfang schon erschienen ist, umarbeiten und ergänzen müssen. Die Decke bringt in ihrem 1. Heft,
3—4 Sachen von mir. Wenn es nur schon soweit wäre! Ich
pumpe mich so durch die Gegend. Wenn bloß die Tante oder
irgendeine Zeitung was rausrückte! Na, es rangiert sich
schon wieder. — Der andre Eisenbahnartikel wurde überhaupt nicht gebracht, da er zu scharf wäre ... Du kommst
schon. Gelt? Schreibst mir bald, ob und wann. Nochmals:
vielen vielen Dank für all Deine Trostbriefchen. Und tausend Küsse   von Deinem Jungen

                                   Sonntag früh, 28. August 1926
... Aus Deinem Brief habe ich den Eindruck, als wolltest Du
an der Spannung zwischen Ilse und mir Deinem Söhnchen
die Schuld in die Schuhe schieben. Das ist nun freilich unrecht. Ich kann immer nur wiederholen: wenn ich nicht
wüßte und wenn's Ilse nicht zugegeben hätte, daß sie schon
seit vorigem Jahr eine Abneigung vor mir hat, so wäre von

mir aus kein Wort gefallen. Aber solange geht nun ihre Entfremdung schon! Und den Grund oder die Gründe, die sie haben muß, gibt sie nicht an! Vielleicht gefällt ihr, seit dieser langen Zeit, jemand andres besser, und sie gibt's nur nicht zu, weil er etwa verheiratet ist oder sonst unerreichbar. Und da sagt sie sich: Ich sag Erich nichts davon. Den andern krieg ich doch nicht. Und an Erich gewöhn' ich mich vielleicht doch wieder, da er ein guter Kerl ist. Schrecklich, dieser Gedanke! Ich bin doch kein Almosenempfänger! Nun denkst Du auch noch: ich dächte an das Leipziger Mädchen (Karin) wie an einen Ersatz für Ilse. Das ist doch völlig ausgeschlossen, Gutes! Sie ist ein netter Kerl. Aber damit ist auch Schluß! Wenn meine Beziehung zu Ilse, durch ihre Fremdheit, ganz aufhören sollte, so hab ich Jahre dran zu kauen. Und werde wohl nie wieder eine finden, die mir gleichwertig erscheint. Also: das heißt zugleich, dann werde ich niemals heiraten. Na, ich will damit aufhören. Ich denke sowieso schon von früh bis spät daran . . . Dr. Michael hat mir ein Päckchen neuer Bücher geschickt. Er ist mit meinen Besprechungen — auch mit der Müritzer — höchst zufrieden. Am Sonntag voraussichtlich Nachtdienst und Nachtdienst dann auch die ganze Woche. Wenn Du also Sonnabend abend kämst, hätten wir Sonntag, und alle folgenden Tage bis 8 h frei für uns. Wie denkst Du drüber? Für heute 1000 Küßchen

Dein Junge

P.   Leipzig, 4. 9. 26
Mein liebes gutes Muttchen! Vielen Dank für Deine Karte, aus der ich sehe, daß Du nun also wieder wohlbehalten in Dresden angekommen bist. Es war wirklich sehr hübsch in den Tagen, da Du in Leipzig warst! — Ich bin, abgesehen vom Nachtdienst, sehr faul geworden. Aber das gibt sich, hoffe ich. Heute war ich, auf Freikarte, zum ersten Mal in Leipzig zum Pferderennen. Bekam Kopfschmerzen und verlor 5 Mark (bei einem Rennen, wo die paar Zufallsgewinner für 10 Mark 360 Mark bekamen). Diese 180 M hätte ich gerne erwischt. Na, das hilft nun nichts. Gestern war ich

schwimmen. Und morgen will ich bißchen ins Grüne. Freue mich schon drauf wie ein Schuljunge. Der Wald soll den trüben Kopf schön auslüften. Was macht mein Muttchen? Tausend Grüße und Küsse   Dein Junge

P.   Leipzig, 11. Sept. 26
Mein liebes Muttchen! Hab Du vielen Dank für Deinen Brief und die netten Bilder! Ich wollte Dir so gerne heute ausführlich schreiben. Aber bei uns geht alles drunter und drüber. Des Kollegen Heilgemayr Mutter ist, an Krebs, gestorben. Da ist er nun gestern gleich nach München gefahren, wo sie wohnte. Und da Lehmann in Urlaub ist, haben wir zwei Übriggebliebenen — Lorenz und ich — furchtbar zu tun. So ziemlich Tag und Nacht. Sobald ich wieder bißchen Luft habe, schreib ich Dir aber ein ganz schönes Briefchen. Ja? Nun muß ich schon wieder schnell in den Verlag sausen. Am Sonntagsblatt ist immer vielerlei zu tun. Also nur ein ganz schönes Winkewinke! Tausend Küßchen.
Viele Grüße an Papa.   Dein Junge

P.   Leipzig, 13. 9. 26
Mein liebes Muttchen! Wieder schreib ich Dir nur eine Karte. Und hab von Dir doch einen Brief erhalten. Heute früh. Aber es ist gräßlich viel zu tun. Kaum Essenszeit! Gestern freilich, Sonntag, hatte ich Zeit gehabt zum Schreiben. Da bin ich aber früh um 5 h abgerückt nach Kösen, Rudelsburg usw. In der Saale schön geschwommen. Abends ½12 h war ich glücklich zurück und bin sofort ins Bett, um frisch zu sein. Am Sonntag bin ich wieder dran mit Nachtdienst. Und nächste Woche auch Nachtdienst. Vermutlich wenigstens. Denn durch Heilgemayrs Fehlen fliegt die ganze Ordnung über den Haufen. Wenn es so wäre, wie eigentlich feststeht — also Nachtdienst —, könntest Du herüberkommen . . .
Von Ilse seit etwa 2 Wochen keine Nachricht. Von Paul auch nicht. Sonst geht mir's aber ganz gut. Viel 1000 Grüßchen
                            von Deinem Jungen

Mein liebes gutes Muttchen!

... Hier hat sich inzwischen nichts Neues ereignet. Gestern hatte ich wieder meine albernen Kopfschmerzen, heute früh lag der Zettel vom Geldbriefträger da, und ich will mir nachher die Moneten abholen. Bin gespannt, wieviel es ist. Und heute zu Mittag hab ich in der kleinen Bierspelunke am Johannisplatz für 1,80 M eine hübsche Portion Gänsebraten verzehrt. War bißchen hart. Sonst aber gut.

... Die Hüblerschen dachten, Du wärest bestimmt noch da. Sie haben nicht geschlafen. Ich hab also Grüße und Dank von Dir ausgerichtet. Aber vielleicht schreibst Du ihnen doch noch eine Karte, damit sie ganz glücklich sind ...

An Ilse hab ich gestern geschrieben. Den üblichen sachlichen Brief. Lange mach ich das nicht mehr mit. Es hat keinen Zweck.

Sag mal, Du Muttchen Du: darf ich Dir dieser Tage bißchen Kleingeld schicken? Denn siehst Du: es ist schon der 24. Von der Decke hab ich noch Geld einstecken und krieg nachher schon wieder welches. Das wird unmöglich alle bis zum 1. Oktober. Und Du hast hier soviel ausgegeben! Einverstanden?

Ich sitz jetzt bei Felsche und will nun zur Post trotteln, um daselbst zum reichen Manne zu werden.

Meinem Muttchen 1000 Grüßchen und Küßchen

Dein Junge

Leipzig, 5. Oktober 1926

Mein liebes gutes besorgtes Muttchen!

... Heute früh kam Marguth stolz zu mir und zeigte mir eine Zeitung, in der mein Artikel «Mörder in Uniform» (hast Du ihn gekriegt?) zum großen Teil nachgedruckt war. Na, so was ist ganz gut. Da steigt die Einschätzung ein bißchen. Und wo ich jetzt so selten geschrieben habe, kann sie ruhig bißchen steigen.

In den Dresdner Theatern ist jetzt viel los, wie ich sehe. Gehe nur tüchtig in die Stücke, mein Muttchen! Es tut wohl, mitunter längere Zeit gar nicht mehr an sich selber denken zu müssen. Mit John wird heute abend weitergedichtet. Wenn das Stück angenommen würde und Erfolg hätte, es wäre einfach wundervoll ... Ob das Dings Erfolg haben wird, kann man natürlich vorher nicht wissen. Da müßten wir schon großes Glück haben, denke ich. — Schade ist, daß man solange man so was arbeitet, für kleine kurze Sachen wenig Zeit hat. Aber das hilft eben nichts. In 8 Wochen wollen wir fertig sein. Ich glaube, es wird bißchen länger dauern. ... Hauptsache, daß es überhaupt erst mal fertig wird und uns hinterher noch genau so gut gefällt wie vorher ...

Es ist gar nicht so furchtbar einfach, dergleichen zusammenzuarbeiten, kannst Du glauben. Da sitzen wir nun in irgendeiner Kaffeehausecke; jeder mit Papier bewaffnet und Bleistift. Wir gucken uns an wie Kampfhähne, blinzeln nachdenklich, fragen: also was sagt nun der und dann jener? Na, John sagt dann, er dächte etwa so ... Das gefällt mir nicht, und ich schlage deshalb was andres vor. Das gefällt wieder *ihm* nicht! Kurz und gut, ehe wir jedesmal einen Satz notieren, mit dem wir beide einverstanden sind, vergeht eine geraume Zeit. Aber es wird schon alles werden! Man muß sich noch bißchen aneinander gewöhnen.

Gestern abend war ich seit langem wieder mal einen ganzen Abend mit Paul zusammen. Nachts sind wir noch endlos lange durch die Straßen geschlendert — er wohnt ja jetzt nicht weit von mir — und haben über Ilse gesprochen. Ich glaube, da ist Hopfen und Malz verloren. Eigentlich müßte ich ihr antworten. Vor 14 Tagen schrieb ich ihr zuletzt. Sie schrieb mir inzwischen den üblichen Brief von ihrem Blau-Gold-Klub und solchen Zimt. Und ich solle ihr Bücher besorgen. Ich hab nicht geantwortet. Einmal muß diese Backfischkorrespondenz ja doch ihr Ende finden. Es wird schon Männer geben, die mit ihr in dieser Weise zufrieden sein werden. Hoffentlich wenigstens; denn sonst wird sie es noch einmal sehr bitter bereuen müssen, daß sie aus mir einen Gebrauchshanswurst machen wollte ...

Nun, mein Herzensmuttchen! Leb schön wohl und leb schön gesund und sorg Dich ja nicht um den dummen Jungen in

Leipzig. Der hat sich schon wieder bißchen in der Hand, so
daß ihm die Pferde nicht mehr durchgehen. Es ist noch bißchen wie nach einer Krankheit ...
Ilses Betragen hat gezeigt, daß sie ein kleines dummes Ding
ist wie jedes andre beliebige Mädchen.
Tausend herzliche Grüße und Küsse

                                        von Deinem Jungen.
Schreibt mir bald wieder ein bißchen?

P.   Leipzig, 7. 10. 26
Mein liebes gutes Muttchen! Vielvielen Dank für Deinen
Brief und Deine Karte! Sobald ich kann, schreib ich Dir ein
feines Briefchen. Heute qualmt's bißchen. Abends mit John
wird der erste Akt beendet. Ich schreib ihn Sonntag oder
Montag in die Maschine. Im ganzen werden's etwa 8 Bilder.
— Außerdem qualmt's im Verlag. Seit Tagen wuchten Lehmann, Lorenz und ich gegen alle übrigen, soweit sie Chefredakteur oder polit. und Handelsredakteure sind. Wegen der
europäischen Wirtschaftspakte, die sich jetzt bilden und die
wir drei für sehr gefährlich halten. Heute in der Konferenz
hätte es annähernd Ohrfeigen und ähnliches gegeben. Man
nimmt uns unsere Überzeugung furchtbar übel ... Recht haben wir doch! Heut früh kam der Anzug sauber und gebügelt
von Werner ... Die Schuhe sind schön leicht geworden. Vielen Dank an Papa. Der Kuchen war prima. Tausend Küßchen

                                        Dein Erich

                                        Leipzig, 9. Oktober 1926
Mein liebes gutes liebes gutes Muttchen!
... Vielen Dank, daß Du mir wieder ein Briefchen und eine
Karte geschrieben hast! Ich habe Ilse immer noch nicht geantwortet ... Ich sag mir: so, jetzt revanchier ich mich endlich mal für ihre Gleichgültigkeit und Lustigkeit, die sie
hatte, als sei nichts geschehen. *Einen* Brief will ich ihr, wie
gesagt, noch schreiben, in dem ich ihr noch einmal summa-

risch vorrechne, wie unwürdig sie mich behandelt und sich benommen hat. Dann wird wohl alles vorbei sein ... Eine sehr schöne Hoffnung ist damit zerstört ... Hab nicht einmal graue Haare drüber gekriegt ... Die letzten Wochen waren sehr apathisch. Wie im Schlaf lief ich rum, wie in einem schlechten Traum. Deswegen hab ich wohl auch meinem Muttchen nicht geschrieben. Ich war eben nicht ganz zurechnungsfähig.

Jetzt ist das also, Gott sei Dank, vorüber. Beim Arbeiten — der 1. Akt ist fertig — bin ich schon wieder ganz bei der Sache. Bloß beim Erholen noch nicht. Aber das gibt sich alles.

Obwohl ich nächste Woche Nachtdienst hab, kann ich mich nicht freimachen. Wäre so gerne mit Dir in Döbeln oder sonstwo zusammen. Doch ich muß arbeiten. Heute abend fange ich mit John den 2. Akt — besser, das 2. Bild — an. Morgen früh — also Sonntag muß ich für Weißkopf paar Sachen schreiben. Es wird ein Reklameprospekt mit dem Text von mir. Dann muß ich noch Bücher fertig lesen, die mir Dr. Michael zur Besprechung schickte. Ich will die Besprechung Dienstag abliefern. Dann will ich ab Montag früh den 1. Akt in die Maschine tippen. Für die Decke (sie schickte mir heute wieder 50 Mark!) zwei Gedichte fabrizieren. An den Nachmittagen will ich mit John weiterarbeiten. Kurz: viel Arbeit. Ist aber jetzt für mich das Klügste. Es fängt mir auch an, wieder Spaß zu machen. Darüber bin ich besonders froh.

Ich leg Dir eine kleine Zeitungsarbeit von mir bei. Und ein Bild, das Natonek auf der Felsche-Terrasse mit seinem Apparat gemacht hat. Ich finde es sehr gut. Heb's schön auf. Ich hab weiter keins davon.

Toni Impeckoven ist ein Freund von Reimann, ein Frankfurter Schauspieler, der Vater der berühmten Tänzerin Niddy Impeckoven. — Ich will mir von der Decke die Zeitschriften geben lassen und Dir dann gleich schicken. Ein neues «Leben» kriegst Du in der nächsten Woche. Stehen paar Sachen von mir drin. Das eine ist total durcheinander. Ganz verkehrte Reihenfolge. Ich zeichne Dir's an, wie's richtig ist. Eine schwarze Jacke mit Weste willst Du mir kaufen! — Aber mein Engelsmuttchen, das nimmt ja kein Ende! Immer kann sich der kleine Doktor noch nichts kaufen! Aber es eilt nicht! Ich zieh den blauen Anzug gerne an. Wirklich! . . . Natonek war eben beim Arzt. Seine Lunge ist nicht in Ordnung. Soll ausspannen und möglichst nach dem Süden fahren. Sah ja auch erschreckend aus in der letzten Zeit.

Na, mein Muttchen! Nun will ich mal, hopsa, den Brief zur Post bringen! Auf baldiges frohes gesundes Wiedersehen freut sich von Herzen   Dein Junge

13. 10. 26

Mein liebes gutes Muttchen!

Das heißt: eigentlich ist schon der 14. Oktober. Nacht 1 h. Ich sitz im Verlag, bin eben mit dem Umbruch fertig und warte auf die Telefongespräche. Ich bin, seit ich Dir die Karte schrieb, fleißig gewesen: Gestern abend für die Decke gearbeitet und heute für Dr. Michael die Buchbesprechungen weggeschickt. Feines Köppchen! Morgen früh fang ich mit Tippen des 1. Bilds endlich an. Erst pack ich aber das Wäschepaket, leg Dir das neue «Leben» bei und einen kleinen Artikel, den ich dazu schrieb, daß Wilhelm II. das Schloß Homburg von Preußen als Wohnsitz erhalten hat. Im «Leben» ist das Gedicht «Wer hat noch nicht — Wer will noch mal» von mir . . . Der Ohser, der das Gedicht illustriert hat, will mit mir — schrieb ich auch schon — zur Landtagswahl in der «Zwickauer Volkszeitung» was machen. Da muß ich freilich unter anderm Namen auftreten, sonst zerspringen die Leute hier. . . .

An Ilse hab ich also einen Brief angefangen. 1½ Seiten bis jetzt. Er wird aber sicher 10. Und mir graut davor. Wenn ich bestimmt wüßte, daß sie wen anders lieb hat oder doch mich nicht mehr, so schriebe ich ihr überhaupt nicht wieder. Was hat es für Sinn, einem Menschen Vorwürfe zu machen, der gleichgültig geworden ist. Ebenso gut kann man die Wände anschreien. Aber ich hab mir nun mal vorgenommen, noch einmal gründlich meine Meinung zu sagen. Und da mach ich's auch . . .

Das Treffendste, was über Ilse gesagt werden kann, hast Du

geschrieben: «Ihr Alter scheint sich verschoben zu haben.»
Anstatt Mutter zu werden, ist sie in aller Eile dummer Backfisch geworden ... Tausend Grüße und Küsse

Dein Junge

P.   Leipzig, 16. 10. 26
Mein liebes Muttchen! Sonnabend abend ist es. Ich will
gleich zum Nachtdienst. Fand vorhin erst Deinen lieben
Brief vor, da ich heute frühzeitig los bin: zur Decke und zu
Dr. Michael. Kleine Geschäftsreise sozusagen. Überall Aufträge erhalten. Muß arbeiten wie ein Heupferd im Geschirr.
Tut aber gut. Ist für junge Leute gesund. Heut nachmittag
erst für die Zeitung eine Glosse geschrieben. Dann mit John
Bild 2 besprochen. Wir wollen morgen den ganzen Tag dran
schreiben. Bild 1 hab ich fertig in die Maschine geschrieben.
Michael hat sich vormerken lassen. Will mit mir auch eines
schreiben. Und ein Weihnachtsmärchen — Immer feste! ...
— Hast Du die Wäsche gekriegt? Und das «Leben»? — Sobald ich die eiligsten Aufträge weghabe, schreib ich Dir ein
Briefchen. Ja? — Wegen Zwickau mach Dir keine Sorge. Ich
schreib unter anderm Namen. Will sehen, ob ein guter Leipziger Verlag meine Kindergeschichte nehmen will. Ohser
soll dazu Illustrationen machen. Es wäre sehr fein! Nun,
husch, zur Nachtarbeit! Tausend liebe liebe Grüße und
Küsse

Dein Junge

19. 10. 26
Mein liebes gutes Muttchen Du!
Hab Du vielen Dank, vielen vielen Dank für Deinen Brief
von heute morgen. Er kam gleichzeitig mit einem längeren
Brief von Ilse. Am Sonntag bekam ich schon einen, wo sie
mir den Empfang meines Briefs kurz mitteilte. Heute schrieb
sie also ausführlich: Ich täte ihr unrecht, wenn ich ihr einen
Vorwurf aus ihrer Abkühlung (hab ich gar nicht gemacht)
machte. Daß ich nach Gründen suchte — also: andre Män-

ner — sei begreiflich, aber unrecht. Es existiere niemand dergleichen. Und daß sie mir nie geantwortet hätte, habe auf ihrer Hoffnung beruht, ihr Gefühl werde sich wieder stärken. Sie habe genau so gelitten wie ich. Und schon länger. Daß sie auf dem letzten Teil der Reise froh und heiter war, sei eine Art Befreiungsgefühl gewesen. Sie sei froh gewesen, nicht mehr Gattin sein zu müssen auf Kommando. Und so weiter. Schön und gut. Nun wäre es also konsequent, wenn sie schriebe: Tut mir leid, machen wir Schluß! Aber nichts dergleichen. Sie läßt durchblicken, daß sie mich trotzdem lieb hat usw. Bleibt «Deine Ilse» usw. Das geht doch nicht! Sie macht Unterschiede zwischen Liebe und Bett. Ich kann hierin keinen Unterschied machen. Entweder: sie hat mich lieb. Oder nicht. Für solche Unterschiede, wie sie machen will, hab ich nicht das geringste Verständnis.

Im November will sie nach Leipzig kommen. Ich glaube, das ist ganz gut. In der Aussprache wird sich die Schwierigkeit am besten beheben. Denn in Briefen geht dergleichen schwer. Nun muß ich ihr also antworten . . .

Jedenfalls: es kann nicht stimmen, was sie schreibt. Wie kann sie sagen: sie habe aus Zartgefühl geschwiegen, wo ich doch immer wieder fragte, was mit ihr los sei! Es wäre im Gegenteil zart gewesen: mir Antwort zu geben, anstatt mich im unklaren zu lassen. Sie sah, daß ich geradezu darum rang, die Wahrheit zu erfahren; daß ich ganz verzweifelt war — Und nun stellt sie sich hin und sagt: Ich hab aus Rücksichtnahme nicht antworten wollen! Nun, ich werde ihr also antworten, wie ich denke. Werde ihr auch schreiben, es würde mich freuen, wenn sie nach Leipzig käme.

Sie schrieb auch noch: sie habe sich fest vorgenommen gehabt, schon ehe am Sonnabend mein Brief gekommen wäre, mir zu schreiben. Das kann jeder sagen!

Die Dinge liegen für mich sehr schwer. Ich bin so stolz in solchen Fragen. Und nun soll ich weiter auf Ilse warten, wo sie zugibt, daß ihr «die sexuelle Bereitschaft» (so nennt sie's wissenschaftlich) unangenehm ist; daß sie wie unter einem Druck stand, solange sie wußte: ich verlange und erwarte von ihr Hingabe.

Es mag ja sein, daß manche Frauen jemand liebhaben und doch von ihm nichts wissen wollen! Aber das ist mir zu kompliziert! Solch eine Ehe würde das Gräßlichste, das sich ausdenken läßt.

Na, ich will schon aufhören mit der Sache. Sonst schreib ich zehn Seiten voll davon, und das Resultat ist ja doch gleich Null ...

Gestern hab ich mit John die erste Hälfte vom 2. Bild fertig geschrieben. Jetzt ist er bis Donnerstag verreist. Und da kann ich schnell mal die Nebenarbeiten erledigen. Für die Decke, Michael und Zwickau ...

Mein gutes Muttchen fühlt sich so allein. Ach, mein herzensgutes, wie machen wir das nur! Übernächsten Sonntag ist Landtagswahl. Da müssen wir alle im Verlag schuften. Und am ersten Novembersonntag wird wohl Ilse kommen wollen! Ach, es ist ein Kreuz! Komm doch in meiner nächsten Nachtdienstwoche, ja. Paar hübsche Tage ab Montag. Denn der Sonntag vorher ist ja wohl der Wahlsonntag, wo ich von Nachmittag ab im Verlag sein muß. Nun, Gutes, darüber schreiben wir noch.

Heb mir die Briefe von Ludewig und der kleinen Zimmermann auf. Ich möchte sie noch einmal lesen. Spielzeug natürlich aufheben!!!

An den Hosenträgern hatte sich der Gummi abgelöst. Ich nehme jetzt andere. Hab ja darin Vorrat ...

Sei nur der Ilse-Sache wegen nicht nervös. Und ärgere Dich über nichts. Bist Du von der Wäsche so sehr kaputt? Mein armes gutes Muttchen Du! Schon Dich ja! Ich brauch noch lange mein gesundes Muttchen zum Freund. Hab sonst gar keinen! — Deine lieben Anzug-Sorgen besprechen wir, wenn Du hier bist bei mir. Petersen ist ja viel zu teuer. Ist so lieb, daß Du mir eine Freude in dieser Zeit machen willst! Aber ich bin ja über den schlimmsten Gram weg. Und Du sollst doch vor allem Dir was zurücklegen! Nicht immer für mich schuften! ... Nun, mein gutes Muttchen! Auf baldiges Wiedersehen. Ja? Küßchen! Dein Junge sitzt bei Felsche. Muß sofort in den Verlag und was schreiben. Winke winke

das Söhnchen

Sonnabend, 6. November 1926

Mein liebes gutes Muttchen Du!

Es ist ½12 h. In 2 Stunden bin ich wieder mal den Nachtdienst für 14 Tage los. Das freut mich. Denn manchmal
macht es doch aber auch gar keinen Spaß. Wenn man bißchen Kopfschmerzen hat und bißchen müde ist usw. — Na,
morgen früh wird erst mal bißchen ausgeschlafen. Dann
geht's in einen Vortrag im Schauspielhaus. Nachmittags will
ich mir's zu Haus bißchen bequem machen. Dann das 3. Bild,
soweit ich dran bin, fertigstellen (das 2. Bild liegt nun auch in
Schreibmaschine vor); dann für die Propaganda-Abteilung
was machen, für die Decke wieder was anfangen; und mir für
Michael was überlegen. Der hat auch eine neue Beschäfti-
gung für mich ausgeknobelt.
... Mit der Decke eß ich erst am Mittwoch zusammen ...
Dann aber krieg ich Geld und wohl auch die neu erschienenen Hefte. Hast Du schon das «Martyrium des Dicken» gelesen? Eigentlich ein recht hübsches Buch. Nur bißchen zu
breit angelegt.

Wenn ich nicht Sorge hätte, Du könntest Bauers Kundschaft
einbüßen, möchte ich diesem Flegel einen Brief schreiben,
den er sein Leben lang auswendig wüßte! So eine Ungezo-
genheit! Hoffentlich hast Du ihm die richtige Antwort gegeben. — Es ist doch das einzig wirklich Hübsche, was uns geblieben ist: öfter ein bißchen zusammenzusein. — Ich gehöre
wirklich nicht zu denen, die erst zu spät merken, was eine
Mutter bedeutet ... — Lehmann sagte: «Schade, daß Ihre
Mutter nicht im Verlag war. Hätte ihr gern mal wieder guten
Tag gesagt.» — Mehrausgaben durch Deine Besuche? Aber
Muttchen, Du weißt doch ganz genau, daß ich, sooft Du hier
warst, geradezu gespart habe! Obwohl ich das doch wirklich
nicht will. Mach Dir nur über solche Sachen keine Gedanken. Wir zwei sind darin doch völlig einer Ansicht, ein Herz
und eine Seele. Also, dummes Muttchen? ...

Ilse will also am Sonnabend kommen. Ich muß ihr Anfang
der Woche schreiben. Eigentlich ist da ja wieder Wahl. Aber
vielleicht komm ich frei. Sonst verzögert sich Ilses Besuch
wieder. Bis es überhaupt keinen Sinn mehr hat. Karin be-

ginnt am Mittwoch wieder eine neue Stellung. Bei Dr. Lewin, dem tüchtigsten Zahnarzt hier, wo sie früher schon mal war. Als Schwester und Laborantin ...

Jetzt ist's 1 h. Ich hab inzwischen den Umbruch gemacht. Jetzt wart ich nur noch auf die letzten Meldungen. Dann trapple ich ins warme Zimmer, wo noch Muttchens Blumen stehn. Und der Rollschinken. Und die Eier und Äpfel. Mit Kiemeyer hab ich noch nicht gesprochen. Er kam erst heute vom Sechstagerennen aus Berlin zurück. Und fährt morgen wieder hinüber. Aber ich vergeß es nicht.

Den Fememord-Artikel leg ich Dir bei. Nächste Woche will ich mal wieder bißchen was schreiben für die Johannisgasse 8. Damit sie sehen, daß ich auch noch da bin.

Heut viel tausend Grüßchen und Küsse   Dein Junge

Sonntag, 14. 11. 26

Mein liebes gutes Muttchen!

8 Tage vorm Totensonntag. 14. November 1926. — Den Tag werd ich mir merken müssen. Eben, 8.50 abends, ist Ilse nach Dresden zurückgefahren. Am Dienstag, Mittwoch will sie nach Senftenberg zum Geburtstag des Vaters. So fuhr sie heut abend und sagte mir dies erst heute mittag, so daß dann die Aussprache, die von 3 h — 8.50 dauerte, schnell vom Zaun gebrochen werden mußte.

Also die Hauptsache: Zwischen Ilse und Erich ist's aus. Sie machte mir bis 8 h damit das Leben noch einmal schwer, daß sie behauptete, sie habe mich trotz allem lieb. Eine Weinerei zum Herzzerbrechen. Um 8 h begann ich dann, ihr zu erzählen, wie es wirklich war. Ich sagte: Du hast mich nie liebgehabt. Die erste Zeit war's sexuelle Neugierde der 18jährigen. Und seit 6 Jahren etwa weißt Du, daß Du mich nicht liebst und nie geliebt hast. Aber Du hast Dir selber immer weisgemacht: Ich liebe ihn doch. Faktisch hast Du mich nur gern gehabt, weil ich anständig, zuverlässig, ehrlich und gescheit bin ... Deswegen auch bist Du, trotz aller Tränen, froh, daß es aus ist. Und deswegen bedauerst Du auch, daß es zu Ende ist, da der andere, den Du lieber hast, nicht da ist. Mein liebes Muttchen. Dir wird, was ich Ilse erzählt habe, nicht neu sein. Denn Du hast mir fast alles das seit Jahren wortwörtlich erzählt. Nur daß ich's nicht früher geglaubt habe. Ich bin ein Esel gewesen. Na, basta.

Ilse war von meinem «Scharfsinn» überrascht und gab mir recht. Wenn auch sehr ungern. Nun sagte ich ihr: Es sei unverantwortlich von ihr gewesen, daß sie 6 Jahre geschwiegen habe. Sie habe zartfühlend sein wollen und habe mich statt dessen gequält. Jetzt, nun ich wüßte, daß sie mich niemals lieb hatte, sei mir ein Stein vom Herzen.

Unterwegs widerrief sie wieder. Nein, sie habe mich doch liebgehabt. Und sie fühle genau, daß sie jetzt ihr Glück bewußt von sich weise. Nie wieder werde sie einen Mann wie mich finden. Ich sagte: wichtig sei nicht, ob der Mann gut oder lieb sei, sondern daß die Frau ihn liebhabe. 8 Jahre hätte ich sie liebgehabt. Nun wollte ich mal mit einer andern erleben, wie schön es ist, wenn ich liebgehabt werde. Dann wurde sie, unterwegs und weinend, auch noch eifersüchtig auf meine zukünftige Geliebte oder Frau. Ich sagte, am liebsten wäre mir, ein Kind zu haben. Sie sagte: sie würde von mir Kinder haben wollen. Immer noch. Ich sagte: Jetzt möchte ich keine mehr von Dir, da Du mich nicht lieb hast.

Nun, dann habe ich ihr noch gut zugesprochen, obwohl ja eigentlich ich bei der Sache der Genasführte bin. Wir werden uns gelegentlich schreiben. Und wenn sie Rat braucht, soll sie sich an mich wenden. — Dann war es Zeit, in den Zug zu steigen. Sie hat geweint und gewinkt. Und ich habe gewinkt und auch beinahe geweint.

Und nun liegt endlich alles wieder klar vor mir. Ich habe 8 Jahre verloren. Und Ilse hat es gewußt. Aber sie hat ja auch 8 Jahre eingebüßt. Und bei ihr ist das schlimmer.

Jetzt wird wieder von vorne angefangen. Das ist zunächst noch bißchen seltsam. Denn, daß ich sie lieb hatte und habe, ist nicht zu ändern. Und hätte sie mich so liebgehabt wie ich sie — es wäre wunderschön auf der Welt gewesen.

Nun, so muß es auch gehen. Und wird gehen. Gut sogar. — War komisch, als die alten Spinatwachteln zu ihr sagten: «Kommen Sie recht bald wieder» —

Ilses Bilder werde ich hängen lassen, bis ich mal eine Braut habe. Ich möchte nicht, daß man mich mitleidig von der Flanke ansieht und denkt: Der arme kleine Glückallein. . . . Na, hopp, mein Pferdchen! Nicht mit den Augen gezwinkert. Das Leben kann noch immer eine ganz feine Sache werden. Tausend Grüßchen und Küßchen von Deinem Glückallein

Dein Junge

Mein liebes gutes Muttchen! vorm Bußtag, 16. 11. 26
Na, der Vorhang ist unter den letzten Akt des kleinen Trauerspiels gefallen. Glückallein ist bißchen marode. Wie man eben nach einem Theaterstück, das 8 Jahre dauerte, zu sein hat. Und ganz ausgewetzt wird die Scharte wohl erst dann sein, wenn ich ein junges feines Mädchen kennengelernt haben werde, das mich so lieb hat, wie mich Ilse nicht liebte. Es ist nun einmal peinlich, besonders für einen Mann, sich zu sagen, daß er da, wo er lieb hatte, gleichgültig wirkte und behandelt wurde. Er fühlt sich verletzt; er wird an seiner Bedeutung irre; er ist in seiner Eitelkeit tief, tief gekränkt. Ganz abgesehen davon, daß er seine Liebe austreten muß wie eine fortgeworfene brennende Zigarette. Na ja! Das muß wohl so zum sogenannten Lauf der Welt gehören. — Ich bin jedenfalls über diese letzte Phase der Affäre — Sonnabend, Sonntag — erstaunlich stramm weggekommen. Bis auf paar Momente, so daß es eher so aussah, als machte ich der Sache ein Ende. Trotzdem bin ich felsenfest davon überzeugt, daß Ilse noch im Zug fröhlich und guter Dinge war. Sie wird in zwei Büchern geblättert und gelesen haben, die sie sich von mir vor der Abreise auslieh und die sie mir gelegentlich zurückschicken will. — Sie hatte noch allerlei Kleinkinderschmerzen; ich werde wohl gar ihre Bilder von der Wand nehmen. Und sie verachten wegen ihrer Oberflächlichkeit. Und die 8 Jahre, die ihr trotz allem so schön erschienen, verwünschen und sie dazu.
Nun, ich hab sie in allem beruhigt. Es ist nicht nötig, daß sie sich auch noch grämt. Daß Du nun bös wärst, bedrückte sie auch ein wenig. — Glückallein kriegte Deinen Brief erst spät

am Tage, da die Postboten Muttchens Adresse für Oststraße anstatt für Hohe Straße entziffert hatten. Also, Schimpfmuttchen, Adresse fein deutlich schreiben! Vielen lieben Dank für Karte und Brief! Küßchen!

Daß Karin an den Tisch kam, hat, glaube ich, keine schlimmen Gründe. Dazu sah sie zu verzweifelt aus. Bekannte, die uns alle kannten, saßen mit bei Felsche. Und da hat sie wohl gedacht: niemand solle denken, sie sei das zurückgesetzte Verhältnis usw. Sie wußte wohl in dem Augenblick selber nicht, was sie tat. Aber vielleicht nehme ich auch Karins Empfindungsweise zu ernst. Aber das soll mir jetzt nicht den Kopf beschweren! Als Frau kommt sie niemals für mich in Frage. — Das Lustspiel bleibt jetzt ewig stecken, weil John keine Zeit hat. Wenn es so weitergeht, mache ich's allein fertig.

Schon wieder bei Petersen gewesen, Weihnachtsmann? Nächsten Sonntag hab ich wieder Nachtdienst. Durch die Wahlen und Wochenfeiertage sind wir andauernd dran. Da kann man leider nichts machen. Aber so bald es irgend geht! Hätte ihn, glaube ich, gerne zweireihig. Aber da verlaß ich mich ganz auf Dich. Schon auch wegen des Kleiner-Aussehens im Zweireiher. —

So, hoppla! Nun will ich schnell wieder was für die Decke zurechtmachen. Für Michael hab ich in der Sonnabendnacht in meinem Schlafzimmer was geschrieben. Hat ihm gut gefallen. — Und nun 1000 Grüße und Küsse

Dein Glückallein

Leipzig, 24. 11. 26

Mein liebes gutes halbkrankes Muttchen!

Eben bin ich nach Haus gekommen, von Konferenz und Mittagessen, da find ich eine große Kiste vor. Denke zuerst, Wein? Hab doch keinen bestellt! — Waren aber Äpfel aus Kesselsdorf. Mit Beil und Brecheisen hab ich den Deckel abgedeckt — na, einfach herrlich! Gelbe Richards, Reinetten und noch herrlichere Dinger, die ich dem Namen nach nicht kenne. Groß wie Boxerfäuste. Hab sofort im Schlafzimmer, auf der Marmorplatte, eine Obstausstellung inszeniert, die sich sehen lassen kann. Das wird herrlich, nachts im Bettchen sein, wenn's nach guten Äpfeln riecht! Heut zum Nachtdienst werden die ersten zur Probe gegessen. — Hab vielen vielen Dank, mein Gutes. Ein herrliches Geschenk!

Arthur Naacke ist anscheinend blödsinnig geworden. Ein Herr Soundso aus Leipzig schuldet ihm 150 M. Könne nicht zahlen, sei uralt usw. Da soll ich ins Haus gehen, wenn ich mal vorbeikomme — liegt am Ende der Welt, diese Taubestraße — und die Nachbarn aushorchen, ob der Alte wirklich kein Geld hat. Bin ich vielleicht ein Detektiv? Nächstens schreibt er gar, ob ich ihm nicht die 150 M selber geben will! Jede freie Minute nehm ich zusammen, schreib für die Decke viel, will mit Michael eine Feuilletonkorrespondenz aufmachen, die unsere Arbeiten (auch von Krell, Natonek, Paul usw.) in Massen vertreibt, damit sich das Schreiben mehr rentiert; hocke mit John über den Lustspielen, sobald er mal Zeit hat; hab meine grotesken Gedichte mal gesammelt, fein aufgeklebt, mit dem Zeichner Ohser (sehr begabter Kerl) drüber gesprochen, und nun suchen wir mit der Laterne auch einen Verleger, der den Band herausbringt, mit Bildern dazu von Ohser.

. . . In der Weihnachtswoche hab ich Tagesdienst und werde, hoffe ich, am Heiligabend nach Dresden können, bis 3. Feiertag früh. Das wird sehr schön werden, mein Muttchen! Ja? Sonntagnachtdienst hab ich erst wieder, voraussichtlich, am Sonntag nach Neujahr. Neujahr ist, glaub ich, sonnabends. Ob ich da auch kommen kann, weiß ich noch nicht. Wenn irgend möglich, komm ich am ersten Dezembersonntag schon mal zu Dir, mein Gutes. Nächsten Sonntag muß ich mit Paul zu einem Tanzabend von der Schnoor. Da er mit ihr und ihrem Mann sehr befreundet ist, möchte er nicht kritisieren. Hat Angst, der kleine Schuft. Und da soll ich's machen. Paul hat jetzt eine nette kleine Freundin und ist recht froh darüber. Die Wirtin drückt die Augen zu.

Arbeite nur nicht so tüchtig, daß Du nicht allzu kaputt bist, mein Mamachen, wenn Glückallein auf Besuch kommt.

Das feine feine Weihnachtsgeschenk! Vielleicht ist es doch

das Beste, wenn er *ein*reihig gemacht wird. Denn noch kleiner als ich schon bin, möchte ich wirklich nicht ausehen. Also gelt? Mag ihn Petersen einreihig zuschneiden lassen. Sehr fesch! Ich freu mich riesig drauf. Werde wohl noch ein kleiner Affe werden. Und danke meinem guten Weihnachtsmannmuttchen von ganzem, ganzem Herzen. Du Gute! Aber nun: Was soll Dir denn der Glückallein-Weihnachtsmann bringen? Hast Du Dir schon überlegt? Muß was Großartiges werden. (Keine Strumpfbänder!) Muß in einen Karton ja nicht hineingehen, so groß! Ja? Einen Stollen nähme ich gern mit nach hier. Nicht mehr. Aber den einen würde ich auch mit großer Freude auffuttern. Mit Rosinchen. Mit viel Rosinchen sogar. — Nun tausend Grüße und Küsse, mein Liebes,

von Deinem Jungen

26. 11. 26

Mein liebes gutes Muttchen!
Gestern, am Donnerstag, paßte es John wieder nicht. Ich beginne Wut zu kriegen und hätte längst gesagt: ich mach's ohne Sie fertig, wenn er *absichtlich* keine Zeit hätte. Aber er möchte ja gerne weiter mitmachen. So werd ich also zunächst nebenher eine größere Novelle schreiben — die zwischen Vater und Tochter, die Du mir von einer Kundin erzähltest — und dann vielleicht ein Stück oder 3 Einakter *allein* arbeiten, so daß mir dann egal ist, wann das Lustspiel mit John fertig wird.
Morgen früh bin ich zum Direktor vom Paul List Verlag bestellt. Wegen des Gedichtbändchens. Ohser hat ihm davon erzählt. «Was?» hat er gesagt. «Peter Flint? Den möcht ich schon lange mal kennenlernen.» Wegen des Buchs hat er Ohser wenig Hoffnung gemacht. Aber ich denke, ein bißchen geneigter werd ich ihm den Gedanken schon machen. Na, und wenn er gar nicht will, muß ich weitersehen. Zu dumm! Die Doktorarbeit liegt herum und ist gut; die Gedichte sind gut, und niemand wird recht ranwollen! Na, Däumchenhalten!

39

Wenn ich 30 Jahr bin, will ich, daß man meinen Namen kennt. Bis 35 will ich anerkannt sein. Bis 40 sogar ein bißchen berühmt. Obwohl das Berühmtsein gar nicht so wichtig ist. Aber es steht nun mal auf meinem Programm. Also muß es eben klappen! Einverstanden? . . .

Ich will mich nicht aufregen. Und tu es eigentlich nur noch in Erinnerung an Deine vorwurfsvollen Briefe, in denen Du die Dinge gänzlich auf den Kopf stelltest. Dir und mir gabst Du die Schuld, während Ilse einzig verantwortlich zu machen ist. Und sicher in einem Ausmaße, das wir nur als Detektive überblicken könnten.

Diese Sachen alle hatten meinem Selbstbewußtsein einen harten Schlag versetzt. Ich kam mir betrogen, hinterm Rükken verlacht und ins Gesicht gestreichelt vor . . .

Aber Du mußt nun nicht denken, mein Muttchen, daß ich Tag und Nacht herumrenne und verbittert bin. Nur selten denk ich daran. Dann aber gründlich. — Laß Dir Ilse gegenüber nichts merken. Nur, wenn sie allzu großartig sein sollte, versetz ihr eins. Jetzt wollen wir erst mal bißchen Gras drüber wachsen lassen . . . Gott sei Dank ist Muttchen mit dem Reinemachen fertig! Kaputt? Oh, oh! Schlafe, schlafe!

Die Hefte «Für Alle» hab ich zerschneiden müssen, weil ich für das Gedichtmanuskriptheft die Dinge brauchte. Sonst stand nicht viel drin von mir. Ich will aber sehen, daß sie mir noch einmal von beiden Heften ein Exemplar für Dich gibt.

Paar Sachen hat sie wieder von mir angenommen. Für Silvester und Neujahr. Und ich hab einen scharfen Brief über ihre Honorare dazu geschrieben. Das haben wir so ausgemacht. Sie will ihn dem Verleger zeigen, damit der einsieht, daß er mehr bezahlen muß für ihren besten Mitarbeiter . . .

Nun winke winke, mein Gutes, Fleißiges, mein Geldverdiener und Christkindel! Ich küß Dich herzlich und bin und bleibe ewig   Dein Junge

Absender: Doktor Glückallein
           Leipzig in der Wüste
           wohnhaft bei zwei alten Schachteln.

Mein liebes gutes Muttchen!

Donnerlittchen! Um 8 h hatte ich mich *für eine Minute* an den Ofen gesetzt. Wollte dann gleich ausgehen, irgendwo Kaffee trinken und Dir ein schönes Briefchen schreiben. Statt dessen wach ich eben auf in meiner Ofenecke. Wie spät ist's? 12 Uhr!

Zu ärgerlich, so ein verschlafener Abend! Wo auch so vielerlei zu tun wäre. Michael hat wieder Bücher geschickt. Das Zwickauer «Volksblatt» will von mir eine Weihnachtsgeschichte, die Ohser illustrieren soll. Für unsere Propagandaabteilung muß ich ein Dutzend Werbebriefe entwerfen. — Alles sehr eilig ...

Hatte ich Dir noch nicht geschrieben, wie es im List-Verlag war? Am Sonnabendfrüh war ich dort, über eine Stunde lang. Der Direktor Sölter war sehr liebenswürdig und stellte mir einen jungen Mann vor, als den Sohn des Verlegers, den jungen Dr. ... Da hab ich aber die Äuglein aufgerissen! Mit dem hab ich nämlich jahrelang bei Köster zusammen studiert und wußte nie, daß das Kerlchen so einen Verlag erben wird. Na, er starb fast vor Hochachtung vor mir am Sonnabend, mochte sich wohl meiner Referate erinnern, als ich noch jung und hübsch war. Ich hatte meinen guten Tag und unterhielt die beiden Kerle, daß es ein Vergnügen war. Suchte ihnen klarzumachen, wie geeignet der Zeitpunkt für so ein Groteskbändchen wäre usw. Na, sie hatten allerlei Einwände und Sorgen, das Buch würde vielleicht nicht gehen, zu teuer werden, und was weiß ich. Zum Schluß behielten sie aber das Manuskript da und versprachen, mir in spätestens 14 Tagen Nachricht zu geben, ob sie überhaupt Interesse hätten. Na, da warte ich eben ... Toi, toi, toi, es wird schon nichts draus werden. Immerhin! Däumchen halten!

Auf dem Fest war's großartig. Das Programm mit meinen Sachen schick ich Dir, sobald ich von der Akademie paar geschickt bekomme. Heute leg ich Dir nur eine Glosse, die ich dieser Tage schrieb, ins Briefchen. Also das Fest! Ich war nicht mit Karin dort. Ohser, Gundermann, Hilde Decke (sie ging früher als wir andern alle), paar junge Schauspieler waren eine Clique zum Totlachen. Noch nie bin ich so vergnügt zu Festen gewesen wie diesmal. Zum Tanzturnier haben wir mitgemacht, aber keinen Preis gekriegt; am Tisch dauernd Unsinn getrieben; Lose gezogen und Wein und Bücher gewonnen — schließlich habe ich sogar im Saal russischen Tanz getanzt, mit Ohser, Poelzig und noch einem; alle haben drumrum gestanden und im Takt in die Hände geklatscht — es war zum Totlachen. Dabei war ich nicht etwa betrunken, wie Du vielleicht denken könntest, sondern nur herrlich ausgelassen. Hilde Decke hat sich wie ein altes Haus gewundert.

Muttchen, wenn ich am 11. 12. komme, wollen wir's uns sehr schön machen! Gehen hübsch in die Stadt, kaufen Dir Kleideinsatz usw., fahren vielleicht einmal auf den Hirsch. Auch denk ich, wir suchen selber zusammen eine neue fesche Schneiderin in der Stadt, ja? Denn Du mußt pikfein drin aussehn. Ja? Fertige Kleider sind sicher praktischer. Und Kleider passen auch ohne Maßarbeit, wenn man so ein Normalfigürchen hat. Petersen werd ich nächste Woche schreiben, daß er die Probe abhalten kann.

Daß Du bei Ilse warst, ist sehr hübsch, mein gutes liebes Muttchen. Ich will ihr nichts nachtragen, denn ich glaube, jetzt ist sie bißchen dran mit Herzschmerzen. Aber die gönn ich ihr auch! Ich hab lange genug gelitten unter ihrer Oberflächlichkeit. Trotzdem laß ich mir niemals ausreden, daß etwas vorliegt, was wir alle nicht wissen. Du schreibst, sie sähe blaß und zerquält aus; sie hat mir wieder einen Brief geschrieben, lieb und nett und wieder mit Küßchen und solchem Zeug, und geweint hat sie, weil ich ihretwegen lange nicht in Dresden war. Das tat sie auch hier schon . . .

Ob ich ihr schreibe, daß ich nach Dresden komme? Ich möchte schon. Aber vielleicht ist es verkehrt. Was denkst Du? — So mein Liebes, jetzt ist's 1 h. Ich will den Karton packen. Wenn's nicht reingeht, sogar zwei Kartons. Viele Grüße und Küsse von   Deinem Jungen

P.   Leipzig, 7. 12. 26
Mein liebes gutes Muttchen!
Mein Gutes, vielen Dank für Dein Briefchen. Ich bin noch
nicht zum Antworten gekommen. Denn man hat mir eine
hundsgemeine Arbeit angedreht, weil verschiedene damit
reingefallen sind. Am 1. Januar bringen wir eine Bilderbei-
lage im Blatt, heißt «Sondernummer Leipzig» und soll was
Extrafeines werden. Seit Wochen haben die andern rumge-
mehrt, und nun soll ich's in paar Tagen fix und fertig machen. Die Politik muß zusehn, wie sie ohne mich fertig
wird . . . Ruh Dich noch aus, damit wir am Sonnabend beide
hübsch munter aussehn. Nun, mein Liebes, bald mehr. Bis
dahin 100 Grüße u. Küsse   Dein Junge

                                         9. 12. 26
Mein liebes gutes Muttchen!
Also, es ist hier eine Heidenarbeit! Mit dieser verflixten Bil-
derbeilage über Leipzig. Heute war ich im Rathaus und hab
mit paar Stadträten rumgequatscht, weil wir das Bild vom
Oberbürgermeister am Arbeitstisch bringen wollen. Der Ohser ist aber z. Zt. paar Tage in Berlin, und die Sache eilt.
Warum hat man mir's aber so spät übertragen? Na, es wird
eben gemacht.
Gestern sprach ich mit Marguth und wollte für diese Neben-
arbeit ein Extrahonorar bekommen. O weh, er hatte grade
gesehen, daß mir der Geldbriefträger was brachte und erzählte nun sofort, ich erhielte bereits ein sehr hohes Gehalt,
wenn man bedächte, daß ich noch gar nicht lange in der Politik wäre. Es gab ein Hin und Her und ich sagte schließlich
zu, diese Bilderwoche kostenlos zu machen. Aber alles andre, was ich für die Propagandaabteilung erledige, will ich
weiter bezahlt haben.
Ich fürchte, daß ich am Montag schon früh 7.20 h losfahren
muß, denn in der folgenden Woche, in der ich nachts Politik
mache, muß ich mich natürlich tagsüber mit der Illustrierten
beschäftigen. Also jeden Tag 16 Stunden. Ohne Honorar!
Nur aus lauter Gnade und weil mein Gehalt eigentlich zu

                                              43

hoch ist! Eine tolle Frechheit natürlich! Aber man muß sich's gefallen lassen.

Krell schrieb mir heute einen Brief: Ullstein wolle eine neue Zeitschrift machen, und er habe nur mich vorgeschlagen dafür! Wenn das was würde! Juhu! Aber ich hab schon oft solche Aussichten gehabt, und nie wurde es was. Also will ich keine unnötigen Hoffnungen hegen. Es wird oder wird nicht — man muß es hinnehmen. Soviel ich von andrer Seite weiß, hofft John den Posten zu kriegen. Durch die Vermittlung von Katz, der vor Marguth bei uns Direktor war und jetzt für Ullstein 2 Jahre rund um die Erde gefahren ist. Abwarten und Tee trinken!

Vielen Dank für Dein Briefchen, das Du nach der Wäsche schriebst. Hast Stollen gebacken, gewaschen, geplättet und mußt noch Wäsche rollen! Oh, Du armes Fleißiges! Petersen hab ich geschrieben. Willst Du in Neustadt zusteigen, daß wir sofort nach Altstadt gondeln? Oder treffen wir uns erst in Altstadt? Solltest Du nicht mehr schreiben — ich schau raus. Ilse hab ich geschrieben, ob sie sich mal mit mir treffen will. — Hat Frau Rößler inzwischen mit dem Kleid begonnen? Und Du warst noch einmal beim Christkindel! Horch, das leichtsinnige Muttchen! Du, Du! Und nun will ich mal schnell sehr fleißig sein. Also Sonnabend 4 Uhr und — auf frohes Wiedersehen in Dresden. Tausend Küßchen

Dein Glückallein

Leipzig, 30. 12. 26

Mein liebes gutes Muttchen!

Mein Überschuhbesitzer und Abendkleidträger! Mein Stollenbäcker, Anzugsschenker, Pyjamaeinkäufer usw. Silvester ist ja eigentlich erst morgen. Ich fange also mit meinem Neujahrsbriefchen — denn das hier soll es werden — einen halben Tag zu früh an. Aber morgen wird solch eine Hetzerei entstehen, ehe ich 5.57 nachmittags im Zug nach Berlin stecke, daß ich befürchte, nicht recht Zeit dafür zu finden. Drum zieh ich also jetzt Dein Kärtchen heraus, das heute morgen ankam, studier es noch einmal und schreib dann

meine Glückwünsche für Dich und mich nieder. Oder soll ich uns erst zum Neujahr gratulieren? Ich denke ja. Und wünsche meinem guten, lieben, fleißigen, für sich sparsamen und für mich verschwenderischen einzigartigen Muttchen alles, alles, alles Gute: Gesundheit sehr viel, Geld auch ein bißchen, gute Laune in Haufen. Und da mein Muttchen stets an mich denkt und für mich lebt, muß ich, falls ich ihr richtig Glück wünschen will, nicht zuletzt mir selber welches wünschen. Denn mein Muttchen, weißt Du, kennt kein Glück außer meinem. Und so wünsch ich mir also selber viel Glück, damit mein Muttchen glücklich sei. Ich wünsch mir im nächsten Jahr: Gesundheit, Erfolg, Geld und, falls das Schicksal es so einrichten will, ein liebes Mädchen, das mich nicht so enttäuscht wie ein gewisses andres, das mir zu Weihnachten keine Karte schickte und nicht einmal auf mein Buchgeschenk und den Brief darin antwortete. Vielleicht fährt sie irgendwo im Gebirge Ski, und die Mutter denkt: mein Paket mag nur liegen bleiben. Von Berlin aus kriegte sie eine Neujahrskarte, auf der ich schrieb: ich hatte ihr ein Buch und einen Brief darin geschickt. Aber die Sachen seien wahrscheinlich verlorengegangen. Sonst hätte sie mir ja wohl geantwortet. So, dann soll sie sich schämen. Schwupp, bin ich von meinem Neujahrswunsch ganz abgekommen. Nun, er war ja gleich fertig. Vor allem wünschen wir beide uns: daß wir einander gesund und froh erhalten bleiben, trotz aller Genickschläge, die das Geschick dem Menschen versetzt. Amen, es soll also geschehen. — Daß Du Dich wieder von frischem erkältet hattest, ist ja zu dumm.
Hättest in der «Barbarina» doch Dein Strickjäckchen überziehen sollen. Geht's denn wieder besser? . . .
Mein Artikel in der Weihnachtsnummer: Kultur und Einheitsstaat, ist nach aller Meinung das beste im Blatt gewesen.
Am Montag mußte ich gleich wieder was über Schmutz und Schund schreiben und gestern, in aller Hast und weil sich's niemand weiter zutraute (auch Natonek nicht), über Rilkes Tod. Ich glaube, wieder recht gut. Die andern meinten's auch. Mit Heilgemayr haben Lorenz und ich unsre liebe Not,

während Lehmann auf Urlaub ist. Er klatscht und hetzt bei Marguth, daß man diesem Schuft paar in die Fresse hauen möchte. Na, wir wehren uns mit Händen und Füßen gegen solche Unanständigkeit. — Liebes Muttchen, mach Dir Rotweinpunsch von dem Wein, den ich mitbrachte. Ich werde in Berlin drüben Schlag 12 h ein Glas auf unser Wohl trinken! Tausend Küsse

Dein Glückallein

Leipzig, 3. Januar 27

Mein liebes gutes Muttchen!
Seit gestern nachmittag bin ich wieder in Leipzig, hab dann Sonntagnachtdienst gemacht und bekam heute früh Deinen lieben Brief, in dem Du schreibst, daß Du mein Neujahrsbriefchen erst am 2. Januar erhieltest. Das ist unerhört von der Post! Ich hab ihn am Tag vor Silvester geschrieben und Silvester nachmittags Punkt 3 h — ich weiß es ganz genau — bei Felsche in den Kasten geworfen. ¼4 war die nächste Leerung. Der Brief hätte also mit der ersten Neujahrspost bei Dir sein müssen! Eine ganz unerhörte Schlamperei! Und Du hast wohl gar gedacht, ich hab vergessen zu schreiben! Bist immer nach dem Briefkasten nachschaun gegangen und wurdest immer trauriger und dachtest: Nein, so ein schlimmer Junge! So ein Glückallein!
In Berlin war es sehr hübsch und sehr lebhaft und sehr teuer, obwohl ich allein drüben war. Silvester abend gegen 9 h kam ich drüben an. Brachte mein Gepäck ins Excelsior-Hotel: 5. Stock, Zimmer 555 mit Bad. Großartig! Ich hab andauernd in der Wanne gesessen und geplanscht. Dann bin ich in die Stadt gebummelt. War im Café Kranzler und schließlich im «Palais de danse». Fabelhaft! Punkt 12 h hab ich meinem Muttchen ein Glas Wein zugetrunken. Hast Du's gemerkt? Hab bißchen getanzt, Leute beobachtet und mich sehr wohl gefühlt. Berlin ist das einzig Richtige. Als ich gegen 4 h ins Hotel zurückkam, war da noch Riesenbetrieb. Hab noch Kaffee getrunken — früh ins Bett. — Neujahr morgens nach der Belle-Alliance-Straße gebummelt und mir das Haus 26

gerührt angeschaut. Es war neu gestrichen und ein Leihamt drin. — Dann Universität, Staatsbibliothek usw. betrachtet und zurückgedacht an jene Zeit, als mir mein Muttchen Geld nach Berlin schickte. Nachmittags Krell angeklingelt (Telefon im Zimmer). Er war da, hatte aber keine Zeit. So bin ich allein nach dem Kurfürstendamm raus und war abends im Kabarett der Komiker. Großartig. Bald ins Bettchen. Sonntag ¼4 h mit Krell getroffen. Er holte mich im Hotel ab, und wir saßen bis 6 h zusammen. Sprachen über allerlei. Er renommierte wieder tüchtig und versprach mir alles mögliche. Lud mich zum Abend ein. Aber 6.45 ging ja mein Zug wieder zurück. Es gruselte mich fast, wieder nach Lpz. zu müssen. Aber was will man machen? — Nun, es wird schon mal klappen mit Berlin. Jedenfalls der einzige Boden in Deutschland, wo was los ist! Paar Tage da drüben machen einen herrlich mobil. . . .

Von Ilse lag ein Brief da, als ich gestern aus dem Nachtdienst kam. Ich leg Dir dieses herrliche Dokument einer Gans bei. Pfui Teufel, so schreibt mir das Mädchen, daß mich 8 Jahre zu lieben vorgab! Als ob sie einem flüchtigen Bekannten, mit dem sie bißchen im Bett lag, paar verspätete Grüße schickte, die leider geschrieben werden müssen . . .

Nun, mein Muttchen. Es ist ¼6 h. Ich muß in den Verlag. Mit Kiemeyer über ein Fest sprechen, das der Verlag für die Turn- und Sportvereine inszeniert. Bei solchen Dingen bin ich immer dran. Na, macht nichts . . .

Tausend Grüße und Küsse Dein   Glückallein
Der Stollen ist unerhört gut! Du Zuckerbäckerkönigin!

6. Jan. 27, früh 2 h

Mein liebes gutes Muttchen Du!
Es ist zwar nachts 2 h, und ich bin eben vom Nachtdienst nach Haus. Aber ich muß Dir doch noch ein paar Zeilen schreiben, die ich morgen früh wegschicke.
Will Dir eine nette Lumperei erzählen. Während Lehmann fort war, in Oberstdorf, hat Heilgemayr sein übliches Hetzen und Klatschen bei Marguth besonders scharf durchge-

führt, dessen ängstliches Wesen wachgekitzelt, — und Marguth hatte nichts Eiligeres zu tun: als bei Lehmanns Rückkehr, Herrn Heilgemayr als Belohnung, zu bestimmen: Heilgemayr macht ab jetzt keinen Nachtdienst mehr, sondern nur Kästner und Lorenz. Heilgemayr soll Lehmann quasi *neben*geordnet werden und vor allem Artikel schreiben. Lehmann versprach uns beiden Armen, sich für uns einzusetzen, und behauptete dann: es sei nicht gegangen. Der Schuft — er hatte durchgesetzt, daß er von nun an herumreisen dürfe — und da war ihm egal, ob Lorenz und ich verschachert würden oder nicht. In einer Ressortleiterkonferenz wurde diese neue Bestimmung bekanntgegeben und von allen gebilligt. Lorenz und ich erfuhren zuletzt davon. Lorenz gestern nachmittag — er fügte sich.

Und ich heute ½2 h in Marguths Zimmer. Es waren paar herrliche Stunden. Um 3 h waren wir zwei Hübschen, Marguth und ich, einig. Das heißt: Ich hatte ihn überzeugt, daß seine neue Maßnahme furchtbar dumm, ungerecht und gefährlich sei. Denn Heilgemayr könne auch sonst schreiben, so viel er wolle. Tue es aber nicht. Sei faul, unkollegial, hinterlistig usw. Er könne es ihm ruhig wiedersagen. Lorenz und ich würden verbittert, und bei den andern beiden fördere er durch solche Anordnungen nur die schlechten Charaktereigenschaften. — Ja, sagte er, er wolle mich bißchen kaltstellen durch den vielen Nachtdienst. Ich sei, nach Meinung fast aller, zu radikal und vergifte alle mit diesen Radikalismen . . . Ja, ich sei eben eine äußerst kluge, mitreißende Persönlichkeit — das sei wohl für mich gut, aber fürs Blatt gefährlich. Nun — er versprach mir zum Schluß, sich die Sache noch mal zu überlegen. Und ich sagte, wenn es ihm gelänge: mir auch *nur einen* plausiblen Grund für die Neuerung zu nennen, wolle ich bis zur Verdünnung Nachtdienst machen. Früher aber nicht. Er war zum Schluß klein wie ein dummer Junge.

Am Abend traf ich ihn, und er erklärte mir: er ziehe seine Neuordnung zurück. Heilgemayr tue wie bisher mit uns Dienst und Nachtdienst. Nur bis 1. März solle ich auf die Neuordnung eingehen, damit die Herren im Hause nicht lachten und sagten: Kästner hat den Direktor breitgeschlagen. Ich erklärte mich einverstanden, wenn es wirklich beim 1. März bliebe. — Nun, so habe ich gegen das ganze Kollegium einschließlich Direktor für Lorenz und mich gesiegt. Bis 1. März muß eben der Rummel-Nachtdienst 2 Wochen im Monat mitgemacht werden.

Mein liebes gutes Muttchen! Auf diese Leistung bin ich beinahe bißchen stolz. Durch Offenheit, Wahrheit und Energie — auch durch ein bißchen Klugheit — ist mir's also gelungen, Marguths böse Absicht und Heilgemayrs Hinterlist zu hintertreiben. . . . Diese gefährlichen Waschlappen alle sollen sehen, daß man zuweilen sogar mit der Wahrheit zum Ziel kommt, und daß sie sich als Hanswurst einen wesentlich Dümmeren als mich suchen müssen!

Und wenn Marguth am 1. März glaubt, ich sei inzwischen mürbe geworden, so täuscht er sich ganz verteufelt. Wenn er dann sein gegebenes Wort nicht hält, soll er mal was erleben! Aber ich denke, er merkt, daß sein Angriff abgeschlagen ist. Ich hab ihm versprechen müssen, meinen radikalen Einfluß zurückzudämmen und bald mehr zu schreiben. Ich hab beides versprochen und werde es so lange halten, wie er sein Versprechen hält. Na ja, das war das. Waren paar kitzlige Tage, haben mir aber gut getan . . .

Ich hab heute, wo ich so energisch und, bei aller Ehrlichkeit, gerissen vorging, direkt gemerkt, daß ich besser aussah. Richtig wie ein Mann. Haben mich alle Mädchen auch gleich angeschaut und gelächelt. Komisch. — Wenn ich einen verantwortungsreicheren Posten hätte, würden die Leute staunen, was in mir steckt. Na, auch das wird noch werden. Nur bißchen Geduld. . . .

Nun liest Du auch bald Thomas Manns «Unordnung und frühes Leid». Ist wundervoll! Das andere, die «Erinnerungen einer alten Frau», kenne ich selber nicht, hatte es nur sehr loben hören. — Vom List-Verlag habe ich noch keine Nachricht. Wird wohl nichts werden! . . .

Nun, mein Liebes, Allerbestes — tausend Grüße und Küsse
Dein Junge

... Wegen der Heilgemayr-Geschichte brauchst Du Dir keine Gedanken zu machen. Ich glaube, meine Energie ist mir ganz gut bekommen. Die Herren haben gemerkt, daß es nicht so ganz einfach ist, mich zum dummen August zu machen. Weiter wollte ich ja vorläufig nichts ...

In den letzten Tagen habe ich mal wieder für die Decke verschiedene Sachen geschrieben. Heut abend geht's weiter damit. Dabei kommt die Berliner Reise fast wieder heraus. Auf Krells Vermittlung in Berlin — ich erzählte Dir davon — hat sich noch niemand gerührt. Wird wohl auch nichts werden. Also, hübsch weiter Geduld haben, heißt es da. — Am Sonnabend ist Pressefest. Und ich muß zur Besprechung hin. Nachtkritik schreiben ... Smoking, Setzerei usw. Aber um 1 h etwa hab ich dann wenigstens Zeit: noch mal in Ruhe zum Fest zu gehen. Also, mein gutes liebes Muttel! Schreibst Du mir bald wieder mal? Ich hab in letzter Zeit tüchtig gearbeitet oder tüchtig geschlafen. Ärger macht immer bißchen kaputt. Jetzt geht's aber schon wieder. Meinen Leitartikel vom Sonntag leg ich Dir bei. — Noch nicht 3 Wochen ist's her, daß ich bei Dir war — und scheint schon wieder so lange zu sein. —

Tausend Grüße und Küßchen   Dein Junge

                                   14. Januar 1927, abends 11 h
Liebes Muttchen!

Eben komme ich aus einem Film «Madame wünscht keine Kinder». Sehr heiter und sehr ernst zu gleicher Zeit. Richtet sich gegen die modernen jungen Mädchen. Der Bearbeiter ist Bela Balász, ein Bekannter von Krell, einst Mitarbeiter an der «Großen Welt». Ein sehr begabter Wiener Dichter. Der Film ist sehr gut. Schau ihn Dir in Dresden, bitte, mal an!

Ich hab diese Tage wie ein Kaninchen Artikel geschrieben. Bin in der Konferenz öffentlich belobigt worden. Heilgemayr platzt vor Wut, sagt aber nichts. Der hat mich nicht umsonst bei Marguth verklatscht. Dem besorg ich's noch. — Ich bin eigentlich nicht rachsüchtig. Aber *schlechte* Menschen drängt mich's, abzustrafen ... Gestern hab ich einen Leitartikel *gegen den Oberbürgermeister* geschrieben, weil er die Volksschullehrer Leipzigs zu Unrecht getadelt hat. Diesen belobten Artikel glaubte ich eingesteckt zu haben — und hab ihn doch zu Haus gelassen. Ich schick ihn Dir aber in den nächsten Tagen. Er wird Dich interessieren. Heute hab ich wieder einen Artikel über das gleiche Thema geschrieben, bißchen von andren Seiten beleuchtet. Eben hab ich mir die Zeitung gekauft, um ihn Dir gleich noch mitzuschicken. Kriegst Du also nur noch den einen von gestern. Ich will bis 1. März so viel geschrieben haben, daß Marguth froh sein wird, die Neuregelung — alle 14 Tage Nachtdienst — rückgängig gemacht zu haben. In den Nachtdienstwochen will ich *möglichst keine Zeile* schreiben. Am Montag geht's mit dem verfl ... Nachtdienst schon wieder los. Bin dann immer sehr müde tagsüber. Na, bis 1. März heißt's eben durchhalten. — Der List-Verlag hat mir die Gedichte nun also wieder *zurückgeschickt*. Mit einem honigsüßen Brief. Aber was hilft das? Ich schick das Bändchen nächste Woche nach Wien zum Zsolnay-Verlag. Es wird versucht. Wenn's nicht klappt, kann's nichts helfen.

Vielvielen Dank für Dein lustiges und ironisches Briefchen. Die Schuhe sind besohlt; der Smoking ist gebügelt (morgen Pressefest — Besprechung); die Lackschuhe passen. — Zähnchen tun noch immer weh? Oh, mein armes gutes Muttchen Du! — Der Göttingen-Artikel von Natonek war sehr gut, fand ich auch. Linksdemokratisch? Ja, Gutes, wenn soviel Schweinereien passieren, muß doch jemand aufstehen und die Dinge beim Namen nennen! Flicken zum blauen Anzug lagen *nicht* bei! Lorenz hat 'ne Art Grippe, Heilgemayrs Frau auch. Uns allen und mir besonders geht's aber sehr wohl. ...

Leb recht schön gesund und bald auf Wiederschaun. Tausend herzlichste Grüßchen und Küßchen von Deinem

Dich ewig liebenden Jungen.

Liebes gutes Muttchen!
Ein kurzes Sonntagsgrüßchen mit dem Artikel, den ich Dir
gestern nicht mitschickte. Es laufen bereits allerlei zustim-
mende Zuschriften aus dem Publikum ein, und da freut sich
Marguth natürlich. Gestern abend hab ich noch die Filmkri-
tik geschrieben. Vorher war ich eben zur Generalprobe des
Pressefestes. Nachher geht's gleich wieder in den Verlag, Tagesdienst abschrauben. Wird bis ½7 dauern. Um 7 geht das
Fest los. Um 11 h feg ich dann in den Verlag, Bericht schreiben. Um 12 h werd ich dann glücklich wieder zum Fest sein
und mich paar Stunden erholen. Verflixt noch mal, was? . . .
Tausend Grüßchen und Küßchen von
                                        Deinem Glückallein.

                                        Leipzig, 19. 1. 27
Mein liebes gutes Muttchen!
Heut schick ich Dir nun keine Artikel mit, da ich inzwischen
keine geschrieben habe. Nur die Besprechungen vom Pressefest und von «Madame wünscht keine Kinder» kriegst Du
noch. Ich hab bis jetzt vergessen, sie mir auszuschneiden, tu
es aber bald. Heilgemayr hat wirklich Pech. Diese Woche
nun, wo ich Nachtdienst habe, ist Lorenz krank und liegt im
Bett. Und H. hat das Vergnügen, ganz allein Dienst zu machen. Ich glaube, er wird selber froh sein, wenn der 1. März
da ist. Na, ich gönn es ihm!
Zum Pressefest war es recht lustig. Karin war mit. Bis um 1 h
hatte ich ja gründlich zu tun. Kritik, Auto, Verlag usw. Dann
aber bis gegen 7 h früh ging's ganz fidel zu. Wenn ich mit K.
tanzte, stand der ganze Betrieb: die Direktoren, Direktors-
frauen etc. am Parkett und rissen die Schnäbel auf. Klatsch-
ten sogar paarmal, als hätten wir Theater vorgeführt.
Mein Muttchen hat inzwischen ein kleines Modenhaus ein-
gerichtet? Das ist recht, mein Gutes! Ich bin ja gespannt, wie
Du in Deinen neuen Toiletten ausschaust. Sicher furchtbar
nobel, wie? . . .
Was aus dem Schulstreit wird, weiß ich noch nicht. Heute

abend ist Sitzung im Rathaus, und morgen hat der Lehrerverein Versammlung. Vielleicht wird dabei ein bißchen auf die NLZ Bezug genommen werden. Wenn ja, schreib ich's Dir. — Was macht der Magen, Gutes? Und das Zahnwerk? Renkt sich's bald ein? —

... Jetzt will ich mich eben mal mit Hildchen Decke treffen. Sie soll mir bißchen Honorare bringen. Ich hab diesen Monat ziemlich für sie gearbeitet. Ist sehr bequem: wenn's mal nicht ganz so gut ist, wie ich möchte — sie nimmt es schon, da sie weiß, andre machten es noch schlechter.

Tausend Grüßchen und Küßchen   Dein Junge.

                                        16. Februar 1927
... Ich habe in Lokalen gesessen und mein Weihnachtsmärchen überlegt. Ich hoffe, daß es einfach wundervoll werden wird. Gestern abend und morgen abend saß und sitze ich mit John zusammen, um das Lustspiel weiterzubringen. Ich hab ihm nichts von dem Weihnachtsmärchen erzählt. Auch Michael nicht, mit dem ich heut zu Mittag aß. Höchstens der Decke, mit der ich morgen esse. Sie muß mir noch bißchen was in diesem Monat zu tun geben, sonst muß ich die nächste Woche gar meine zwei 50-M-Scheine anreißen, die ich weggelegt habe. Ich wollte mir irgendein Papier dafür kaufen, aber unsre Handelsredakteure rieten mir für paar Wochen ab. Jetzt sei alles gerade bißchen teurer ... Das Weihnachtsmärchen will ich 1. Juli fertig haben, damit's noch für diese Weihnachten aufgeführt werden kann. Der List-Verlag könnte es in Bühnenvertrieb nehmen. Außerdem hat mir Balthasar, mit dem ich studiert hab bei Köster und der vom Erbprinzen Reuß der Duzfreund ist, gesagt, ich soll ihm alles, was ich schreib, anbieten, daß er's dann Reuß und seinem Theaterintendanten, dem Iltz, vorlegt. Na, das wird schon klappen ...

Die Streiksache sieht momentan böser aus als zu Anfang. Hoffentlich geht alles gut aus! Das wäre für Dich wieder eine ganz böse Zeit, Du Armes! Den Ollen sag ich morgen, Donnerstag, daß Du Sonntag kommst. Da haben sie ja

Zeit, Ordnung zu schaffen, wenn sie das überhaupt wollen. Jetzt will ich noch Ilses Brief beantworten. Ich hab absichtlich 10 Tage gewartet. Sie soll nicht denken, ich antworte prompt, während sie Wochen vergehen läßt. Ich werd ihr ganz ruhig und freundlich schreiben ... Ihren Brief liest Du am besten, wenn Du hier bist, nicht? Ein neues «Leben» liegt auch bereit fürs gute Muttchen. Na? Tüchtiges Söhnchen? Auf unsere Reise freu ich mich schon ganz kindisch. Wird schön, schön, schön! Toi, toi, toi! Dreimal untern Tisch geklopft!

So, gutes Herzensmuttchen! Nun will ich noch Ilse schreiben. Und dann ein Gänsefettbrötchen verspeisen. Dann noch mal das Weihnachtsmärchen überlegen. Und dann, juppheidi! in die Falle!

Tausend Grüßchen, Küßchen und Sonntag auf Wiedersehen
Dein Junge

Leipzig, 22. Juni 1927

Mein liebes gutes Muttchen!

Also, Gutes, wann kommst Du? 26. oder 10.? Wenn es Dir ganz gleich wäre, würde ich Dich bitten, erst am 10. Juli zu kommen. Erstens will ich das Stück fertig kriegen, und nächste Woche kann ich sehr gut auf der Maschine schreiben, da ich Nachtdienst habe und *tagsüber* zu Haus bin. *Nachts* auf der Maschine klappern geht schlecht wegen der Nachbarn. — Dann könntest Du es *lesen, während Du hier bist.* Balthasar fragt mich, sooft er mich sieht, wann's fertig wird. Wegen des Geraer Theaters. Und Michael wegen des hiesigen Alten Theaters. Sie wollen es schnell an den Mann bringen. Vielleicht auch nicht. Jedenfalls reden sie viel davon. Und ich will's auch bald fertig haben. Wie klingt der Titel: «Klaus im Schrank»? Zweitens: wenn Du mich schon nächste Woche ganz ausräumst, sitz ich ja dann ganz ohne alles da. Denn Du sollst mir doch auch die Sachen, die ich nach Berlin transportieren will, schon fein einpacken helfen. Drittens hab ich auch noch für die Internationale Buchausstellung hier etwas zu tun. Eine Broschüre herauszugeben. Der Präsident, Prof.

Steiner-Prag, rief mich an, ob ich's machen will. Nun hat er glänzende Beziehungen zu Berlin und überall. Ich konnte es ihm also schlecht abschlagen. Außerdem wird's Geld bringen, denk ich. Es handelt sich darum, die Kritiken der deutschen Zeitungen und Zeitschriften über die Ausstellungen zu ordnen usw. und den Druck des Heftchens zu überwachen. Keine besonders geistvolle Arbeit. Aber man kann sie trotzdem gut oder schlecht machen. Heute, denk ich, muß ich zu ihm: die Sache besprechen. Gestern telefonierte er ab, weil er ausländischen Besuch bekommen hatte. Die Prüfung der Einsendungen zum Preisausschreiben hab ich auch auf dem Hals. Marguth ließ nicht locker. — Kurz, es gibt zu tun. Viertens hab ich Marguth gefragt, ob ich 11. und 12. freibekäme. Du wärst voraussichtlich da, und wir müßten packen. Er hat es erlaubt. Also, gutes Muttchen, der 10. Juli wäre günstiger als der kommende Sonntag. Aber Du hast dann viel Reiserei in dieser Zeit.

. . . Wie machen wir's mit den Koffern? Ich brauch die paar für Berlin zum Transportieren. Du brauchst aber auch paar zum Mitnehmen der Sachen, die nach Dresden sollen. So viele Koffer gibt's ja gar nicht. Na, mein Muttchen, das ist was zum Kopfzerbrechen. Karin schickt mir noch eine zweite Kiste. Da stopfen wir die Normalwäsche und dergleichen mit hinein. Dann paar Kartons per Post. Gelt?

Warum bist Du denn traurig, mein gutes Muttchen? In Berlin hab ich doch mehr Zeit als hier. Kann öfter nach Dresden kommen. Und Du hinüber . . .

Ob ich am 15. sofort nach Berlin muß, weiß ich noch nicht . . .

Warum verborgst Du denn jetzt immer die Theaterkarten? Du gehst wohl selbst nicht drauf, weil Du sparen willst? Tu das nicht, mein Liebes! Geh ins Theater! Geh in den Großen Garten, setz Dich zu Pollender ins Sönnchen und schreib dort mit Bleistift einen schönen Brief an   Deinen Jungen

Liebes, gutes braves, fleißiges, tüchtiges, weitgereistes Muttchen!
Vielen Dank für Deinen lieben Brief, den ich eben erhielt.
Gestern abend bin ich mit dem 5. Bild fast fertig geworden,
so daß mir nur noch 2 Bilder ausstehen. Gleich am Montag
fang ich mit der Schreibmaschine an. Aber erst im Lauf des
Tages. Denn früh 10 h muß ich in der Akademie sein und mit
Prof. Steiner-Prag über die Broschüre reden. Er sagte gestern zu mir: das sei ein Auftrag für die Internationale Buchausstellung und werde natürlich honoriert werden. So ein
Kerlchen! Hat er sich anscheinend eingebildet, ich dächte,
ich bekäme nichts dafür und würde es trotzdem machen!
Nee, dazu hätte ich keine Zeit, wenn kein Geld dabei heraus-
schaute! — Die 5 Bilder werden zirka 2 Std. dauern. Die letzten zwei noch mal eine halbe, sind insgesamt 2½ Std. Spiel-
dauer. Das ist grad die richtige Zeit. Michael schreibt gleichzeitig eine Komödie.
«Erziehung zum Theater» wird sie heißen. Wenn wir ihn sehen, fragen wir als erstes: «Na, wieweit sind Sie?»
Heut leg ich Dir ein kleines Bildchen bei, das Karin geknipst
hat.
Wie findest Du's, mein Muttchen?
Mit dem Geld steht's so lala. Erst dachte ich, 174 M diesen
Monat zu sparen. Jetzt bin ich froh, wenn ich 100 M beiseite
legen kann. Berlin hat gekostet, und Hildchen Decke fehlte
mit ihren Aufträgen. Na, 100 M ist besser als nichts. Dafür
spar ich im nächsten Monat etwas mehr, hoffe ich. Obwohl
da ja auch allerlei Ausgaben winken. Kistentransport; Anzüge herrichten; «Umzug» nach Berlin usw. Immerhin hoffe
ich am 1. August insgesamt 700 M zu haben. Da wird jede
Mark paarmal umgedreht und fleißig weiterverdient.
. . . Wie kannst Du nur glauben, daß Berlin mich Dir ent-
führt? Du gutes, dummes Mamachen! Was redest Du nur!
Du wirst's ja sehen, daß Du nicht recht hast. Wer ist Renate
Morda? Zickler? — Hoffentlich gefällt Dir das Bildchen,
mein Gutes. Viele Sonntagsgrüßchen und 1000 Küsse
Dein Klaus im Schrank

Mein liebes gutes Muttchen Du!

Vielen Dank für Deinen Brief, Gute. Ich bin eklig im Arbeits-Schlamassel. Preisausschreiben = Sortieren (Tausende von Einsendungen!) die Arbeit für die Buchausstellung (eine Riesenschufterei; bringt aber 200 M ein!), dann hab ich mich auch noch schnell hingesetzt und für das Preisausschreiben bei Reclam eine Geschichte fabriziert, weißt Du, ich wollte sie schon während des Urlaubs schreiben. Kurz, es ist ein bißchen viel. Dazu kommt noch, daß ich diese Woche wieder Tagesdienst habe. Es stellte sich ganz plötzlich heraus. Lorenz bat mich zu tauschen, da seine Frau nächste Woche von der See wiederkommt und er dann keinen Nachtdienst haben will. So kann ich das Stück erst nächste Woche in die Maschine schreiben. Und diese Woche mach ich's eben in Stenographie fertig. Jetzt bin ich mitten im 6. Bild. Bei der Weihnachtsbescherung: der Vater kriegt eine Lokomotive, die Mutter Puppen und andres Spielzeug. Die Kinder kriegen Zigarren und Briefpapier usw. Dann tauschen sie aber, weil ihnen ihre Geschenke keinen Spaß machen. Die Wäsche schick ich morgen ab. — Am 1. Juli leg ich im ganzen 250 M weg, dann kommen 200 M von der Buchausstellung dazu und vielleicht sonst noch 50 M, so daß ich 500 M gespart habe. Am 1. August krieg ich im ganzen 400 M vom Verlag, so daß ich insgesamt mit 900 M beginne. Das ist doch fein, was?

Es ist lange, daß ich nicht in Dresden war, aber es wäre nicht gutgegangen, mein Gutes. Und Du bist ja nun bald paar Tage bei mir. Ich freu mich tüchtig drauf ... Was Du da von Transportkosten-Tragen und Für-Leipzig-Aufkommen schriebst, geht natürlich nicht, mein Muttchen, spar Du nur Dein Geld oder leiste Dir was Schönes dafür ...

Daß Du Deine Füßchen tüchtig behandeln läßt, ist fein. Denn wer auf den Füßen jung bleibt, ist überhaupt jung, glaube ich ...

Mein Gutes, Liebes, Braves 1000 Grüßchen und Küßchen

von Deinem Jungen

Liebes gutes Muttchen!

... Gestern nacht hab ich das 6. Bild vom Stück fertig gekriegt, und heute abend hoff ich das letzte Bild zu erledigen. Da kann ich dann nächste Woche schön in die Maschine schreiben. Die Arbeit für die Buchausstellung hab ich auch schon tüchtig vorwärtsgebracht. Es ist eine eklige Sache. Aber 120 M von den 200 hab ich mir hoffentlich schon abverdient.

Heute kriegst Du ein bißchen kleine Sonntagsunterhaltung gedruckter Sachen im Briefchen. 1. Einen kleinen Aufsatz aus dem «Zwickauer Volksblatt» wegen meiner Kündigung. Ich wußte nichts davon. Erst in Berlin zeigte mir's Ohser, und da hab ich mir's zum Aufheben schicken lassen. Hebst es auf, gelt? Nur als Andenken an meinen Leipziger Abgang. Im übrigen stört es mich eher, als daß mich's freute. 2. Eine wichtige Kritik über Tanzkunst, die ich gestern geschrieben habe. Und 3. ein Vers-Inserat. Von dieser Sorte hab ich 30 Stück vorm Urlaub gemacht. Oi, das war so ein Spaß!

Nächste Woche kauf ich mir Paar schwarze Halbschuhe. Und bringst Du mir Paar Strümpfe und Taschentücher mit? Das andere reicht alles noch. Nun wird es aber tüchtig Zeit, daß Muttchen und Junge mal wieder beisammen sind. Was? Wenn ich nicht so schrecklich viel zu tun hätte, wär ich schon längst mal nach Dresden gekommen. Das weißt Du ja auch. Michael meinte gestern: die Theater hätten für dies Jahr sicher schon alle ihr Weihnachtsstück. Pfui, das wäre aber häßlich! Also, ich mach es jetzt im Hundsgalopp fertig. Und dann wird's gleich losgeschickt. Sonst muß es eben ein ganzes Jahr liegen bleiben. Das wäre furchtbar betrüblich. Nicht? Ließe sich aber nicht ändern.

So, mein gutes Muttchen! Arbeite Dich, bitte, nicht so kaputt diese Woche. Wir wollen doch hier frisch und munter sein! Und jetzt wieder ran an den Speck. Ein kleines Sonntagsbriefchen also! Tausend Grüßchen u. Küßchen

Dein Junge

Liebes gutes Muttchen!

Also, mit Hut und Schlipsen macht Dein Junge direkt Aufsehen in Leipzig! Seh auch tüchtig nett aus. Hab noch vielen, vielen Dank, Gutes! Bist Du hübsch heimgekommen? Im Zimmer sieht's jetzt bißchen wie Festungshaft aus. Aber die paar Tage geht's noch. Und ich bin ja so froh, daß Du mir eingepackt hast. Ich hätte es nie zustande gebracht. Küßchen!

Heute schick ich Dir die 3 letzten Reisebilder. Sehr hübsch geworden. Nicht? Auch die 3 Leipziger Aufnahmen sind nett, außer der einen, vorm Pavillon. Da hast Du wieder tüchtig schief gehalten. Und ich hab blöd geguckt. Aber ich schick sie erst aus Berlin, damit der heutige Brief nicht so dick gerät und womöglich gestohlen wird.

Aus der Bowle mit Beyers wird nichts. Pauls Freundin ist nämlich inzwischen operiert worden. Blinddarm. Letzte Minute, sonst wär's zu spät gewesen. Paul sitzt neben mir, schreibt an Ohser, wann ich käme, und läßt Dich herzlich grüßen. — Viel Freude in Penig, mein Muttchen.

Bald mehr! 1000 Grüße und Küsse   Dein Junge

Berlin

1927—1945

*In Berlin wurde Erich Kästner der weltbekannte, weltweit
gedruckte, gelesene und zitierte Autor, und war ein paar
Jahre später der verbotene, totgeschwiegene deutsche
Schriftsteller, dessen Bücher am 10. Mai 1933 auf dem
Opernplatz in Berlin ins Feuer geworfen wurden, zusammen
mit den Werken anderer Schriftsteller, wie Thomas und
Heinrich Mann, Bert Brecht, Alfred Polgar, Kurt Tucholsky,
Theodor Heuss oder Ernst Hemingway, um nur einige Na-
men zu nennen. Erich Kästner befand sich auch hier in guter
Gesellschaft.*

*Seine Bücher erschienen dann nur noch im Ausland, bis ihn
am 14. Jan. 1943 das Totalverbot erreichte, in dem es hieß:
«. . . Sie sind somit nicht mehr berechtigt, im Zuständigkeits-
bereich der Reichsschrifttumskammer als Schriftsteller tätig
zu sein.» In Übersetzungen durften seine Bücher dagegen
fleißig erscheinen: Sie brachten Devisen.*

*Sein Leben als verbotener Schriftsteller begann 1933 und en-
dete 1945 mit dem Ende des zweiten verlorenen Weltkriegs.
1941 war E. K. plötzlich eine Sonderbewilligung zum Schreiben erteilt worden: Die Ufa wollte von ihm das Drehbuch für
ihren Jubiläumsfilm, den er unter dem Pseudonym Berthold
Bürger schrieb, haben. So entstand der «Münchhausen». Er
wurde 1943 uraufgeführt. Da durfte sein Autor E. K. bereits
wieder nicht mehr schreiben.*

*In dieser Zeit gab es in Erich Kästners Leben viele Frauenaf-
fären und auch ernsthafte Liebesbeziehungen, die zu guter
Freundschaft führten oder geführt hatten, wie die zu der rei-
zenden jungen Schauspielerin Herti Kirchner, die, eben auf
dem Weg zum Erfolg, auf tragische Weise ums Leben kam.
Sie verunglückte mit ihrem Wagen. Erich Kästner mußte sie*

*identifizieren. Der grausige Anblick dieser Zerstörung ver-
störte ihn so, daß in seinem Haus nie mehr ein Wagen gefahren werden durfte. Wegen seines umgänglichen Wesens
wurde er so zum Liebling der Taxichauffeure.*

*Als im März 1945 die Russen in Küstrin, nahe bei Berlin,
standen, verließen Erich Kästner und Luiselotte Enderle die
Stadt auf getrennten Wegen. Man traf sich in Mayrhofen in
Tirol wieder. Die Postverbindung in Deutschland war in diesen letzten Wochen empfindlich gestört. Erich Kästner
machte sich schwere Sorgen um seine Mutter. Er wußte, daß
ein Leben ohne Nachrichten von ihrem Sohn sie krank machen würde. Und so kam es.*

Liebes gutes Muttchen!
Das war sehr tüchtig von Dir, daß Du Krämers Telefonnummer schicktest! Dankedanke! Bloß, *da* war er nicht. Na, ich hab Katz angerufen, und der wies mich an Jacobsohn, den Chefredakteur von der «BZ am Mittag». Und J. sagte: Die Summe sei nicht grade hoch, aber auch nicht zu niedrig. Und da bin ich also ganz hübsch ruhig zu Schünzel. Heute war er selber mit dabei, in Oberhemd und ohne Kragen. Sehr liebenswürdig und gemütlich. Da haben wir also den Film besprochen, und er klagte über die Verständnislosigkeit der großen Konzerndirektoren, die vom Film nichts verstünden. Dann wollte er den Film von mir bißchen sehr ummodeln, da hab ich ihn aber abgelenkt und ihm vorgeschlagen, einen Märchen- und Kinderfilm zu drehen. Das könnte doch ein Weltschlager werden! Da war er Feuer und Flamme. Das suchte er schon längst. Und ich solle ihm von der Reise aus über diesen zweiten Film einen Plan liefern. Den wollen sie dann auch gleich der *Ufa* zur Prüfung einreichen. Schünzels Filmgesellschaft gehört nämlich zur Ufa. Und die muß seine Pläne erst billigen, ehe er sie drehen kann. Schünzels Jurist sagte, es sei ihnen noch nie etwas abgeschlagen worden.
Na ja, dann ging Schünzel, und ich sprach mit dem Prokuristen über das Geschäftliche. 500 + 750 M, also 1250 M wären mir bißchen zu wenig, sagte ich. Insgesamt 1500 wären mir lieber. Er war einverstanden. Und so krieg ich, *wenn* die Ufa annimmt, sobald ich von der Reise zurückkomme, 600 M für den Stoff, 8 Tage später 300 M, drei Wochen später 300 M und bei Ablieferung des Manuskripts die letzten 300 M.
Ich hab den Eindruck, daß die Sache klappen wird. — Und bei dem Märchenfilm muß noch mehr herausspringen. Und dann leg ich mir ein Bankkonto an. Was? Die Wirtin ist begeistert und läßt Dich herzlichst grüßen. — Beim Mittagessen traf ich von Ohser Bekannte, die ein Atelier für Reklamefilme haben. Ich hab sie schon immer bißchen bearbeitet, daß ich für sie arbeiten wollte. Und da hab ich also auch

gleich paar Ferienaufträge gesammelt: Nicht viel Arbeit, und wenn's klappt: 200 M. — Es scheint doch, daß ich wirklich nach Berlin gehöre, wie? — Marguth kann stolz auf seinen Berliner Theater-Korrespondenten sein!

Nun hat der Oesterheld-Bühnenvertrieb den «Klaus» zurückgeschickt: wäre zwar originell und heiter, doch bißchen zu modern für ein Weihnachtsstück und gegen Schluß auch monoton. Na ja, wenn die andern 3 auch so denken, kann ich also den Klaus wirklich in den Schrank stecken. Das hülfe nichts. Wäre aber furchtbar schade. Denn es ist ein gutes Stück. Trotz Oesterhelds.

Ich bin ein komischer Kerl! Wenn sich was zerschlägt, bin ich niedergeschlagen. Aber wenn was klappt, ist mir so, als müßte es so sein. Das ist aber sicher eine sehr praktische Veranlagung. Da sitz ich dann nämlich wie ein kleiner Generaldirektor auf dem Stühlchen und wundre mich über gar nichts. Und wenn die Leute 10 000 M geboten hätten, wäre ich genau so ruhig geblieben, als hätten sie «10 Pfennige» gesagt. — Vorgestern und gestern hab ich außerdem tüchtig für die NLZ gearbeitet und fortgeschickt. Jetzt geh ich heim und tippe für die NLZ einen Artikel über den Lunapark. Mit Bildern von Ohser. Diesen Artikel, wenn sie ihn nehmen, krieg ich extra bezahlt. Es ist allerlei unterwegs an Geld. Ich hab aber auch egal gearbeitet, und denk egal an die Arbeit. Das wird, je länger ich hier bin, besser werden. Abwechslung braucht der Mensch ja auch. . . . Also, mein gutes gutes Muttchen Du, bist Du mit dem Sohnemann zufrieden? Hoffentlich klappt alles so, wie ich Dir schrieb! Und halt den Daumen tüchtig weiter. Dann *muß* es gelingen!

Wie war's in Döbeln? Hoffentlich nett, Gutes! Wegen der See mach Dir keine Gedanken. Ich werde nicht viel ins Wasser hopsen. Lieber faulenzen! Das ist gesünder. Und Gesundheit ist jetzt mehr als je die Hauptsache. Und bleib Du mir recht gesund! Damit Du noch viel Freude an mir hast. Sobald es geht, komm ich nach Dresden. Anfang September, hoff ich.

Tausend herzliche Grüße u. Küsse   von Deinem Jungen.

Mein liebes Muttchen!

. . . Gestern schrieb Stefan Großmann, er habe mein Gedicht fürs «Tagebuch» mit Vergnügen genommen und bitte, ich solle recht bald wieder etwas schicken. Er wünschte, daß ich regelmäßig mitarbeite. — Das wäre sehr gut, denn das «Tagebuch» hat einen guten Namen. Da könnte ich rasch bekannter werden. Ich hab gestern abend gleich ein neues Gedicht für ihn begonnen, das, glaub ich, auch gut wird.

Ferner: Vorgestern nachmittag steckte ich die Geschichte fürs «Berliner Tageblatt» in den Kasten, und heute früh schrieb Hildenbrandt schon, daß er sie gerne behalte. Ich weiß jetzt, wie ich's mit ihm machen muß. Erstens muß ich die Sachen, die ich schicke, selber loben, und zweitens muß ich ihm bißchen drohen. Diesmal schrieb ich: die Geschichte werde ihm bestimmt gefallen, da sie, wie ich zuversichtlich glaube, *gut gelungen* sei. Und dann unterstrich ich, unter der Adresse: *Tel. Uhland 579*, damit er denkt, oje, der wird mich, wenn ich's nicht sofort lese, anrufen. Und da hat er's auf der Stelle genommen. — Ein komischer Knabe muß das sein! Was? Ich leg Dir von ihm eine Sache bei, damit Du mal siehst, wie er schreibt. Und außerdem ist von Höllriegel ein hübscher Aufsatz über Lugano dabei, wo jetzt die Saison begann. Ach, mein Muttchen! Hotel Felix, Beau Suite! Wenn wir doch gleich dort wären! Wo fahren wir nächstes Jahr hin? Frankreich, Schweden, Neapel? Na, fang mal immer mit Überlegen an!

Gestern war ich auf der Bank und hab 150 Mark hingebracht. Besser als nichts, was? Und vorhin hab ich Miete bezahlt. Die Wirtin kündigte mir an, daß sie von jetzt ab etwas mehr verlangen müsse, wegen der Mieterhöhung. Schien Angst zu haben, ich könnte ausziehen. Also, 75 M statt 70 M. Na, sagte ich, ich wolle mal sehen, ob ich's bezahlen könne. Da kann man ja doch wohl nichts andres tun als berappen. . . .

Da haben nun also «Simplicissimus», «Tagebuch» und «Berliner Tageblatt» wieder angenommen. Das sind die besten Zeitungen und Zeitschriften in Deutschland . . . Eins ist sicher: Lieber mehr Zeit nehmen beim Arbeiten! Es wird mehr angenommen, weil die Sachen besser werden. Langsamer heißt hier schneller. Ich will mir's merken.

Auf Schünzel hab ich direkt Wut. So unhöfliche Menschen! Bitten einen erst, Hals über Kopf die Sache zu schreiben; er wolle sie gleich in Venedig lesen, und dann — ruhe sanft! Dieser Tage war die Uraufführung des Films von ihm, den man mir vor 3 Wochen allein vorführen ließ. Schünzel ist von der Kritik sehr gelobt worden. Aber, haben die meisten geschrieben: er solle endlich mal was Besseres, Wertvolleres drehen! Vielleicht ist das für mich günstig! — Ich möchte ihm gerne vorschlagen, den «Tartarin» von Daudet — eine berühmte französische Romanfigur — zu spielen. Aber wie soll ich's andrehen, daß sie mich dabei nicht veräppeln? Denn der Vorschlag ist viel Geld wert. Man muß eben den Einfall *haben!* Nachher sagen sie: Jaja, kleiner Kästner, das hatten wir schon lange vor! Und ich stehe da mit dem dicken Koppe! Ich muß mir das mal genau überlegen . . .

Paul schreibt nicht, und es liegen immer noch 5 Artikel bei der Bande. Ich schick ihnen keine Zeile, ehe sie nicht drei davon, mindestens, gebracht haben. Nachher will ich ihm in die Wohnung gleich mal einen groben Brief schreiben. So ein Lackel! Michael hat einen Berg Bücher geschickt. Ist wieder mal eine Woche, in der alles klappt. Es werden auch wieder andre Wochen kommen. . . .

Geh nur ganz, ganz bestimmt zu Zimmermann! Ich bitte Dich inständig drum. Grüß ihn von mir! Und laß Dich gründlich untersuchen! Nicht bloß hopphopp! Und Sonnabend in 8 Tagen kommst Du mal nach Berlin. Ja? Wir schreiben noch Näheres darüber. Und nun, mein Muttchen, 1000 Grüße und Küsse   von Deinem Jungen.

                                        Berlin, 1. Oktober 1927
Liebes Muttchen Du!
Viele schöne Briefe hab ich von meinem Muttchen, ha! Danke, danke, danke, danke, Küßchen! — «Tagebuch» und «Simplicissimus» haben die Beiträge schon gebracht. Scheint

ihnen also doch gefallen zu haben. Und beide haben nun schon wieder was dort liegen. Hoffentlich nehmen sie's wieder! John — Kästner steht unter dem Simpliz-Beitrag, obwohl ich John & Kästner geschrieben hatte, damit es wie eine Fabrikfirma aussähe. Na ja, das muß man sich noch gefallen lassen. Heute wird nicht viel mit der Arbeit werden. Ich hab gestern viererlei geschrieben, war abends im Theater und nachmittags mit einem Mädchen zum Fünfuhrtee. Hat, wie sich dann herausstellte, einen Schriftsteller zum Freund. Wen, wollte sie nicht sagen. Kannte aber Hinz und Kunz aus der Literatur. Das ist ja nun auch nicht das Richtige! ... Es wird gescheiter sein, Karin kommt doch paarmal rüber. Gescheiter jedenfalls, als hier irgendeinen Blödsinn machen. ... Heute abend ist wieder Theater. «Hokuspokus» von Kurt Goetz. Wir sahen's in Dresden zusammen, glaub ich. Montag geh ich abends ins «Kabarett der Namenlosen» — dort tragen Arbeiter, Beamte usw. ihr eignen Sachen vor — Ohser soll dazu zeichnen, und ich will was drüber schreiben. Dienstag arbeite ich mit John. Mittwoch Theater. So vergeht die Zeit. — John ist so stolz, daß er wieder Schriftsteller geworden ist. Ach, er verachtet jetzt die «Grüne Post» und träumt vom Ruhm an meiner Seite. Komischer Knabe! Unsre Geschichten sind etwa den Späßen Chaplins und Buster Keatons verwandt. Das ist anscheinend Mode, und vielleicht wird's wirklich eine ganz einträgliche Sache. Mit dem Theaterstück drängt er. Michaels Sache muß ich ja nun auch anfangen. Die Decke gibt schöne Aufträge. Weißkopf hat Arbeit geschickt. Ein flottes Geschäft momentan!
Mir sitzt ein dreijähriges Mädchen gegenüber, mit der Mutti. Und die Kleine unterhält mich großartig, die kriegt nur zuviel Zucker zu knabbern.
... Das Werkstudenten-Lustspiel geht mir viel im Kopf herum. Es fehlt noch allerlei dran, eh ich damit beginnen kann. ... Motorrad kauf ich mir keins. Johns Auto ist für mich viel billiger als ein eignes Motorrad. Nicht wahr? Also, auch darüber kannst Du ganz ruhig sein. Das Geld spare ich, damit ich welches habe, wenn Marguth plötzlich sagt: Schluß, lieber Kästner! ...

Mit Deinem Besuch, auf den ich mich riesig freue, überlasse ich's also ganz und gar Dir, mein liebes Muttchen. Wenn Du doch mal wieder zu den alten Schwestern fahren willst, so tu's doch. Darf ich Dir dazu ein bißchen Geld schicken? Für die Fahrt oder so? Ich tät's schrecklich gern! . . .

Die Geschichte von dem alten Geiger werde ich doch bald mal schreiben. Früher hab ich's wohl schon mal getan. Aber diesmal besser! . . .

Einen frohen Sonntag, mein Liebes!

Tausend Küßchen   Dein Junge

Berlin, 7. 10. 27

Mein liebes gutes Muttchen!

Vielen Dank für Deinen Brief und Deine Karte. Ich sitz jetzt gerade bei Schünzel und warte. Es ist viel Betrieb. Schauspieler und junge Mädchen suchen Engagement. Da müssen die Autoren warten, bis mehr Zeit ist.

. . .

. . . Mein Herz ist wieder ganz in Ordnung. Ich hab bißchen mehr geschlafen als sonst. Rauche die Zigaretten nur noch halb. Und so wird's schon wieder gehen. Herzbäder sind, glaub ich, sehr teuer. Na, das überlegen wir uns noch. Es ist ja noch viel Zeit bis dahin!

Also, Gutes, frühmorgens brauchst Du keine Brüssler Spitzen? Das könnte dem Leutner Kurt so passen, bei uns zu wohnen. Ganz ausgeschlossen!

Mach Dir keine Sorge, mein Muttchen! Es geht schon alles wieder seinen Gang. Und es ist nicht nötig, daß Du alle Deine Ordnung auf den Kopf stellst. Wir lassen erst die Wäsche vorbei. Da fährst Du dann doppelt gern ein bißchen fort. Nicht? Wenn wir also den Sonntag nach der Wäsche festlegen, ist es ganz selbstverständlich, daß dann niemand andres kommt.

. . . Die Leipz. Neusten Nachr., zu denen Paul geht, stehen rechts und sind die große Konkurrenz der NLZ. Sie druckten seinerzeit ja auch mein Gedicht ab. Dadurch kam doch erst der Kündigungskrach mit Marguth. Marg. kommt mor-

gen aus dem Urlaub zurück — schrieb mir eine Karte! — und da will ich mal wieder paar Dinge für die NLZ schreiben. Aber an ihn direkt schicken. Da kümmert er sich dann persönlich drum, während Natonek alles verschlampt.
... Schünzel hat ja auch Zeit! Ich sitze jetzt schon über 1½ Stunden hier. Werde mich gleich mal rühren. — Warme Strümpfe brauch ich nicht, mein Gutes! Jedenfalls keine andren als ich dahabe. Denn die ganz dicken möchte ich nicht anziehen. Höchstens die Kaffeebraunen, von denen ich eine ganze Menge habe ...
Weißt Du aber auch, wie lange ich bei Schünzel war? Es ist 6 h. Eben bin ich herein. Von 12 h ab! Nichts gegessen und nichts. Da war nämlich der Fotograf, der Architekt usw. da und sprachen den nächsten Film durch. Nicht den von mir, sondern den vorher. Das war ganz interessant für mich. Ich soll anscheinend bißchen lernen. Und ihm auch bißchen helfen. Kostenlos. Na ja. Dann haben wir — der Bankier, Schünzel und ich — als die andern raus waren — Kaffee getrunken, Eier gegessen usw. Und über Theater und so gesprochen. Bis Montag soll ich ihm bißchen was erzählen, wie ich mir einiges in dem Film denke. Also umsonst arbeiten. Bis ich den Betrieb richtig kenne, laß ich mir das vielleicht gefallen. Dann aber kostet jedes Husten einen Taler ...
Ja, also morgen kommt nun wohl Karin. Da wird mal bißchen gefaulenzt. Heut abend ¼9 h Theater und nachts um 12 h noch einmal! Das reicht, was? Ins Kino geh ich nicht mehr soviel. Natonek bringt dann doch nicht alles ...
Reg Dich in Döbeln nicht auf, mein Liebes ...
Und nun vieleviele Grüßchen und Küßchen

von Deinem Jungen

Berlin, 15. August 28

Mein liebes, gutes Muttchen!
... In Leipzig ging die Unterhaltung mit Marguth schief. Er wollte noch nicht zulegen. Wir haben uns wie die Hähne gekampelt. Aber da er wußte, daß ich die Arbeit nicht hinhauen würde, konnte er ja seelenruhig nein sagen. Im Oktober will

er mehr geben, wahrscheinlich 50 M, daß alles pfeift und kracht. Was soll man da machen. Diese Herren Direktoren behandeln unsereinen, als wolle man betteln, wenn man sagt: Ich will mehr haben. Sonst war's, wie ich schon schrieb, sehr nett...

Den Gedichtband bereite ich auch so langsam vor. 35 Seiten hab ich bereits geklebt. Fehlen also noch etwa 65 Seiten. Bis auf 50 bring ich's mit dem Material, was ich dahabe, das andere muß noch fabriziert werden.

Ich leg Dir also heute das Wäschegeld noch nicht bei. Ist das schlimm? Ich hab über 700 M Außenstände, und niemand schickt. Na, sie werden schon noch. Der «Jugend» hab ich Krach gemacht. Seit Monaten muß ich da kriegen! Am Sonnabend will Michael rüberkommen. Er reiste grade in Leipzig ab, als ich ihn anrief. Nach Ilmenau, zu seiner Frau.

Wie geht es Dir denn, mein Allerbestes, Allerbestes? Hat Dich die dumme Wäsche recht kaputtgemacht? Hoffentlich nicht! Heute war es gräßlich schwül. Ich bin direkt wieder braun geworden. Morgen muß ich mittags, wie üblich, in den MM zur Konferenz. Dann das Gedicht machen. Egal Arbeit. Der Zettel, auf dem ich alles notiere, wird immer schwärzer. Man müßte mal 8 Tage gar nicht ins Bett. Bloß schreiben. Doch das laß ich lieber bleiben. Gesundheit ist auch was Hübsches...

Und nun, meine Gutegutegutegute! 1000 liebe Grüßchen und Küßchen   von Deinem Jungen

                                              Berlin, 10. Januar 29

Mein liebes gutes Muttchen Du!
Hab mächtig vielen Dank für Deinen lieben, lieben Brief, den ich vorhin erhielt! Hoffentlich wirst Du nur bald wieder ganz richtig gesund. Sei ja recht vorsichtig! Wie gerne käme ich rasch mal nach Dresden, um Dir einen richtigen Umschlag zu machen und für Dein Essen zu sorgen, daß Du Dich beim Schwitzen nicht etwa noch mehr erkältest. Gib recht, recht Obacht, Liebes!
Es ist so schön, daß wir beide einander lieber haben als alle

Mütter und Söhne, die wir kennen, gelt? Es gibt dem Leben erst den tiefsten heimlichen Wert und das größte verborgene Gewicht. Auch wenn man vor Arbeit keine Zeit hat, an den andern zu denken — im Unterbewußtsein herrscht immer diese unendliche Sicherheit, daß der andere da ist. Was sind denn andere Beziehungen dagegen? Freundschaftliche Liebe und solche Dinge sind daneben ganz unbedeutend. Wir beiden sind uns das Wichtigste, und dann kommen alle andern noch lange nicht. — Also, Liebes, werde mir bald wieder ganz gesund!

Momentan bin ich dabei, noch allerlei Geldsendungen abzuwarten, damit ich in zehn Tagen oder acht losreisen kann. Ich werde vermutlich nach Oberstdorf fahren. Zimmer krieg ich jetzt sicher ohne Vorbestellung. Morgen werde ich Dir alle Wäsche, die hier ist, im Karton schicken. Da hast Du sie gleich da. Die langen Strümpfe, die Oxfordhemden und die Stiefel schickst Du mir dann in einer Woche, gelt? Aber nur, wenn Du bis dahin wieder ganz mobil bist. Sonst kauf ich mir noch ein Hemd vorher, und E. bringt nur die Stiefel zur Post. Kurze Hosen nehm ich beide Paare mit. Gott, ich freu mich mal sehr aufs Ausschlafen! Vorher ist noch viel, viel zu tun! Und auch im Gebirge will ich nicht faul sein. Aber dabei fleißig durch den Wald laufen. Freu mich so drauf! Marguth hab ich's schon mitgeteilt. Vorher will ich mir noch Lackschuhe kaufen. Weil man ja den Smoking braucht. Und im Sommer machen wir wieder zusammen unsre große Reise. Wird mächtig schön werden: Florenz, Rom, Neapel! Heute muß ich in den MM. Das letzte Gedicht hatte politische Hintergedanken. Das hast Du richtig gemerkt. — Gestern abend war ich mit Ilse im Theater. Hinterher waren wir ein Stündchen tanzen. Dann hab ich sie heimgebracht. Sie freute sich sehr. Werde sie manchmal mitnehmen. Sonntag ist sie in Dresden. Ihrem Chef hat sie zu verstehen gegeben, daß nichts zu machen ist. Ihr Posten ist ziemlich faul. Manchmal nur von 10—3 Uhr. Sie ist mir innerlich ganz fremd geworden. Aber das gefällt ihr, glaub ich, auch ganz gut. Zu Silvester hatte sie Besuch aus Dresden. Ihren Freund sicher? Aber wir sprechen nie darüber.

Hertha ist wieder da. Die neue kleine Freundin, Margot Schönlank, ist ein furchtbar lieber Kerl. Bloß schon wieder zu sehr verliebt. Hat ja alles keinen Sinn auf die Dauer. Es ist wirklich so, als ob die Ilse-Affäre mir alle Fähigkeit, ein Mädchen richtig liebzuhaben, vollständig ruiniert hätte. Sehr schade. Aber anscheinend nicht zu ändern. Wenn mich die Mädels so lieb anschauen, komm ich mir vor wie das Kind beim Dreck. Na, vielleicht kommt doch noch die Richtige? Denn dieser Zustand ist gar nicht erfreulich, wirst Du verstehen.

Sonst geht mir's gut. Heute abend verhandle ich mit Manfred Geis, weißt Du: der mich im Parkhotel kürzlich ansprach, der mit dem Monokel? Er gibt einen Vortragabend und will Gedichte von mir — neben andren Autoren — bringen. Mal sehen, ob er mir zusagt.

Ein Haufen Arbeit wartet noch, ehe ich wegkann. Nachher ist MM-Konferenz. Hast Du im letzten MM die Theaterkritik von mir gelesen? Hat hier gut gefallen, obwohl ich in ganz Berlin der einzige war, der das Stück, mit Recht, so abgelehnt hat.

Die Margot geht hier auf die Reimann-Schule. Ist eine Kunstgewerbeschule. Sie will Reklame-Fachmann werden und ist ein feiner, anständiger Kerl aus gutem Hause. Ihre Schwester ist das glatte Gegenteil, frech und aufs Poussieren aus . . .

Mein Gutes, halte Dich recht vorsichtig! Denn Du bist und bleibst das Kostbarste, was ich habe!

Und nun Millionen Grüßchen u. Küßchen

von Deinem Jungen

Grüße an Papa, Tante Lina und Franzl!

Berlin, 20. Juli 29

Liebes, gutes Muttchen!

Heute kam Nachricht von den zwei Strandhotels, an die ich geschrieben habe. Das Haus Hübner, das mir so empfohlen wurde, hat leider keine Balkonzimmer frei. Das kränkt mich sehr, und nun weiß ich nicht, ob ich fest mieten soll. Ob's

auch ohne Balkon geht? Das andre Hotel hat wieder Balkonzimmer, aber das kenn ich gar nicht. Natonek sagte mir, es
sei sehr zu empfehlen. Vielleicht schreibst Du mir paar Zeilen? Wenn schönes Wetter sein sollte, ist man ja aufs Zimmer
überhaupt nicht angewiesen. Wenn es aber regnet, und man
will weg, und hat auf 14 Tage gemietet — brrr! Na, es ist
aber vielleicht trotzdem das Beste, im voraus zu bestellen.
Gelt? Freust Du Dich schon?
Heute stand die Kindergeschichte im «Berliner Tageblatt».
Ich lege sie Dir bei. Ist ganz nett geworden. Ich hab aber
schon bessere geschrieben.
Morgen wollen wir mit Buhres Auto bißchen ins Grüne. Die
Hitze ist ja toll! . . .
Tausend Grüßchen u. Küßchen   Dein Junge.
Winkewinke!

                                              Berlin, 22. Juli 29
Mein liebes gutes Muttchen!
Bei so einer Hitze soll man nun arbeiten. Pfui Spinne! Ich
sitze in Hemd und Hose im Carlton und gähne mir die Seele
aus dem Leibe. Denn wenn man während des Schlafes so arg
schwitzt, so bleibt man müde. Dazu kommt, daß gestern in
der «Frankfurter Zeitung» eine furchtbar dumme Kritik über
mich stand. Das hat mich auch wieder mal geärgert, daß ich
am liebsten geplatzt wäre oder den Kritiker grün und blau
geprügelt hätte. Na, es hat keinen Zweck, sich zu ärgern.
Lassen wir's also.
. . . Also, Waschgeld soll ich nicht schicken? Gut. Willst Du
gern, daß wir Sonntag in Warnemünde ankommen? Es gehen zwei Züge. Einer um 8 Uhr und 40, glaub ich. Der nächste zu Mittag, wo man gegen 6 h in W. ist. 4 Stunden Fahrt,
Speisewagen. Bestellen werde ich ab Sonntag abend *oder*
Montag mittag. Da brauchst Du Dich nicht hetzen. Wann
Du auch ankommst — abholen tu ich Dich. In die Wohnung
kommst Du schon erst mal, denk ich. — Smoking mitzuneh-
men hab ich keine Lust. Was Du, bevor wir nach Kopenhagen fahren, nicht mehr brauchst, schicken wir nach Hause.

Gelt? Was Schönes für abends bringst Du schon mit, denk ich auch. Reisemantel für kalte Tage bring nur mit! Welchen Hut Du als Reisehut aufsetzt, weiß ich nicht. An der See kaufen wir Dir ein Mützchen oder so was. Damit Du den Hut in den Schrank tun kannst. Ich mir auch. Mit E. machen wir's, wie Du schreibst. Großen Staat machen wir in W. nicht. Tausend Grüßchen u. Küßchen.

Schreib mir noch genau, wann Du kommst, Gutes. Und hetz ja nicht!

P.   Berlin, 24. August 29
Liebes, gutes Muttchen!
Bist Du gut angekommen? Hoffentlich! Post von Dir hab ich noch keine, bin aber seit 11 h unterwegs. Gestern kamen die ersten Korrekturbogen von der Jacobsohn. Sie läßt Dich herzlich grüßen. Zu Robitschek geh ich heute. Ich hab noch oft telefonieren müssen, ehe er zu erreichen war. Dann mach ich die Funkrevue fertig. Damit ich endlich Zeit für was Neues habe. Frau Ratkowski ist noch nicht von der Reise zurück. Aber die Aufwartefrau ist da und macht bißchen Ordnung. Theater geht erst in einer Woche los, dafür aber gleich elf Premieren an vier Abenden!
Wurdest Du am Bahnhof abgeholt? Hast Du gleich paar Gepäckstücke eingestellt? Hat das Obst geschmeckt? War Arthur nett? Hast Du Dich wegen der Sanatogen-Kur erkundigt? Tu es ja, damit Du bald anfangen kannst, Gutes. Hetz Dich nicht ab! Ärgere Dich nicht über Gerüst und nicht über die Dachdecker! Und schreib bald Deinem Reisemarschall!
1000 Grüßchen u. Küßchen von   Deinem Jungen
Und grüße Papa von mir.

                                           Berlin, 30. August 29
Liebes gutes Muttchen!
Eben war ich mit Pony in einem Wohnungsverlag und hab mich angemeldet. Durfte gleich 50 Mark dalassen. Na ja, wenn's was nützt! Pony wird da in den nächsten Wochen

bißchen zu rennen haben. Aber die tut es ja gerne, der kleine Matz.

Vorhin las ich im Blatt, daß Alfred Meyer vom Schauspielhaus, nach langer Krankheit, gestorben ist. Sehr traurig. Weißt Du noch, daß wir hier in Berlin drüber sprachen, in Zusammenhang mit der Meta Seinemeyer? Wieder einer weniger. Ich bedaure es wirklich sehr. War ein netter Kerl. Na, man darf sich aber nicht zu sehr wegen andrer das Leben schwermachen. Es ist so schon grade schwierig genug.

Geht Dir's wohl halbwegs, Muttchen? Bei so schönem Wetter müßte man eigentlich dauernd ins Freie rennen. Aber ich komme auch nicht dazu. Ich arbeite, seit ich zurück bin, schwer und zäh. . . .

Sonst geht mir's aber gut. Kopf, Bauch, Magen, Hals — alles in Ordnung. Wenn nun noch 'ne hübsche Wohnung ankäme, wär's großartig. Nicht?

Heute will ich noch einen Chansonvorschlag an Robitschek machen. 250 M sind doch eine ganz gute Sache. Vom ersten hat er mir vorläufig die erste Hälfte gezahlt, die andre Hälfte kriege ich, wenn ihm die Korrektur gefällt, sofort. Klaus Mann hat heute das Stück geschickt, zu dem ich Lieder schreiben soll. Will's mal durchlesen. Piscatorpremiere sollte heute sein. Ist auf Dienstag verschoben. Hat mein ganzes Programm, weil jeden Abend Theater ist, umgeschmissen. Na, winke winke für heute, mein Gutes! Tausend Grüßchen u. Küßchen   von Deinem Jungen

P.   Berlin, 31. August 29
Liebes gutes Muttchen!

Schon der letzte August. Es wird Herbst. Und was für ein schöner. Kesten bringt im Oktober bei Kiepenheuer einen Sammelband junger Prosa und hat auch von mir eine Geschichte angenommen dafür. Schön, was? Morgen kommt Karin durch Berlin, war in Ahlbeck. Da muß ich Pony paar Stunden versetzen, das arme Kindchen. Heute abend und nun jeden Abend Theater. Das wird mal wieder sehr schön. Bloß, das Arbeiten wird dabei schwierig werden. Na, das

wird auch klappen. Wirst Du am Sonntag bißchen ins Grüne kommen? Mit Hugos? ... Grüße alle schön.
Tausend Grüßchen und Küßchen von   Deinem Jungen
Grüß den Papa.

4. Sept. 29

Liebes gutes Muttchen!

1. Gestern abend wurde in letzter Minute die Piscatorpremiere zum 2. Male verschoben. Natonek kam aber deswegen von Leipzig rüber.

2. Am Theater traf ich außer Natonek u. Kesten auch Bischoff-Breslau. Begeistert über die Funkrevue. Würde eine ganz große Sache. Ich soll vorher sprechen usw.

3. Heute früh bei der Jacobsohn die Trierbilder gesehen. Ganz hübsch. Zum Teil sehr nett.

4. Um 1 h mittags Konferenz mit dem Hamburger Verleger Dr. Enoch. Soll bei ihm ein Buch machen. Fotos u. Texte. So was wie Tucholskys letztes Werk. Weiß nicht recht ob.

5. Eben ruft Ilse an, ist in Berlin. Will sich um 4 h mit mir treffen.

6. Abends Theater.

7. Dabei muß ich aber noch heute mindestens erledigen: Kinderbuchkorrekturen, Theaterkritik für die «Weltbühne», Gedicht für den «Uhu».

Brrrr! Mein Liebstes! Ich käme auf der Stelle paar Tage zu Dir. Aber es geht nicht. Natonek kommt sowieso am Freitag schon wieder herüber ...

Wenn der erste Theatersturm vorbei ist, rutsch ich paar Tage nach Dresden. Oder Du kommst her. Wir sehen noch zu, wie wir's machen. Nun, husch, weiter im Texte!

1000 Grüßchen u. Küßchen von   Deinem Jungen

Liebes, gutes Muttchen Du!
Nun hab ich also schon ein paarmal auf dem wundervollen
Roßhaarkissen geschlafen und befinde mich sehr wohl dabei. Es ist sicher viel gesünder als ein Federkissen. Und ich
danke Dir vielmals, mein Allerbestes!
Meinen Nerven geht's schon ein bißchen besser. Ich habe
nicht allzuviel gearbeitet. Nur das, was unbedingt nötig war.
Leider kommen andauernd Besuche. Heute Weller, Natonek
und eine Frau, die von mir ein Chanson haben will. Wenn das
so weitergeht, brauch ich noch einen Privatsekretär, der die
Leute abfertigt.
Gestern hat sich Pony die ersten Adressen angesehen. Eine
darunter ist wohl besonders nett. Beim Kabarett der Komiker in der Nähe. 3 Zimmer, 170 M monatlich. Mit Bad, Balkon und allem. In einem Gartenhaus. Blick auf Grünes. Na,
ich guck mir's heute mittag mal an. Falls ich am 1. Okt. ein-
ziehen will, gäb's ja allerlei zu tun bis dahin ... Es soll ein
fast neues Haus sein. Die Leute ziehen aus, weil sie eine
große Wohnung brauchen, mit Büroräumen usw. ... Da
muß Muttchen vielleicht ganz bald zum Jungen kommen und
alles hübsch anordnen.
Frau Ratkowski ist nicht anders als sonst. Aber ich hab doch
Sehnsucht nach der eignen Wohnung. Das verstehst Du ja
auch. Und im Winter umziehen, das ist auch nicht das
Schönste ...
Morgen schreib ich Dir, was mit der Wohnung war.
1000 Grüßchen und Küßchen von   Deinem alten Jungen

Berlin, 8. Sept. 29
Liebes, gutes Muttchen!
Na, die kleine Wohnung ist ganz reizend. In einer Seiten-
straße vom Kurfürstendamm. Schön ruhig. Alle möglichen
Autobusse, Straßenbahnen und Stadtbahnhof Charlotten-
burg 2 Minuten entfernt. In einem vierstöckigen Gartenhaus.
Zu beiden Seiten bißchen was Grünes. Im 4. Stock. Fahr-
stuhl. Neubau, seit genau einem Jahr bezogen. Die Leute,

junges Ehepaar, wollen sich vergrößern. Loben das Haus, die Wohnung etc. sehr. Haben noch 4 Jahre Kontrakt. Den übernehme ich, wenn ich miete. Der Wirt ist eine große Gesellschaft.

Die Wohnung selber: 3 Zimmer, Morgensonne, Balkon, 1 Bad, Klosett, zusammen, 1 Küche. 1 Mädchenkammer, kleine Diele, Speisekammer, zwei eingebaute Schränke. Zentralheizung, Telefon.

Die Zimmer sind nicht sehr groß. Bißchen wie bei Lipperts. Nur höher. Schön hell. Wände gestrichen. Parkett. Zwei liegen durch Tür verbunden. Wäre als Schlaf- und Speisezimmer einzurichten. Eins für sich, das größte, als Arbeitszimmer. Das Speisezimmer könnte solange fast leer stehen, bis sich was Hübsches findet und Geld dazu übrig ist. Nicht?

Es wird Dir mächtig gefallen. Natonek war mit. Fand es reizend.

Die Preisfrage ist weniger reizend. Aber es ist nirgends anders. Und außerdem ist es ja eine Wohnung mit allem Komfort. 2500 M Abstand, brrr! Na, einmal muß in den sauren Apfel gebissen werden. Beschlagnahmefreie Wohnungen werden noch lange Geld kosten. Miete monatlich 170 M. Da ist Heizung, Wasser und Fahrstuhl schon dabei. Nur Licht extra. Das ist also nach Berliner Begriffen gar nicht so teuer.

Am Dienstag werde ich die Sache perfekt machen. Beziehbar am 1. Oktober. Die Leute wollen aber vielleicht schon am 15. Sept. raus, damit ich's dann langsam einrichten kann. Ein Zimmer, das sie bißchen zu bunt und modern haben streichen lassen, werd ich wohl auch übermalen lassen müssen. Als Reinmachefrau nehm ich vielleicht die, die jetzt bei der Ratkowski arbeitet. Hatte, während alles fort war, die Schlüssel hier und so. Zuverlässig. Ich freu mich schon drauf.

Nun wär's natürlich sehr fein, wenn Du am Dienstag hierwärst. Aber ich brauch Dich doch vor allem beim Einkaufen (Bett, Lotterwiese, Lampen usw.), mein Gutes. Und da lägst Du ja den ganzen Monat auf der Bahn! Wo Du noch dazu Wäsche hast! Ich bin fest überzeugt, Dir wird's herrlich ge-

fallen und Du wirst oft herüberkommen. Schöne kleine Küche. Die Leute jetzt haben noch ein Dienstmädchen mit in der Wohnung. Du siehst: eine richtige kleine komplette Wohnung! ...
Will Dir mal aufzeichnen, wie die Sache ungefähr im Plan aussieht.

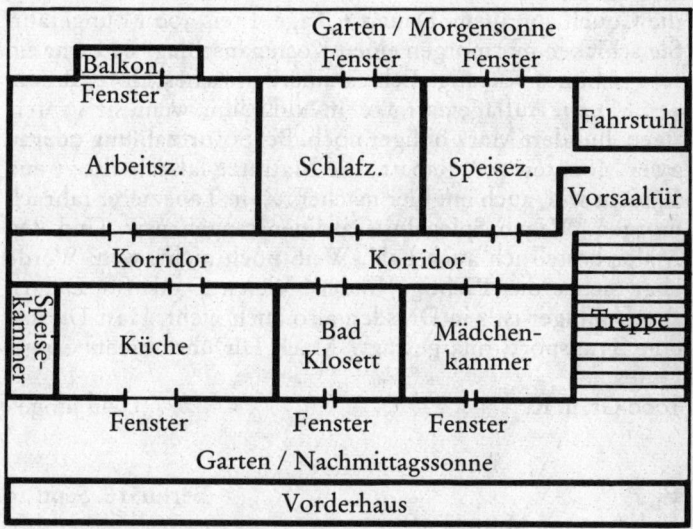

Ist Dir's so ungefähr klar, mein Gutes? Alle Zimmer einfenstrig. Die Räume sind aber nicht so groß, daß es zuwenig wäre. Sehr licht u. nett. Ich freu mich schon sehr. Möbel brauchen wir nicht viel. Das besprechen wir aber genauer, wenn Du erst hier bist. ... Denn ohne Dich einkaufen usw. möchte ich keinesfalls. Schreib bald, Allerbeste! Dumm, daß wir auseinander sind. Aber ich denke, Du wirst es auch wunderbar finden. Gott sei Dank endlich raus aus dem düsteren Zimmer hier! 1000 Gr. u. K.

Dein Junge

Liebes gutes Muttchen!
Eben hab ich den Karton fertiggepackt. Und schreib Dir jetzt bloß 'ne Karte. Heute MM und alles mögliche ... Die Möbel werd ich hier kaufen. War gestern mit Ohser und Pony im Möbelviertel. Eine Fabrik an der andern. Zum Teil sehr hübsch und modern. Sie müssen auch erst anfertigen, die Couch vor allem. Dauert 6 Tage. Preis 300 M ungefähr. Sie schicken mir morgen einen Kostenanschlag. Bett war ein sehr schönes vorrätig. Echtes amerikanisches Holz. Braun. 400 M *ohne* Auflagematratze. In Nußbaum, wenn sie's anfertigen, hundert Mark billiger noch. Bei Sofortzahlung oder in zwei Monaten 20% Rabatt. Die Matratze laß ich also, wenn E. nicht will, auch mit hier machen. Zum Tapezierer fahr ich morgen. Wegen Spiegeln, Gardinenstangen usw. Und den Maler bestell ich auch bald. Weiß noch nicht, wen. Werde aber sicher das Richtige finden. Vielen Dank für Deinen Brief. Billiger ist's in Dresden also auch nicht. Hast Du mal eine Transportfirma gefragt? Mach Dir über nichts Sorge, Gutes.

1000 Gr. u. K.   Dein Junge

P.   Berlin, 16. Sept. 29
Liebes gutes Muttchen!
Heute früh beim Tapezierer Stangen, Spiegel und Garderobeglasscheibe bestellt. Dann Lampen gekauft, schöne Dinge: 2 zum Zimmerhängen, 1 Stehlampe, 1 über den Spiegel, 1 in die Diele. Bringt der Installateur am Montag. Dann Möbel gekauft: 1 Bett + Hocker + Nachttisch, alles Schleiflack, Matratze prima, wird auch Montag geliefert (363 M zusammen in Engros-Fabrik); Couch und Tisch (500 M zusammen), am 1. Okt. lieferbar. Alles sehr schön. Tisch u. Stühle kaufen wir, wenn Du hier bist. Morgen kommen die Maler. Schickst Du den Teppich mit? Dachte ihn fürs Arbeitszimmer. Schlüssel hab ich auch schon, zwei Paar ... Na, dann wird's aber hübsch werden!

1000 Gr. u. K.   Dein Junge

P.   Berlin, 20. Sept. 29
Liebes, gutes Muttchen!
Vielen Dank für den Brief! Armes Kaputtes! Hoffentlich
hast Du bis zur Abfahrt bißchen Ruhe? Die Versicherung
lassen wir da eben. Es wird schon nix passieren. Ich hole
Dich also am Sonntag früh ½11 h ab. Mittags lese ich im
Rundfunk hier. Da kommen wir mit dem Essen aus dem Geschick. Ist aber nicht zu ändern. Heute wieder stundenlang
bei den Malern gestanden. Farben mischen lassen. Ohser hat
tüchtig aufgepaßt. Sie streichen gerade das erste Zimmer,
Decke u. Fries. Morgen fängt der Tapezierer an. Inzwischen
werden die Maler fertig. Und er tapeziert dann die andern
zwei Räume. Vor Montag wird er nicht fertig werden. Wir
besorgen da inzwischen die Gardinen. Vorläufig macht morgen die Mutter von der Portierfrau bißchen sauber. Einen
Parkettmann müssen wir auch kommen lassen. Na, es geht
alles ganz gut. Viele Grüße Papa.
Million Gr. u. K.   Dein Junge

                                                        Berlin, 1. Okt. 29
Liebes gutes Muttchen!
Der Kaffee, den ich mir eben gekocht habe, sieht genau aus
wie Lindenblütentee. Weil ich doch nicht gut sieben Tassen
kochen kann, wo es nachts ½2 h ist — nach dem Theater —
und ich noch einen Schluck trinken will. Und ehe das bißchen Wasser oben aus der Öffnung sprudelt, eher zerknallt
sicher der Topp. Also trink ich eben Lindenblütentee, Marke
Hag. Geht auch. Geschlafen hab ich vorzüglich. Das Bett ist
großartig. Dann hab ich & Co, die pünktlich kam, bißchen
diktiert. Dann bei der Polizei und Post abgemeldet. Dann im
Carlton allein gegessen. Ohser kam nicht. Dann Kino. Dann
Theater. Dann Schwanneke. Mit Pony. Und nun wieder
Wohnungsbesitzer. Es macht schon viel Freude!
Das Tischchen kam gestern abend. Paßt vorzüglich für
Schreibmaschine und Grammophon. Und auch ins Wohn-
zimmer. Eine Chrysantheme hat sich wieder erholt. Die an-
dre nicht. Aber sie geht auch noch. Morgen früh kommt Frau

Kleinsteuber zum ersten Male. Bißchen saubermachen. Ich glaube, es sieht alles noch ganz sauber aus. Sie wird nicht viel zu tun haben. Du hast ja alles so sehr schön sauber hergerichtet, mein Allerbestes. Ich danke Dir noch recht, recht schön. War die Fahrt angenehm? Hat das Obst geschmeckt? Zu Lesen hattest Du ja auch. Gelt? Wie hast Du zu Hause alles vorgefunden? Hübsch gemalt? Viel Dreck? Hoffentlich nicht. Sonst wiegst Du bald weniger als vor der Reise!
Eben hab ich meinen Lindenblütenkaffee ausgetrunken, bin bißchen müde und will in mein breites Bettchen hoppeln. Vorher inspizier ich noch mal alle Zimmer. Gute Nacht, liebes gutes Muttchen! Schlaf so gut wie ich. Millionen Grüßchen u. Küßchen   Dein Junge u. Villenbesitzer

Berlin, 8. Okt. 29
Vielen, vielen Dank für die Briefe u. Karte! Küßchen! Breslau hat mir so wenig Honorar geboten, daß ich gestern telegraphiert habe und hundert Mark mehr verlangt. Nun sitze ich zu Hause und warte auf den telefonischen Anruf. Denk Dir: außer dem Fahrgeld nur 75 M zu bieten! Für Nachmittag *und* Abend!
. . . Hilde Decke ist in Berlin. Aß am Sonntagabend bei mir zu Abend. Buhre auch. Der fühlt sich hier schon mehr zu Hause, als mir lieb ist. Pony hatte Teller, Gläser usw. mitgebracht. Und dann machte sie paar Spiegeleier usw. Ganz einfach. Hat uns aber allen gut geschmeckt. Na, wenn Du nun gar erst Deine Kochkünste vom Stapel lassen wirst! Da werden wir dick werden wie die Ringkämpfer, nicht? . . .
Die Couch und der Schrank werden wohl Ende der Woche kommen, hoffe ich. Das Regal war noch nicht ganz trocken, als sie es brachten, diese Esel. Aber es ging noch ganz gut ab. Ich habe von 3 h—9 h Bücher umgestellt.
Das Bett hab ich wirklich allein eingeweiht. Also keine Sorge von wegen Lasterbett. Dein Malermeister war sehr gescheit, als er sagte, ich hätte alles veranschlagen müssen. Wenn man am 16. in eine Wohnung kann und will am 1. fix und fertig eingezogen sein, geht das nämlich schlecht. Hätte ich alles

vorher veranschlagen lassen, säße ich jetzt noch auf der Straße. Verlaß Dich drauf.

. . . Ich muß paar eilige Gedichte machen.

Schreib bald wieder! Und komme bald. Wann, wird davon abhängen, wann Du Wäsche hast. Nicht?

Millionen Grüßchen u. Küßchen   Dein Junge

Berlin, 10. Oktober 1929

Mein liebes gutes Muttchen!

Na, das war ja ein schöner Quatsch in Breslau! Intendant Bischoff war ganz verzweifelt, weil der Herr Brunar den Abend so schlecht arrangiert hatte. Alles kam durcheinander. Mal Klavierspielen, mal Gesang, mal Grammophon, mal Sprechen, ohne Sinn und Verstand vermischt. Daß ich Gäste eingeladen hatte — der Grundgedanke doch — ging ganz verloren. Na, ich hab 50 M mehr rausgehandelt und soll Anfang November wiederkommen. Da will Bischoff selber Regie übernehmen . . .

Gestern, beim Heimkommen, fand ich die Rechnung vor für das Telefonlegen, 132 M. Und die Rechnung von Thiele: 791 Mark! Das ist ja schon allerlei, nicht? Ich hab ihm heute 600 M geschickt und geschrieben, ich fände es sehr hoch und wolle seine Aufstellung erst genau prüfen, ehe ich den Rest zahlte . . .

Heute kamen der grüne Schrank und der Küchentischkasten. Paßt gut ins Schlafzimmer. Na, Du wirst es ja bald selber sehen und einräumen. Gezahlt hab ich nicht, sondern telefoniert: die Schonerdecke fehle noch immer. Und die Couch kommt erst in 8 Tagen!! Früher zahl ich keinen Pfennig mehr. Sie fanden das auch ganz in der Ordnung und haben sich entschuldigt. Ein Paket ist unterwegs? Was denn, mein Liebes? Millionen Gr. u. K.   Dein Junge

Frau Großhennig schreibt an ihren Sohn

Mein lieber Junge! Das war natürlich sehr schade,
daß Du zu meinem Geburtstag nicht kamst.

                                             Und nur schriebst.
Die Nelken waren sehr schön.

                           Und Bratwurst hatten wir grade.
Weil ich doch hoffte, Du kämst.

                          Und Du doch Bratwurst so liebst.

Tante Isolde hat mir eine Lackledertasche geschenkt.
Nur Vater hat es gänzlich vergessen.
Ich war erst traurig. Wo er doch sonst stets an alles denkt.
Aber es gab viel zu tun, mit dem Kaffee,

                       und dann mit dem Abendessen.

Und wie geht es Dir sonst

                 und bist Du den trockenen Husten los?
Das macht mir Sorgen mein Kind.

                   Und das darf man nicht hinhängen lassen.
Nächstens schick ich Dir Umlegekragen.

                         Waren die letzten zu groß?
Ja wenn Du zu Hause wärst,

               dann würden die Kragen schon passen.

Ach, Krauses älteste Tochter hat kürzlich ein Kind gekriegt!
Wer der Vater ist, weiß kein Mensch.
                              Und sie soll es selber nicht wissen.
Ob denn das wirklich bloß an der Gymnasialbildung liegt?
Und schick bald die schmutzige Wäsche.
                    Der letzte Karton war schrecklich zerrissen.

Mein Kostüm habe ich umfärben lassen.
                                      Jetzt ist es marineblau.
Laß Dein Zimmer heizen. Wir machen schon lange Feuer.
Das Fleisch das kaufe ich jetzt bei unsrer Gemüsefrau,
da ist es zehn Pfennige billiger.
                        Ich finde es trotzdem noch teuer.

Drei Monate bist Du nun schon nicht zu Hause gewesen.
Läßt es sich wirklich nicht mal und wenns
                              auf zwei Tage ist machen?
Erst vorgestern habe ich eine Berliner Zeitung gelesen.
Fritz sieh Dich bloß vor! Da passieren ja gräßliche Sachen!

Ist das Essen auch gut in dem Restaurant wo Du ißt?
Laß Dir doch abends von Deiner Wirtin zwei Eier
                                      auf Butter braten.
Das wird alles anders, wenn Du erst richtig verheiratet bist.
Ich weiß schon, Du hast keine Lust. Das ist schade, da läßt
                                      sich nicht raten.

Berlin, 12. Okt. 29

Mein liebes, gutes Muttchen!
Also, ich war essen und sitze jetzt zu Haus am Schreibtisch.
Post ist erledigt. Dann will ich sie wegbringen und ein Ge-
dicht für die «Berliner Illustrirte» machen.
... Ilse schrieb, sie geht ein halbes Jahr als Assistentin nach
Paris, dann vielleicht nach Ägypten. Sie hat da seit Paris wohl
ein Verhältnis mit einem Ägypter. Und bei dessen Bruder
wird sie nun angestellt. Komische Sachen. ...
Millionen Grüßchen u. Küßchen   Dein Junge

Berlin, 15. Oktober 29

Liebes gutes Muttchen!
... Heute kam Frau Jacobsohn vorbei, im Auto, und brachte
mir das erste Exemplar von «Emil und die Detektive». Ich
schicke Dir's morgen ab, will mir's nur erst selber mal in
Ruhe betrachten. Es sieht sehr gut aus.
Am 29. Oktober halte ich hier eine Kinderstunde ab im
Rundfunk. Vielleicht bist Du da gerade da? Hm? Hat Dir
«Soeben erschienen» gefallen? Der 1. Akt ist sehr gut. ...
Jetzt laß ich mich rasieren. Dann arbeite ich bißchen und
abends ins Kino, zu Chaplin. Morgen Theater, übermorgen
Theater ...
Millionen Gr. u. K.   Dein Junge

Berlin, 19. Okt. 29

Mein liebes gutes Muttchen!
Das waren ja ein paar pfuiteuflische Tage. So was von Rennerei! Und gestern natürlich: das MM Gedicht gefiel nicht,
und ich mußte mich hinsetzen und noch eins machen. Alle
Wetter, ich hätte am liebsten gar nichts mehr gemacht und
mich zum Fenster rausgelehnt. Na, nun ist etwas mehr Ruhe.
Aber nur ein Stündchen mach ich Pause. Dann geht's wieder
los. Ich lege Dir eine Kritik aus dem «Berliner Tageblatt»
und eine Berichtigung bei. Da hat man mich und Kesten nun
also doch miteinander verwechselt! So etwas. Ganz Berlin

hat drüber gelacht. Es ist fürs «Tageblatt» eine große Blamage. Sie haben sich auch noch brieflich entschuldigt. Anfang der Woche wollen Kesten und ich mal hingehen und uns bißchen beschweren.

Hat Dir der «Emil» gut gefallen? Ich kriege nächste Woche die Belegexemplare und werde dem Franzl gleich ein Buch schicken. Oder soll ich bis Weihnachten warten? . . .

Heute abend hat sich Buhre wieder zum Abendbrot eingeladen. Dann gehen wir ins Kino. Im Februar werde ich hier in Berlin, mit einem andern Autor gemeinsam, in der Städtischen Bücherei lesen.

Und: Da kann ja der E., wenn Du herüberkommst, mit herkommen! Selbstverständlich ist mir das sehr recht. Ich habe nur nicht davon geschrieben, weil ich dachte, es sei schon ausgemacht. Überarbeite Dich bei der Wäsche ja nicht! Ich schicke gleich den kleinen Beitrag dafür mit.

Und nun muß ich rasch wieder weiter. Kam die Wäsche gut und pünktlich an, Allerbeste?

Millionen Grüßchen und Küßchen von   Deinem Jungen

                                        Berlin, 22. Oktober 29

Liebes gutes Muttchen!

Also, die Couch ist da! Gestern nachmittag wurde sie gebracht. Sie sieht sehr gut aus und findet großen Beifall. Die Schonerdecke kam auch mit. Ich werde sie morgen, wenn Frau Kleinsteuber oben ist, mit ihr unter die Matratzen legen . . .

Ob die Kinderstunde am 29. ist oder, wie ich gestern erfuhr, auf den 3. November verschoben wird, ist noch nicht heraus. Dumm, daß wir das nicht genau wissen, was? Vor Freitag wird es sich kaum herausstellen, da dann erst das Programm für die nächste Woche erscheint. Wollen wir uns am Freitag telegraphisch verständigen? Daß ich Dir depeschiere: Ich lese, oder ich lese nicht? Weil Du doch gern rüberkommen wolltest und es hören. So daß wir es eventuell auf nächste Woche verschieben müßten, wenn ich am 3. Nov. lesen sollte. Was meinst Du?

Am 30. Oktober muß ich mit Kesten nach Oberhausen fahren; das liegt im Rheinland; sein Verlag zahlt mir die Spesen; dort wird ein Stück von ihm uraufgeführt, und ich soll es im «Berliner Tageblatt» besprechen. Er bespricht dafür «Lärm im Spiegel». Das «Berliner Tageblatt» hat uns das vorgeschlagen, weil sie wegen der Verwechslung Gewissensbisse haben. Nun werden wir einander bißchen loben. . . . Da müßte ich also sicher schon Mittwoch früh abfahren. 8 Stunden Bahnfahrt. Brrr! Möchtest Du trotzdem diese Woche kommen? Vielleicht nur, wenn ich am Dienstag aus «Emil» im Funk lese . . .

Schreib mir's, wenn E. keine Zeit hat, müßte er eben ein andermal kommen. Wie Ihr denkt. Jetzt will ich paar Stunden arbeiten. Millionen Gr. u. K.   Dein Junge

Berlin, 23. Okt. 29

Liebes gutes Muttchen!

«Die Kleist-Preise 1929.

Dr. Wilhelm von Scholz, der diesjährige Vertrauensmann der Kleist-Stiftung, hat zwei Preise und drei ehrende Erwähnungen erteilt. Die Preise sind Eduard Reimacher und Alfred Brust, die ehrenden Erwähnungen Peter Flamm, Erich Kästner und dem rumänisch-deutschen Erzähler Oskar Walter Cisek zugefallen.» Der Kleistpreis selber — der vornehmste deutsche Dichterpreis — wäre mir allerdings wesentlich lieber gewesen als nur die Kleistpreis*ehrung*. Aber es ist ja immer noch besser als nichts. Seit gestern abend kriege ich dauernd gratuliert. Weller schickte Telegramm. Es ist eine sehr gute Reklame! Ich selber las es gestern abend zufällig beim Friseur im Blatt. Also wieder ein Schritt vorwärts! Es wird schon werden mit dem alten Lehmann. Das steht nun in allen deutschen Zeitungen. Langsam werden's schon alle merken, daß ich im Anmarsch bin. Gelt? Ich weiß, Du freust Dich mit mir, Allerbeste. Schreib bald!

Millionen Gr. u. K.   Dein Junge

Mein liebes, gutes Muttchen!

Also, ich war am Telefon wirklich noch bißchen müde. Hast Du's gemerkt? Außerdem bin ich ja am Telefon überhaupt bißchen blöde. Aber es war trotzdem sehr schön, daß Du anriefst.

Von der Kleistpreis-Sache weiß ich immer noch nichts Direktes. Die müssen einem doch mindestens eine Mitteilung machen! Bloß durch die Zeitung, ist doch bißchen dürftig, finde ich.

Frau Jacobsohn hat Dich für Sonntag nachmittag herzlich eingeladen, mitzukommen. Das ist ja sehr schön, nicht? Das Kinderbuch steht schon in den Schaufenstern. Ein Breslauer Buchhändler und seine Frau haben ihr einen begeisterten Brief geschrieben. Sie hätten sich beim Lesen drum gerissen. Das ist sehr schön. Hoffentlich reißen sich noch mehr darum . . .

Schreib oder telegraphiere mir nur rasch, wann Du kommst. Damit ich an der Bahn bin. Kommt E. mit? Wegen des Mantels und so, wäre es vielleicht wirklich jetzt das Gescheiteste.

Das Wetter ist so wunderbar, daß wir bestimmt mal mit dem Zuge bißchen rausfahren und uns ein bißchen Wald und See ansehen. Gestern war ein polnischer Journalist da, hat mich angeschwärmt und Gedichte von mir ins Polnische übersetzt. Er fuhr nach Paris, und wenn er, Ostern oder Pfingsten, zurückkommt, soll ich mitkommen. Paar Wochen. Hat mich eingeladen. Na, das muß ich erst mal sehen. Jedenfalls, der kleine Erich wird immer berühmter. Da kann man nichts machen. Ich freu mich sehr auf unser Wiedersehen.

Millionen Grüßchen u. Küßchen   Dein Junge
Ein Fahrscheinchen liegt bei.

Berlin, 30. Okt. 29

Liebes gutes Muttchen!

Bist Du gut heimgekommen? Hast Du den Koffer ja eingestellt? Was macht der trockne Husten? Schreib mir das genau, hörst Du! Heute früh rief Paul Beyer von Leipzig aus
an. Er kommt heute nacht oder morgen früh nach Berlin, um
das Reformationsfest bei mir zu verbringen. Da werde ich
ihn, des MM-Gedichts wegen, zeitig ins Bett schicken müssen. Eben war ein Verleger da. Will einen Roman von mir haben. Na, abwarten. Heute abend bin ich wieder mit Bischoff
zusammen. Eine Abhaltung nach der anderen ...

Million Gr. u. K.   Dein Junge

Grüße Papa. Und Dank für seinen Brief.

P.   Berlin, 1. Nov. 29

Liebes gutes Muttchen!

Hab ich ein Glück. Eben ruft Dr. Nick aus Breslau an, das ist
der Komponist meiner Funkrevue. Er kommt morgen früh
nach Berlin, um mir die Musik vorzuspielen, dann soll Ernst
Busch, den ich für die Hauptrolle vorschlug, noch dazukom-
men. Und bis Sonntag will Nick bleiben. Paul ist heute früh
um 6 h wieder nach Leipzig. Er läßt Dich herzlich grüßen.
War nett, daß er mal wieder da war. Hab vielen Dank für
Deine Karte. Hoffentlich kriegst Du Deine Erkältung bald
weg! Trinke Brust- und Lindenblütentee.

Meine Kinderstunde ist am *Montag 3.20*. Vielleicht kannst
Du sie doch irgendwo abhören. Wenn nicht, verpaßt Du
auch nicht sehr viel.

Berlin, 3. Nov. 29

Liebes, gutes Muttchen!

Hab vielen Dank für die Karte. Es freut mich sehr, daß der
«Emil» Bauers Jungen gut gefällt. Ich wollte Dir selbstverständlich ein Sonntagsbriefchen schreiben. Aber, weißt Du,
früh ½10 kam der Komponist Dr. Nick aus Breslau an,
spielte mir einen großen Teil der Revuemusik vor — sehr

hübsch —, dann nach dem Essen trafen wir uns mit noch einem Komponisten, und dann kam noch Ernst Busch, der die Hauptrolle übernehmen soll, zu uns. Und dann wurde feste geprobt und so. Und Dr. Nick fuhr erst nachts wieder fort. War eine schöne Hetze, der Sonnabend.

Jetzt ist's Sonntag früh ½12 h. Die Sonne scheint. Und ich ginge gerne bißchen ins Grüne. Hab aber schrecklich viel zu arbeiten. Pony wird gleich kommen. Die muß mir Kaffee kochen und dann bißchen für sich lesen. Dann gehen wir essen. Und dann wird weitergearbeitet. Abends Theater. Morgen abend auch. Montag 3.20 ist Rundfunk. Hinterher soll ich zu Flesch kommen. Weißt Du, zum Rundfunkintendanten. Bin neugierig, was er will. Hinterher Bergner-Premiere.

Gestern hab ich mir 900 M von der Bank geholt und will die Möbelschulden bezahlen, damit ich's los bin. Es paßt mir nicht, Schulden zu haben. Ist was ganz Gräßliches.

Wie geht Dir's denn, mein Liebes, Gutes, Allerbestes? . . . Am Sonnabend, Sonntag komm ich also voraussichtlich nach Hause. Freu ich mich schon drauf! Wie geht's Deiner Erkältung? Hoffentlich besser!

Millionen Grüßchen u. Küßchen   Dein Junge

Berlin, 5. November 29

Liebes, gutes Muttchen!

Vielen Dank für Deinen lieben Brief. Die Kinderstunde war, glaub ich, ganz nett. Für den Rundfunk — Dr. Flesch — soll ich ein Kabarett schreiben, für den 29. Nov., ein Programm zusammenstellen, auch Beiträge von anderen, Tucholsky, Mehring usw. Dafür lasse ich mir, es wird eine Menge Arbeit, 500 M zahlen, wenn er mir sie zahlt, heißt das. Ein Hörspiel soll ich auch machen; ich werde ihm den «Emil» dafür vorschlagen. Mal sehen . . .

Daß Du die Kinderstunde nicht gehört hast, ist nicht so sehr schlimm. Ich hab den Eindruck, ich kann das nicht. Das heißt, Pony usw. hat's gut gefallen. Daß den Dresdner Jungens der «Emil» gefällt, freut mich natürlich sehr . . .

Die Bergner-Premiere dauerte von 7 h bis 12 h! Alle waren

wie ausgewunden. Kein gutes Stück, aber nicht uninteressant.

Das Gedicht von Ponys Traum leg ich Dir bei und ein kleines Theaterscheinchen auch. Und am Sonnabend spätestens sehen wir uns, hoff ich sicher, wieder. Ich freu mich schon sehr.

Millionen Gr. u. Küßchen   Dein Junge

P.   Berlin, 12. Nov. 29

Liebes gutes Muttchen!
Gesund und munter in Berlin angekommen. Viel Post vorgefunden. Trude Hesterberg will mit Tucholsky, Busch, Max Hansen, mir und noch paar Leuten ein Kabarett gründen. Wäre sehr feine, interessante Sache. Karl Kinndt, auch ein Schriftsteller, machte mir riesige Komplimente. Meine Sachen würden immer besser, obwohl ich soviel schriebe. Er war allerdings ziemlich besoffen. Pony läßt Euch vielmals grüßen. Wie war's im Kino? . . . Das Geld für das Weihnachtsgeschenkchen ist unterwegs. Hoffentlich wärmt es schön.

Millionen Gr. u. K.   Dein Junge
Viele Grüße an Papa.

                                           Berlin, 14. Nov. 29

Liebes, gutes Muttchen!
Ehe ich ans Arbeiten gehe: rasch ein kleines Briefchen an die Allerbeste. Fein, daß das Mantelscheinchen angekommen ist. Ich hätte Dir viel lieber einen echten Nerz geschenkt, statt so ein bißchen Nerzmurmel an Kragen und Manschetten — aber vielleicht hält der Mantel auch so, wie er ist, warm, und sicher wird er recht hübsch aussehen. Nur darfst Du Dir nicht noch Gedanken machen! . . .
Gestern war die Premiere des Kinderstücks «Hans Urian geht nach Brot», wozu ich paar Kinderlieder gemacht habe. Die erste Kritik, die ich bis jetzt gelesen habe, lobt meine Mitarbeit sehr. Mir gefielen meine eignen Sachen dabei

beide nicht besonders. Ich hörte sie zum 1. Mal mit Musik. Ein andres Mal laß ich mir so was *vor* der Aufführung vorspielen. Mein MM-Gedicht hab ich schon gemacht. Aber & Co hat mir heute früh erzählt, voriges Jahr hätte ich mehr gearbeitet, und sie hätte mehr zu tippen gehabt. Neues, meint sie. Voriges Jahr hab ich allerdings auch keine Funkrevue und kein Kinderbuch geschrieben wie dieses Jahr. Und dann gab's nicht so furchtbar viele Abhaltungen. Es ist manchmal zum Verzweifeln. Ich lege Dir die zweite Kritik, die über den «Emil» erschienen ist, bei. Wieder recht günstig, nicht? Na, es wird sich schon machen. Hilde Decke schreibt sehr erfreut in einem Brief, wie gut ihr der «Emil» gefallen habe. «Ich habe über Mittag», schreibt sie, «eifrig darin gelesen und kam sehr begeistert hier wieder an. Das haben Sie wirklich fein gemacht! Und den Kindern wird es auch gefallen.» Na, das wollen wir auch sehr hoffen, was?

Es war sehr schön, daß ich wieder mal bei Dir zu Hause war! Es wirkt so beruhigend und wohltuend. Denn das richtige Zuhause ist eben doch bei Dir, und nicht in irgendeiner Roscherstraße, obwohl's da auch ganz nett ist. In 4 Wochen ist die Aufführung der Funkrevue. Walter Mehring, den ich gestern sprach, ist sehr gespannt und will sich's auch anhören.

So, mein Liebes, jetzt will ich hübsch an die Arbeit gehen. Es gibt mächtig viel zu tun. Und sieh ja zu, daß die Erkältung ganz weggeht! Grüß Tante Erna, Franzl, Emil.

Millionen Grüße u. Küsse   Dein Junge

Berlin, 16. Nov. 29

Liebes gutes Muttchen!

Wie geht's? Wie war die Mantelanprobe? Wird er so, wie Du willst? Genügt Wattierung? Laß Dir sonst ja ein Pelzfutter hineinarbeiten. Das war ja nicht weiter teuer. Inzwischen sind wieder ein paar Emil-Kritiken erschienen. In Rostock und Erfurt. Beide wieder sehr gut. Aber das Netteste ist der Brief einer Mädchenschulklasse aus Braunschweig, den ich Dir in einer Maschinenabschrift beilege. Hübsch, was? Das Original hat Frau Jacobsohn und will es vielleicht zu Reklamezwecken fotografieren und vervielfältigen lassen. . . . Momentan habe ich viel Scherereien mit den Kabaretts, die Dinge von mir bringen. Man muß sich nämlich drum kümmern, sonst tragen sie die Gedichte schlecht vor, und das schadet mehr als es nützt. . . .

Jetzt muß ich in die Stadt fahren. Das Kabarett «Katakombe» probt, und ich will ihnen bißchen auf die Finger gukken.

Am Dienstag kommt Dr. Nick aus Breslau wieder nach Berlin, das ist der Komponist der Funkrevue. Na ja. Und nun will ich mal zur Untergrundbahn.

Was macht der Husten und die Brust? Sei ja recht vorsichtig! Frohen Sonntag!

Millionen Grüße u. Küsse   von Deinem Jungen

Berlin, 19. Nov. 29

Liebes, gutes Muttchen! Vielen Dank für Deinen lieben Brief. Die Wäsche geht am Donnerstag ab. Morgen mag Pony frisch überziehen. Ich packe dann alles in Ruhe ein. Ich bin jetzt eifrig dabei, für Hilde Decke und die «Jugend» eine Menge Arbeiten zu erledigen: Reihenweise kleine Gedichte, ein Weihnachtsstück für Kinder und andre Sachen. Damit bißchen Geld wird. Von Robitchek erhielt ich den zweiten Teil der 250 Mark. In Verrechnungsscheck! Da bekam ich also das Geld auf der Bank gar nicht ausgezahlt, sondern mußte es einzahlen! Unfreiwillig sparen. Na ja, vielleicht kann ich's drauflassen. Mal sehen. Nachher muß ich schon wieder mal zu Dr. Flesch ins Funkhaus. Das letzte Mal war ich vergeblich dort. Er hatte keine Zeit. Schöne Zeitvergeudung, solche Sachen.

Eigentlich hatte sich heute Nick aus Breslau angesagt. Ist aber nicht gekommen. Morgen, zum Bußtag, werde ich paar Stunden faulenzen. Freu mich schon drauf.

«Hans Urian» war von Dr. Béla Balász, einem Ungarn, sehr begabt.

Hat aber den kommunistischen Fimmel.

Wegen des Sofas kümmern wir uns, wenn Du das nächste

Mal hier bist. Sicher, das im Fenster war für ein Damenzimmer. Aber die Form war trotzdem hübsch.

Über den Revue-Termin weiß ich noch nichts Neues. Bei Hecht habe ich schlechter Mensch immer noch nicht anrufen lassen. Aber am Donnerstag bestimmt. Ganz bestimmt! So, Allerbeste, jetzt leg ich mich eine Viertelstunde aufs Ohr. Dann geh ich wieder auf Tour und überlege mir eine Weihnachtsgeschichte für Hilde Decke.

Millionen Grüße und Küsse   von Deinem Jungen

Berlin, 22. Nov. 29

Liebes, gutes Muttchen!

Beiliegend schicke ich Dir wieder mal eine «Emil»-Kritik. Von einer ganz rechtsstehenden Rostocker Zeitung. Jetzt fange ich also sogar an, bei diesen Blättern beliebt zu werden. Mehr kann man nicht verlangen.

Gestern traf ich den Verleger Kiepenheuer. Er sagte, er habe sich schon vorgemerkt, im nächsten Jahr zwei Bücher von mir zu drucken. Und auf meine Theaterstücke ist er besonders wild. Na, ich muß mal sehen, wie ich von Weller loskomme. Ganz einfach wird das ja nicht sein. Aber es muß gehen.

Dr. Flesch hat mich also beauftragt, das Silvesterkabarett zusammenzustellen. Wird eine Portion Arbeit werden. Vieles dafür muß ich selber schreiben. Aber ich kriege dafür 1500 Mark. Das ist natürlich sehr erfreulich. Bis 15. Dez. muß es fertig sein. Da heißt's, in die Hände spucken. Für die «Grüne Post» soll ich eine ganze Seite, auch zu Silvester, arbeiten. Dafür gibt's 150 M...

Ist das Wäschepaket angekommen? Der Karton war allerdings ziemlich zerfleddert...

Pony, Ohser, Hamm und ich sitzen grade beim Essen. Ich bin nicht satt geworden und habe mir grade noch Schabefleisch bestellt, um nachzuholen. Und nun winkewinke! Millionen Grüßchen u. Küßchen   von Deinem Jungen

Liebes, gutes Muttchen!

Eben war Dr. Enoch aus Hamburg bei mir. Wegen des Fotografienbuchs, was ich für ihn mit Gedichten usw. versehen soll. Wir sind schon ziemlich einig. Wenn ich am 5. Dez. in Hamburg bin, werden wir den Kontrakt machen. Er zahlt mir, bevor ich anfange, 800 Mark, am 1. Januar. Damit zieh ich nach Oberstdorf. . . . Enoch möchte gerne, daß ich alle meine Bücher bei ihm verlege. Er würde sogar die Berliner Verleger, die mir Angebote machen, überbieten, meinte er. Na, bin ich eine gesuchte Persönlichkeit! Der Emil hat ihm ausgezeichnet gefallen.

Bis jetzt hat Frau Jacobsohn von den 10 000 Exemplaren etwa 4000 an die Buchhändler verkauft. Sie hofft, bis Weihnachten fast die ganze Auflage loszuwerden und dann die nächste zu drucken. Das wäre natürlich fabelhaft. Es kommen schon eine ganze Menge Kritiken raus. Die meisten kenn ich noch gar nicht. Aber vorgestern kam der Brief von einem kleinen Jungen. Den leg ich Dir heute in einer Maschinenschrift bei. Das Original schick ich gerade der Frau Jacobsohn. Sie will den Brief vielleicht, so wie er ist, handschriftlich also, vervielfältigen lassen und damit Reklame machen.

Ist er nicht reizend, der kleine Kerl? Ist überall rumgelaufen — Kaiserallee, Trautenaustraße, Nollendorfplatz usw. — und hat sich die Gegend, in der der «Emil» spielt, genau angeschaut. Rührend! Das macht Spaß, so was zu schreiben!

Nun muß ich rasch weiterarbeiten, weil mich der Enoch so lange aufgehalten hat. Bald mehr, Allerbeste! Millionen Grüßchen u. Küßchen   Dein Junge

Liebes, gutes Muttchen!

Heute früh kamen Karte und Christkindchen mit der schönen Tischdecke an. Sie ist sehr, sehr hübsch und sieht auf dem Tisch sehr fein und vornehm aus. Von Umtausch kann gar keine Rede sein! . . . Hab vielen, vielen Dank, Gutes! . . .

Die Kritik aus «Volk und Kunst» hab ich natürlich erhalten. Entschuldige bitte, daß ich es nicht erwähnte ... Ganz hübsch, bis auf paar Sätze, die auch Dir schon nicht gefielen. ... Auf die Kritik in den «Dresdner Neuesten» bin ich sehr gespannt. Hoffentlich legen es die Buchhändler nun ins Fenster! Frau Jacobsohn sagte mir: Dresden und Köln wären die zwei miesesten Städte für ihre Bücher.
Ich lege Dir paar neue Kritiken bei ... Und ein kleines Freß- und Theaterscheinchen.
Kauf Dir paar Schokoladenpfefferkuchen. Das gehört sich in der Adventszeit, nicht? ...
Am Sonnabend geh ich mit Pony und Buhre zum Ball der Pressezeichner. Hab ihnen ein Gedicht gegeben fürs Programmheft und dafür 3 Gratiskarten bekommen. ...
Nochmals vielen Dank für die schöne Decke. Millionen Grüße u. Küsse   von Deinem Jungen

Berlin, 30. Nov. 29
Liebes, gutes Muttchen!
Na, waren das böse Tage. Weller, der anscheinend irgendwie gehört hat, daß ich gerne von ihm wegwill, hat sich Donnerstag u. Freitag mit mir getroffen und mir zugeredet wie einem kranken Pferd. Nicht einmal das Buch bei Enoch — Texte zu einem Buch mit schönen Großstadtfotos — wollte er mir gestatten. Wo ich dabei doch auf verhältnismäßig leichte Art Geld verdienen und meine Winterreise finanzieren kann. Das Geld für die Reise könne er mir auch zahlen. Er wolle mir überhaupt von jetzt ab monatlich eine feste Summe zahlen — eine Rente nennt man das, und bessere Autoren kriegen das von ihren Verlegern, es wird dann von den Bucheinnahmen nachträglich wieder abgezogen — aber ich habe das entschieden abgelehnt. Auf diese Art wird man nämlich der Schuldner des Verlegers und kommt schwer von ihm los. Bis Ende 1930 läuft mein Kontrakt mit Weller! Schrecklich ärgerlich, wo mich doch Kiepenheuer lieber heute als morgen nähme! Na, das hilft nun nichts. Ich hab ihm aber gesagt, daß ich sehr unzufrieden mit ihm wäre. Weil die Gedichtbände

nicht besser gingen. «Lärm im Spiegel» macht er im Januar eine zweite Auflage.

... Der «Emil» erregt nach wie vor großes Aufsehen, und es kommen lauter gute Kritiken. Dank Dir für die aus den Dresdner NN! Ich lege Dir eine andere bei. Von Knauf. Ist sehr hübsch, was?

... Von Oberstdorf werd ich mir richtig Prospekte schicken lassen. Ist das Gescheiteste ... Hab mir Lackschuhe gekauft — 41 brauch ich nur noch, und sie passen sehr gut — und das kostete mit Leisten usw. zirka 40 Mark ...

Wie war's übrigens bei Tucholsky, mein Allerbestes? Hat Dir sicher gut gefallen. Er soll ja so ausgezeichnet vortragen.

So, mein Liebes! Und jetzt geh ich hübsch essen. Ohser und Hamm wollen auch kommen. Da ist die sächsische Kolonie wieder mal beisammen. Recht frohen Sonntag, Gutes!

Und Millionen Grüßchen u. Küßchen

von Deinem Jungen

3. Dez. 29

Liebes gutes Muttchen!

... Die Dresdner Buchhändler würden, auf die Kritik in den «Neusten Nachrichten» hin, den «Emil» ganz hübsch bestellt haben, sagte Frau Jacobsohn. Die Leipziger Auslieferungsstelle hat vorige Woche 500 Exemplare verkauft. Auch ganz ordentlich. Frau Jacobsohn ist recht zufrieden. Sie will diese Woche in Berlin rumfahren und die Buchhändler, die den «Emil» nicht im Fenster haben, beschimpfen. Ich schicke Dir wieder paar Kritiken mit.

Rundfunkvortrag Mittwoch abend 8 h in Hamburg. Mit Kolpe, Harbeck und noch wem. Am Donnerstag die Vorlesung in der «Hamb. Bühne», einer literarischen Gesellschaft. Am Freitag fahr ich wieder zurück. Werde auch noch mit Enoch den Kontrakt machen wegen des Fotografienbuchs. Damit die Januarreise gesichert ist. Sobald ich zurück bin, beginne ich mit der Silvester-Revue für den Funk. Muß am 15. Dez. abgeliefert werden.

Die Funkrevue vom 14. Dez. ist *abends 8.30*. Wird nicht über

Königswusterhausen geleitet, sondern über Berliner Sen-
der ... Vielen Dank für die Tucholsky-Kritiken. Haben
mich interessiert. Willst wohl am 14. Dez. nicht rüberkommen? ...
Winkewinke, Allerbestes. Ich muß Fahrkarten holen.
Millionen Gr. u. K.   Dein Junge

                                          Berlin, 7. Dez. 29
Mein liebes, gutes Muttchen!
Also, da bin ich wieder zurück aus Hamburg. Der
Rundfunkabend war nicht sehr wichtig, aber der andre war
schon recht gut. Ich hab erst eine Kritik darüber geschickt
bekommen, von den «Altonaer Nachrichten». Sehr begei-
stert. Zwei Spalten unterm Strich. Es waren allerlei Hamburger Schriftsteller da, die mir hinterher begeistert die Hand
drückten. Ein kleiner Saal. Aber ganz voll. Man mußte noch
Stühle hereintragen ...
Wegen der Silvesterrevue weiß ich nichts Genaues. Soll wohl
plötzlich nur eine Stunde dauern, statt zwei bis drei. Da kann
ich noch gar nicht anfangen. Am Dienstag früh soll ich zu
Flesch kommen. Ich schick Dir paar Drucksachen mit: eine
Emil-Kritik und einen Vorabdruck der Breslauer Revue.
Mach mir, mit dem Christkind, ja keine Geschichten! Du
weißt, wir haben ausgemacht, nichts zu schenken! Ein Gäns-
chen willst Du mitbringen? Au fein! ...

P.   Berlin, 10. Dez. 29
Liebes, gutes Muttchen!
Vielen Dank für Deinen Brief! Also, ich fahre erst Sonn-
abend früh nach Breslau. Sie zahlen die Fahrt und 2 Tage
Aufenthalt. Sonntag abend werd ich wieder abrücken. Wenn
Du also Freitag kommst, sind wir noch zusammen.
Mit Flesch hab ich mich auch geeinigt. Revue von 11—12,
Silvester. Honorar bleibt dasselbe!
Stell Dir vor: Ich hab zum Novemberball für 2,50 M Lose ge-
nommen — und die Gans gewonnen! Nun haben wir also

zwei. Pony hat sie gebraten und bringt sie heute abend her. Da werden wir gleich davon kalt essen oder die Leber nachbraten. Da werde ich ja dick und rundlich werden.

Der MM hat diesmal mein Gedicht nicht genommen. Hab wieder mal Lust, die Sache an den Nagel zu hängen. Vielleicht Neujahr. Noch mal beschlafen.

Gutes, schreib mir rechtzeitig, wann Du am Freitag eintriffst. Mittags? Der Pelz ist fertig. Ich hole ihn heute oder morgen ab.

Millionen Grüße u. Küsse   Dein Junge

Grüße an Papa.

Berlin, 21. Dez. 29

Mein liebes gutes Muttchen Du!

Also, da wäre die Arbeit vor Weihnachten erledigt. Bis auf paar Kleinigkeiten. Für Hilde Decke usw. Aber das ist nicht weiter schlimm.

... Hast Du noch viel zu tun, Gutes? Richte es Dir ja mit der Arbeit ein, damit Du nicht zu kaputt bist, wenn ich am Dienstag früh ankomme ... Ob Paulchen in Dresden sein wird? Na, er wird sich ja wohl blicken lassen. Buhre ist drüben, Franzl bringe ich den neusten Doolittle mit. Jetzt will ich mal rasch nach Hause und bißchen essen ...

Im übrigen freue ich mich sehr auf zu Hause. Mal paar Tage gar nichts machen, ist eine Wohltat. Wir wollen schön an die Luft spazieren. Gelt?

Millionen Gr. u. K.   Dein Junge

Berlin, 28. 12. 29

Liebes gutes Muttchen!

Also, glücklich gelandet. Heute brachte der Geldbriefträger mehr als tausend Mark. Das tut wohl. Na, nun kommen Miete, & Co usw. Aber dafür gibt's nächste Woche schon wieder viel Geld. Nach Köln hab ich geschrieben, ob sie's nicht später machen können. Weller hat den Hörspiel-Kontrakt so abgeändert, wie ich's wollte. Die «Jugend» schickte

mir als Weihnachtswunsch 2 Flaschen Sekt. Nett, nicht? . . .
Der Koffer hat Pony sehr gut gefallen. Sonst hat ihn leider
noch niemand weiter gesehen. Ich bin mächtig stolz drauf.
Das MM-Gedicht hab ich im Zug fertig gemacht. «Neujahrswunsch» betitelt.
Das Geld, das Du mir geliehen hast, leg ich bei, Allerbestes.
110 statt 105 M. Kauf Dir, bitte, ein Neujahrsblümchen dafür . . .
Die Funkrevue geht leider nur über die Berliner Welle, nicht
über Königswusterhausen. Da wirst Du sie also nicht hören
können. Na, im Vertrauen, sehr viel verpaßt Du da nicht.
. . . Es war so sehr schön zu Hause, mein Gutes. Und ich
danke Dir noch tausendfach für die vielen schönen Geschenke und das Glücksgeld zum Koffer etc . . .
Am Sonntag oder Montag schreib ich Dir wieder. Und nun
Millionen Grüßchen u. Küßchen von Deinem ollen Jungen

Berlin, 30. 12. 29

Mein liebes, gutes, allerbestes Muttchen!
Ich fürchte, morgen furchtbare Rennerei zu haben. Denn die
Proben für die Silvester-Revue beginnen erst heute nachmittag! Die Musik zu den Liedern ist zum Teil überhaupt noch
nicht geschrieben! Skandalöse Zustände. Und da werde ich
sicher morgen den ganzen Tag mit dabei sein müssen und
aufpassen, daß kein zu großer Quatsch einstudiert wird . . .
Jedenfalls, es wird das Beste sein, wenn ich Dir meinen Neu-
jahrsglückwunsch schon heute aufsage. Ich schreib ihn auf
die Rückseite. Da kannst Du es Dir ja aufheben und liest ihn
erst um 12 Uhr zum Glockenläuten. Gelt?
Also, mein Aller-, Allerbestes! Ich wünsche Dir, daß wir zwei
Hübschen im nächsten Jahr recht, recht gesund bleiben und
daß wir noch gesünder werden, als wir es augenblicklich
sind. Dann wünsch ich uns, daß wir immer bißchen kleines
und viel großes Geld haben. Und daß ich paar sehr schöne
Theaterstücke schreibe, die mich noch weiter vorwärtsbrin-
gen. Und daß wir eine sehr schöne gemeinsame Reise miteinander machen. Haben wir noch was in petto? Ich glaube, es

ist das Wichtigste. Glück und Gesundheit, das ist schon eine ganze Menge. Mehr kann man dem Schicksal nicht abverlangen, nicht wahr?

Na, es wird schon klappen! Wir müssen nur die Ohren steifhalten. Und das werden wir ja wohl tun.

Prost Neujahr, meine Gute, Liebe!

Und nur noch Abermillionen Grüße u. Küsse

von Deinem Jungen

Berlin, 2. Januar 30

Mein liebes gutes Muttchen!

Hab vielen, vielen Dank für Deine guten Wünsche zum Neuen Jahr und für Deine Karte. Hoffentlich geht alles, so wie wir's möchten, in Erfüllung.

Die Revue-Aufführung klappte halbwegs, und Dr. Flesch gratulierte mir zum Schluß sogar. Aber mir hat's nicht gut gefallen. Bloß um Geld zu verdienen, soll man nichts unternehmen. Die Kritiken sind, soweit sie bis jetzt heraus sind, sogar sehr lobend, bis auf das «12 Uhr-Mittagblatt», das ja schon «Leben in dieser Zeit» langweilig gefunden hatte. Im Laufe des heutigen Tages kommen noch ein paar heraus. Bin gespannt. Voß hat sehr gelobt. Morgenpost auch ... War's nett bei Dir zu Silvester? Was habt Ihr angestellt? Daß der «Emil» über 12 M eingebracht hat, ist großartig. Eh ich soviel dran verdiene, müssen fast 40 Exemplare verkauft sein! Die armen Schriftsteller. Gelt? Doch es geht mir ja unberufen gut.

In den nächsten Tagen ist egalweg Theater. Aber ich freu mich wieder mal drauf. So, jetzt will ich aber mein MM-Gedicht liefern!

Winkewinke u. Millionen Gr. u. K.   von Deinem Jungen

Liebes, gutes Muttchen!
Eben habe ich das Geld für die Silvester-Revue im Funkhaus
abgeholt und zur Bank gebracht. Nun sind's 4000 M wieder.
Die Jacobsohn kann mir vorläufig nur 800 M zahlen, weil die
Buchhändler sehr langsam zahlen. Na, zur Reise reicht es.
Und das andre Geld, was ich von ihr dann noch zu bekommen habe — etwa 600 M —, bringe ich weg, wenn ich von
der Reise wieder da bin. Wenn «Leben in dieser Zeit» noch
paarmal aufgeführt wird und der «Emil» für Amerika erworben wird, hab ich im Mai schon wieder soviel Geld wie am 1.
Oktober. Schön, was?
Heute kamen vier Kinderbriefe. Ich lasse sie abschreiben und
schicke Dir je eine Abschrift, vielleicht am Montag. Angerufen haben auch schon welche — leider war nur & Co da —
und sie könnten sich nicht denken, daß ich mich auf dem
Bauch in die Stube legte. 6000 Emil sind ungefähr verkauft.
. . . Und am 15. werde ich einfach abfahren. Aufs Grade-
wohl. Bleibe vielleicht erst einen Tag in München. Wegen
«Simplizissimus» und so. In Oberstdorf werde ich schon ein
Unterkommen finden . . .
Gestern abend war ich bei Pallenberg. Großartig. Ein wun-
derbarer Schauspieler! Heute abend geht's ins Staatstheater,
zu einem Boxerstück, das schlecht sein soll. Na, man muß
aber hinlaufen . . .
Mein Gutes, schönste Sonntagswünsche und
Millionen Grüßchen u. Küßchen von Deinem ollen Jungen

Liebes, gutes Muttchen!
. . . Schrieb ich Dir schon, daß das zweite Kinderbuch bis 1.
August fix und fertig sein muß? Na da, na dale! Ich bin auf
die Verträge gespannt, die aus New York angekündigt worden sind. Da gibt's endlich mal paar tausend Mark, ohne daß
ich einen Finger krumm mache . . .
In Köln hab ich nicht viel verdient . . . Der Erfolg war trotzdem gut. Großer Beifall. Ein Buchhändler verkaufte im Vor-

raum «Herz auf Taille». Nicht viel. Vielleicht 20 Stück. (70 hatte er sich schicken lassen!) Ich mußte meinen Namen egal reinschreiben. «Lärm im Spiegel» ist total vergriffen. Ich weiß nun, bevor Weller kommt, noch gar nicht, was wird. Morgen ist er hier. Vorhin telefonierte ich mit Kesten, der ja im Kiepenheuer-Verlag Lektor ist. Er wußte von Wellers Abwanderung in die Verlagsanstalt Stuttgart noch nichts und will mit Kiepenheuer wegen mir sprechen. Denn jetzt ist die Gelegenheit natürlich günstig, zu Kiepenheuer zu gehen, scheint mir. Die Zuhörer in Köln kannten den «Emil» zum Teil und lobten ihn sehr. Ich war in der Pause mit im Vorraum und unterhielt mich mit allen. War ganz hübsch. So zwangloses Beisammensein. Am Bahnhof brachte dann der Veranstalter das Geld markweise aus den Manteltaschen. So wie's an der Kasse eingegangen war. Auf diese Weise hatte ich doch ein volles Portemonnaie. 190 M rückte er raus. 114 M hat mich allein die Fahrt gekostet. Aber es macht nichts. War trotzdem ganz hübsch. Und ich hab wieder paar begeisterte Leser mehr. Auf die Kritiken bin ich gespannt. Man wird sie mir schicken. . . .
Auf der Urlaubsheimreise lese ich in München . . . Die «Berliner Illustrierte» hat mir wieder eine Zeichnung geschickt, zu der ich ein Gedicht machen soll. Das Publikum wäre von der «kleinen Stadt» sehr begeistert gewesen, und man wolle jetzt öfter Gedichte von mir bringen. Und gut honorieren. Fein, was? Obwohl ich doch seit «Lärm im Spiegel» keinen neuen Gedichtband herausgebracht habe, werde ich immer bekannter . . .
Liebes gutes Muttchen! Sieh Dich ja mit Deinem Unterleibchen vor. Willst Du nicht zu I. gehen und Dich erst mal gut untersuchen lassen? . . .
Vielen Dank für Deine Karte, Gutes. Nimm Dir ja jemanden zur Wäsche. Das Wäschegeld schick ich in den nächsten Tagen. Heute nur ein Bandagenscheinchen.
Millionen Grüßchen u. Küßchen   von Deinem Jungen

Grüße Emil u. Tante Lina. Ich hab ihr noch immer nicht geschrieben.

P.   11. Jan. 1930 / Berlin
Liebes gutes Muttchen!
Heute war tolle Rennerei. Aus einem Auto ins andre. Gestern
abend mit Weller. Heute bei Krell. Rat geholt. Dann bei Kiepenheuer. Er will mit mir Vertrag machen. Weil Weller seinen Verlag aufgibt. Dann beim Rechtsanwalt von Kiepenheuer. Wegen der Bände «Herz auf Taille» u. «Lärm im
Spiegel». Kiepenheuer will sie neu auflegen. Weller will aber
das Geld von Kiep. haben. Der Rechtsanwalt sagt, wäre nicht
nötig. Morgen verhandle ich mit Weller weiter. Jurist hätte
man auch noch werden sollen. Sonst wird man übers Ohr ge-
hauen. Na, ich paß schon gut auf.
Entschuldige die Kürze! Heute nur noch
Millionen Gr. u. K.   von Deinem Jungen
Viele Gr. an Papa.

                                          Berlin, 13. Januar 1930
Liebes gutes Muttchen!
Der Kuhhandel um meine Bücher geht fleißig weiter. Heute
abend ist Weller bei Kiepenheuer, um darüber zu verhandeln. Das kann sich noch Wochen hinziehen. Und «Lärm im
Spiegel» ist nirgends zu kriegen. In keiner Buchhandlung
mehr. Obwohl es verlangt wird. Das ist sehr schade. Ich
werde noch nicht mal am 20. wegfahren können, weil Weller
mit mir nach Stuttgart fahren will und vorm 24. nicht wegkann. Ich soll dort mit dem Generaldirektor direkt verhandeln. Ach, es ist schrecklich. Nächstens halte ich mir noch
'nen eignen Prokuristen, der das Geschäftliche erledigt. Alle
wollen verdienen. Mit dem, was unsereins schreibt. Zu blöde.
Na, morgen schreib ich mehr.
Viele
Millionen Gr. u. K.   Dein Junge

Berlin, 17. Januar 1930

Mein liebes, gutes Muttchen!
Heute war Dr. Enoch aus Hamburg wieder da. Er hat inzwischen von Wellers Verlags-Auflösung gehört und denkt, er kann mich kapern. Noch einer mehr! Kiepenheuer schreibt augenblicklich Briefe mit Weller. Lange seh ich mir das nicht mehr mit an. Dann verlang ich bindende Entschlüsse. Damit endlich die Bücher neu aufgelegt werden.
Die Kölner Kritiken sind sehr gut. Nur, das kommunistische Blatt schreibt: ich würde zu zahm. Besonders den «Emil» nehmen sie sich daraufhin vor. Na, wennschon. Sie sollen mich. Soll ich vielleicht die Kinder aufhetzen? Blödsinnige Bande! ...
Millionen Gr. u. K.   Dein oller oller Junge

Berlin, 20. Jan. 30

Liebes, gutes Muttchen!
Also, danke Dir für die Kärtchen! Die drei Pakete — Wäsche u. Schuhe — sind angekommen. Vielen Dank, Allerbestes!!
... Ein paar Kölner Kritiken lege ich Dir bei. Sind zum Teil noch ganz nett. Nicht? Und ein Spazierscheinchen tu ich auch dazu.
Schrecklich, wenn der Mann, den Onkel Hugo angefahren hat, tot wäre. So etwas muß einen ja abscheulich mitnehmen.
Der amerikanische Verlag hat Geld geschickt. Da werde ich wohl morgen zur Jacobsohn fahren, einkassieren. Sie wollen das Emilbuch sehr groß rausbringen, damit es ein Erfolg wird, hat der Verlag aus New York geschrieben. Hoffen wir das Beste!
Zwischen Weller u. Kiepenheuer wird nach wie vor korrespondiert.
Weller zieht die Verhandlungen hinaus, weil er doch will, daß ich erst mit nach Stuttgart fahre. In Oberstdorf bring ich dann die Sache zum Abschluß. Möglichst mit Kiepenheuer.
Nachher kauf ich mir ein Paar neue Halbschuhe. Schwarze, denk ich. ... Dann besprechen wir auch, ob Du inzwischen

mal nach Berlin gondelst. Ja? Die Schlüssel laß ich Pony da.
Millionen Grüßchen u. Küßchen   Dein oller Junge

                                        Oberstdorf, 28. Jan. 30
Liebes, gutes Muttchen!
Eben hab ich mein neues MM-Gedicht fertiggestellt. Wird
erst morgen früh 6 h mit dem Postzug weiterbefördert. Um-
ständliche Gegend hier. Hast Du mein Telegramm erhalten?
Ich gab's heute morgen auf. Und gestern abend eine Karte.
Die Sonne scheint hier ganz wunderbar. Ich hab einen Balkon und werde mich früh rauslümmeln. Schnee ist wenig
da ... Übrigens gefällt mir's schon ganz gut. Grandhotel
Kitzbühel war bißchen mehr Betrieb und großartiger. Aber
man kann doch nicht unentwegt in dasselbe Nest fahren!
Schnee wird dort auch keiner liegen. Vorläufig halte ich's
kolossal mit dem Schlafen und merke bereits, wie gut mir das
tut. Eben hab ich mich im Spiegel betrachtet und finde, ich
sehe schon viel wohler aus.
Der Besuch in Stuttgart war ganz interessant. Der Generaldirektor des Verlags (Deutsche Verlagsanstalt) ein tüchtiger
Kerl. Ich werde wahrscheinlich mit ihm abschließen und Kiepenheuer abschreiben ...
Nun Millionen Grüßchen u. Küßchen   von Deinem Jungen

P.   [Oberstdorf] 31. Jan. 30
Liebes gutes Muttchen! ... Fein. Gestern hat's geschneit.
Jetzt trink ich im Freien Kaffee Hag. Diese Nacht 12 Std. ge-
schlafen. Wenn's da nicht wird! Morgen schreib ich Dir ei-
nen Brief nach Berlin. Arbeite nicht soviel dort. Faulenze lie-
ber. Friedrich Wolf war mal Arzt in Langebrück, lebt jetzt in
Stuttgart. Der Dresdner Dramaturg heißt Karl Wolff. Der
Schrankschlüssel steckt. Kommt ja außer Pony niemand hin.
Bald mehr.
Millionen Gr. u. K.   von Deinem ollen Jungen
Grüße an Papa.

Mein liebes, gutes Muttchen!

Zu erzählen ist seit dem letzten Brief nichts Besondres. Das Wetter ist heute ziemlich trüb. Überall kratzen die Bewohner das bißchen Schnee zusammen und fahren ihn, in Fuhren, zur Sprungschanze hinauf. Dort wird er ausgeschüttet, breitgeklopft und angehäuft, damit die Wettspiele nächste Woche überhaupt stattfinden können. Militär ist auch schon da. Die Heeresskimeisterschaften werden nämlich auch ausgetragen. Heute abend ist im Hotel ein Japan-Ball. Der Saal ist mit Kirschblüten aus Papier geschmückt. Na, ich werde den Smoking anziehen und mich bißchen runtersetzen ... Ich kriege schon ein klein bißchen Farbe. Na ja, in 10 Tagen muß ich ja schon wieder fort. Die Funkvorlesung in München ist am 13. Und dann reise ich gleich weiter. Weller hat gestern telegraphiert. Der Vertrag sei unterwegs. Sobald ich ihn hierhabe, schreibe ich Kiepenheuer ab. Es ist, hoffe ich, das Beste so. Im übrigen mache ich ja keinen langen Vertrag ... Hauptsache ist, daß jetzt erst mal «Lärm im Spiegel» rasch wieder herauskommt. Wenn ich zurückkomme, hat Amerika hoffentlich geantwortet. Da krieg ich den 1000-Mark-Scheck. Und vom Kölner Hörspiel 500 M. Das kann ich schon wieder fortbringen. Jetzt will ich mich bißchen langlegen. Ich habe doch jeden Tag ein Gedicht fabriziert. Es geht nicht, so ohne Arbeit. Hol's der Teufel! ...

Mach Dir's recht, recht gemütlich, mein Gutes! Millionen Gr. u. K. Dein Junge

Oberstdorf, 3. Februar 1930

Liebes gutes Muttchen!

... Jetzt fang ich erst langsam an, faulenzen zu können. Und das bekommt mir ausgezeichnet. Morgen muß ich allerdings wieder ein MM-Gedicht verzapfen. Und für die NLZ auch was liefern. Aber vor allem hab ich ein Thema fürs zweite Kinderbuch, hab's der Jacobsohn schon vorgeschlagen: Nach der «Berliner Tageblatt»-Geschichte von mir «Fräulein Paula spielt Theater». Entsinnst Du Dich? Das Kinderfrl., das nachts, wenn die Eltern im Theater oder zum Ball sind, mit deren Tochter betteln geht! Entsinnst Dich, ja? Könnte ein wunderbares Buch werden. Noch spannender als der «Emil»! Den Stuttgarter Vertrag, der gestern kam, hab ich wieder zurückgeschickt. Sie sollen ihn ändern. Boten zuwenig Geld usw. Aber das werden sie schon machen. So daß «Lärm im Sp.» noch in diesem Monat neu herauskommen kann ... Na, mit dem Bankenstürmen wird's nicht gleich so schlimm werden. Außerdem haben ja die Banken das meiste Geld ganz woanders. Viele Geburtstagsgäste werden wir in Berlin nicht haben. Das können wir uns ja einrichten. Pony und Buhre höchstens. Möckel, mit dem war ich, glaub ich, bei der Fußartillerie. Und der Winkler heißt Herbert. Da hast Du recht ...

Heute hab ich wieder von 12 h nachts bis 12 h mittags geschlafen! Ist doch toll, was? Aber es bekommt mir. Und mal ohne Frauen, ist auch paar Wochen ganz schön. Länger allerdings nicht.

So, mein Prachtmuttchen, jetzt mach ich für heute Schluß, und dann muß ich wohl wieder nach Dresden schreiben? Hm? Na, das teilst Du mir sicher mit.

Drei Milliarden — ätsch! — Grüßchen u. Küßchen

Dein Junge

6. Febr. 1930

Liebes, gutes Muttchen Du!

Hab vielen Dank für die Berliner Briefe und die Karte. Nun bist Du also schon wieder zu Hause und hast meine Karte vorgefunden, auf der ich mich wunderte, daß Du am Sonntag noch keine Post von mir in Berlin vorfandst ...

Heute kamen vier Briefe von der Schule aus der Görlitzer Straße. Sehr lustig und nett. Ich lasse Dir Abschriften von Frl. Mechnig zuschicken. Werden Dir Spaß machen. Möckel heißt, wie Du schon schriebst, der Lehrer. Sicher der von Fuß.-A. 19. Ich werde mal die Kinder fragen lassen. Oder ihm selber schreiben.

Der Vertrag von der Dtsch. Verl. Anstalt kam heute früh, in

meinem Sinne abgeändert. Ich lese ihn nachher noch mal gründlich durch, und dann schicke ich ihn unterschrieben ab. So daß «Lärm im Spiegel» noch in diesem Monat neu herauskommt. Ich bekomme für die 3 Tausend, die sie jetzt drukken, 20% vom Verkaufsertrag, das werden etwa, wenn alle verkauft sein werden, 1800 M sein. Bei Weller bekam ich nur 1200 M dafür. Du siehst, ich habe ganz gut aufgepaßt. Und verpflichtet bin ich auch nur, ihnen im Herbst den 3. Gedichtband und das erste Theaterstück zu geben. Wenn's mir nicht paßt, kann ich dann woanders hin. Aber ich denke, es wird schon klappen. Der Verlag ist ja groß, hat Einfluß auf viele Buchhändler und wird die Kästnerbücher schon ganz gut verkaufen. . . .

Ich freu mich näher zu hören, wie Du Dir's bei mir gemütlich gemacht hast. Zu Kempinski konntest Du Dir doch ein Auto nehmen! Hätte höchstens 1 Mark gekostet. Bevor ich abrücke — das wird ungefähr am 12. Febr. früh sein —, packe ich die schmutzige Wäsche in einen Karton und schick sie Dir. Ja? Ist's recht?

. . . Schade, daß Du schlecht gegessen hast für 4 M. Na, sei nicht traurig. Wir essen prachtvoll, wenn Du wieder bei mir bist. Und nun will ich die Stuttgarter Sache erledigen. Winkewinke!

Milliarden Grüßchen u. Küßchen   Dein Junge

8. Febr. 30

Liebes, gutes Muttchen Du!

Vielen Dank für Deinen Brief, in dem Du mir erzählt hast, wie Du die Berliner Tage verbrachtest. Du hast ja überhaupt nichts verbraucht außer Fahrt in Zug und Auto! Und daß Dir's viel erscheint, muß Dich nicht kränken, Gutes. Ich bin ja ganz hübsch bei Kasse. Hoffentlich geht's so weiter. Ein schwedischer Verlag will uns die «Emil»-Idee abkaufen und ein andres Buch drausmachen lassen. Für 200 Kronen! So 'ne Frechheit! Ich hab der Jacobsohn geschrieben, sie solle ja ablehnen. Am 13. les ich also in München, um 10 h abends. Und in Köln wird am selben Tage «Leben in dieser Zeit» aufgeführt. Am Mittwoch, also am 12., fahre ich hier weg. Und in München vielleicht am 14. abends, da kann ich schlafen und bin Sonnabend früh wieder in meiner Wohnung. Ich freu mich schon mächtig auf die Zimmer! Und von Dir ist ein Geburtstag-Vorgeschenk drin? Da bin ich mächtig gespannt . . . Schade, daß Pony so spät kam. Aber sie schrieb mir's und bedauerte es auch sehr. Ja, sie ist wirklich ein netter Kerl. Freut mich, daß Du's gemerkt hast.

Die Wohnung wird mir viel bewohnter und netter vorkommen, nun ich weiß, daß Du paar Tage drin gehaust hast. Die Sache mit den Streichhölzern ist wirklich passiert. Ich las einmal eine Zeitungsnotiz. Und nun wird ein Buch draus! Na ja, so ist das. Hat Dir & Co die Abschriften der Kinderbriefe geschickt? . . .

Natürlich hab ich hier auch schon wieder eine Frauengeschichte am Hals. Aber heute ist der Freund gekommen. Da hab ich wieder mei Ruh. Ich wollte gar nicht. Na, Schwamm drüber!

Ich leg ein kleines Freßscheinchen bei. Verfriß es gesund, mein Allerbestes!

Milliarden Gr. u. Küßchen   Dein oller Junge
Na. Ich seh schön braun aus.

Oberstdorf, 10. Februar 30

Mein liebes, gutes Muttchen!

Vielen Dank für die beiden letzten Briefe . . . Ich werde doch am Mittwoch früh 11 h hier losgondeln, bin gegen 8 h in München, steig in unserm hübschen «Hotel Schottenhaml» ab, weißt Du noch? Und gehe abends bißchen aus. Da kann ich mein MM-Gedicht fabrizieren. Am Donnerstag besuch Redaktionen — «Jugend», «Simplizissimus», Funk —, am Abend lese ich dann, und da geht der Betrieb mal wieder los. Ich fühle mich wirklich hübsch erholt, sehe besser aus. Kurz und gut, nu geht's mal wieder weiter im Text.

Wenn Ihr Köln hören könnt, so ist das sicher viel interessanter als München, wo ich ja doch nur 20 Minuten Gedichte, die Du kennst, vorlese. In Köln hat der Intendant selber die

Regie . . . Die Freundin vom Dolbin hat bei Schäffers von mir vorgetragen. Mit großem Erfolg, wie die Zeitungen schrieben.

Am 21. Febr., glaub ich, lese ich in Berlin, mit 2 andren Autoren, vor Arbeitern in der Berliner Stadtbibliothek. Da siehst Du mich mal lesen, nicht nur hören, wie beim Funk. . . . Hoffentlich kannst Du da schon dasein . . . Ich schreib Dir noch Genaueres. . . .

Wegen der Verfilmung (Emil) sind bereits Verhandlungen. Allerdings nicht mit der Ufa. Aber das steckt alles noch in den Anfängen.

Blümchen gelten als geschenkt und von Dir ins Stübchen gestellt, mein Gutes. Außerdem steht noch ein kleiner Vorgeburtstag da, schriebst Du schon. Na also! . . .

Grüßchen u. Küßchen   Dein oller Junge

15. Febr. 30

Liebes gutes Muttchen Du!

Also ich lese hier am 21. Febr. abends in einem Saal. Karten hab ich schon dafür gekriegt. Hoffentlich bist Du da schon mit dabei. Sieh nur ja zu.

Amerika hat abgeschlossen. Das ist schön. Aber die Jacobsohn schickte nur die Hälfte. 500 M. Die andre Hälfte hat sie für sich behalten. Das ist weniger schön. Dann schickte sie noch 650 M für deutsche Emils, die sie bis zum Jahresende verkauft hatte. Diese 1100 M hab ich eben wieder weggebracht. Mit England und Holland sind auch Abschlüsse in Aussicht. Für Köln die 500 kommen auch in den nächsten Tagen. Bring ich dann auch weg. Bis jetzt etwas über 5000 M wieder auf der hohen Kante. Und eben den Rest der Möbelrechnung bezahlt. Nun bin ich wieder ganz ohne Schulden. Hurra! Es gibt wieder reichlich zu tun. Aber es macht Spaß.

Eine Reihe Emil-Kritiken, die ich doppelt habe, lege ich Dir bei. Mit den «Dresdner Briefen» hat die Jacobsohn wieder Reklame vor. Sie ist schon ganz tüchtig, die Dame.

. . . Also, mein Allerbestes, vergnügten Sonntag. Vielleicht lese ich bald mal in Dresden, wo der Kalenter gelesen hat. Fe-

lix Zimmermann hat Kalenter gefragt, ob ich das wohl täte.
Mal sehn.
Winkewinke, Quadrillionen Gr. u. Küßchen

Dein oller Junge

Berlin, 28. Febr. 30

Mein liebes gutes Muttchen Du!
Hab vielen herzlichen Dank für Deinen Brief. Fein, daß Du
den Teppich bestellt hast. Wir werden ja nun hören, ob es ihn
noch gibt. Wegen der Stühle und eines Sofas warten wir noch
und besorgen es später einmal zusammen.
Tante Lina schrieb mir eine Gratulationskarte. Ilse schickte
heute einen Brief. Hat sofort mit ihrer Mutter den «Emil»
gelesen, und beide sind hell begeistert. Sie haben sich auch
über Deinen Besuch sehr gefreut. Und Dir hat es auch gefallen bei ihnen. Hinterher ist's manchmal eben auch ganz
schön. Wenn ich denke, sie wäre jetzt Frau Kästner — na, da
muß ich gleich mal auf den Balkon und frische Luft einholen
gehen. Sicher machen sie sich Vorwürfe, daß sie mich aus
den Fingern gelassen haben . . .
Vorhin kamen Kinder-Aufsätze aus Frankfurt über den
«Emil». Von Quintanern. Mit Bildern, Klebearbeiten und so.
Bezaubernd schön! Schade, daß Du sie nicht sehen kannst.
Behalten werde ich sie ja nicht dürfen.
Nun für heute winkewinke! Nochmals vielvielen Dank für
die wundervollen Geschenke alle!
Und es war so schön, daß Du wieder mal bei mir warst.
Milliarden Gr. u. Küsse   von Deinem Jungen

Berlin, 5. März 30

Mein liebes, gutes Muttchen!
Vielen Dank für Deinen lieben Brief, über den ich mich *sehr*
gefreut habe. Ich hätte Dich sehen mögen, wie Du so altmo-
disch kostümiert losgezogen bist! Der Georg Hermann ist
ein Leipziger Rezitator. «Lob der Volksvertreter» ist ja eigentlich auch bißchen zu scharf für den Rundfunk, nicht?

Nächstens werden also wahrscheinlich Grammophonplatten von mir hergestellt. Ich freu mich schon drauf. Dann schenk ich Dir einen hübschen, guten, kleinen Apparat, und da kannst Du, so oft Du willst, die Stimme von dem ollen Jungen hören. Ich leg Dir heute eine Kritik des Abends von neulich bei. Außerdem die Abschriften der Schüleraufsätze um «Emil». Die mit Bildern versehenen Originale hat augenblicklich die Jacobsohn, und ich hab dem Lehrer geschrieben, ob ich die Arbeiten ganz behalten kann. Hoffentlich erlaubt er's. Die Wäsche geht morgen ab, das Bohnerwachs auch. Ein kleines Scheinchen leg ich Dir auch bei. Heute bekam ich von Weller die Schlußabrechnung mit seinem Verlag, und einen Scheck über 280 M. Hab ich gleich fortgebracht. Das nächste Geld krieg ich nun also schon von der Verlagsanstalt. In einem Vierteljahr. Nach den neuen Sätzen, 20% vom Verkaufserlös.

Am Sonntag hatte ich mit Pony eine lange, traurige Aussprache. Sie hat furchtbar geweint. Ich hab auch mitgeheult. So verzweifelt war das arme kleine Ding. Ich werde nach wie vor mit ihr zusammensein, nur eben ganz freundschaftlich. Ob sie das freilich auf die Dauer mögen wird, ist die Frage.

... Der Kritiker hat gemeint: Kästner verbirgt seine tiefern Gefühle, weil er nicht will, daß man ihm ins Herz sieht. Deswegen albert er lieber herum. Verstehst Du? Wenn Du selber zahlst, wenn Du mit Prätzschs Gertrud ausgehst, kannst Du doch lieber ohne sie hingehen, wo Dir's mehr Spaß macht, was?

Milliarden Gr u Küßchen   Dein oller Junge

8. März 30

Liebes gutes Muttchen!
Vielen Dank für Brief und Kärtchen. Mit den Zigaretten seh ich mich vor. Nächstens bring ich welche zur Nikolus-Entziehungsgesellschaft. Dann schmecken sie nicht mehr so gut, sind aber ungefährlich.
Frau Jacobsohn druckt zu Ostern schon das zweite Zehntausend vom «Emil». Na also. Ich leg Dir eine Kritik von Köln

und einen Dresdner Kinderbrief bei. Sehr hübsche Sachen. Nicht? Und ein kleines Freßscheinchen . . .
Gesundheitlich fühl ich mich unerhört wohl! Toi, toi, toi. Das Schlafen bei Steffa bekommt mir geradezu vorzüglich. Ich weiß dabei gar nicht, woran es liegt. Aber es ist Tatsache. Mich fragen schon alle, was los ist. Jetzt fahre ich gleich zur Universum-Bücherei. Die will vielleicht paar tausend meiner Bücher für ihre Mitglieder erwerben. Das wäre großartig . . .
Daß der Schreibmaschinentisch da ist, ist sehr angenehm. Da kann ich beim Diktieren am Schreibtisch sitzen bleiben. Wenn ich mal bei Dir bin, mußt Du Dich kostümieren. Und zu Ursula Richter gehen wir dann auch mal, lassen uns wieder mal zusammen fotografieren. Und mit dem Koffer-Apparat, das machen wir auch.
So, mein Liebes, jetzt will ich mal ein bißchen arbeiten. Es gibt so allerlei zu tun. Aber es macht Spaß. Wirst Du einen kleinen Sonntagsbummel vornehmen? Tu es ja, wenn das Wetter halbwegs ist!
Milliarden Grüßchen u Küßchen von   Deinem ollen Jungen

Berlin, 10. 3. 30
Liebes gutes Muttchen!
Vielen Dank für das Sonntagkärtchen. Ich sitze jetzt in der Sonne bei Jester, im Freien. Na, herrlich. Also, am Mittwochabend überträgt Leipzig aus Breslau «Leben in dieser Zeit», abends ½9. Anschließend werden nochmals die Schlager aus dem Hörspiel wiederholt. Da kannst Du die Lieder ja fast auswendig lernen. Das Programm leg ich Dir bei. Den Kurt Schmidt wird Bischoff, also der Breslauer Intendant, selber singen.
Ich rauche jetzt fast nur noch Zigaretten, denen das Nikotin entzogen worden ist. Einen Prospekt von Ärzten leg ich Dir bei. Mal sehen, wie das bekommt. Sicher gut, denke ich mir.
. . . Ich bin heilfroh, daß ich wieder so herrlich unabhängig und von keiner Lügenkarline abhängig bin. Und die Sonne scheint prima. Pony ist immer ziemlich traurig. Sie geht viel schwimmen und anscheinend auch sonst viel fort. Ins Kino,

zu Einladungen usw. Aber ich denke schon, daß sie gesund drüber wegkommen wird. Im übrigen sind die Mädchen in diesem Punkte ja alle einander ähnlich. Die Bernhard macht auch schon manchmal traurige Gesichter. Man sollte sich eben doch alles abhacken, was mit Mann zu tun hat. Sonst hört dieser Schlamassel ja doch nicht auf.

Weller drängt, ich soll den neuen Titel schicken. Da will ich nun mal in die Sonne blinzeln und mir was Passendes einfallen lassen. Ein kleines Theaterscheinchen leg ich Dir bei. Bring's gesund durch, mein Allerbestes.

Milliarden Grüßchen und Küßchen   Dein Junge

                                        Berlin, 15. März 30

Liebes, gutes Muttchen!

Also, ein Sonntagbriefchen im Husch. Ich hab' nämlich am Nachmittag lange an einem Gedicht für den «Uhu» rumgemurkst und bin darüber eingeschlafen. Das hat zwar gutgetan, aber nun muß ich noch fleißig nachholen ... Den Kurt Schmidt hat nicht Bischoff gesungen, sondern Robert Koppel, ein bekannter Rundfunksänger. Bischoff und Nick schreiben mir auch, daß die Aufführung gut gewesen wäre. Besser als die erste Aufführung im Dezember. Honorar kriegen wir: 325 M Breslau, 400 M Leipzig. Davon kriegt Weller ein Fünftel, und den Rest teilen Nick und ich zur Hälfte. Also, knapp 300 M für mich. Im April ist die nächste Aufführung: Stuttgart und Frankfurt/Main. Da verdiene ich 200 M. Na, es ist immer so'n ganz hübscher Zuschuß im Monat.

Meine nikotinfreien Zigaretten bekommen mir recht gut. Auch sonst fühle ich mich sehr wohl. Unberufen. Pony ist oft unausstehlich. Mehr durch Schweigen als Reden. Aber man muß eben Nachsicht haben ... Steffa Bernhard redet sich ein, sie liebt mich. Das geht furchtbar rasch bei den Mädchen. Aber wirklich ein netter, gescheiter Kerl. Viel kränklich. Na, auch das wird vorübergehen.

Heute arbeite ich noch paar Sachen. Dann geh ich bißchen mit ihr aus. Tanzen. «Hast Du Geld», fragte sie, «sonst bleibe ich nämlich auch ebenso gern zu Hause.»

Wie gefällt Dir die letzte Fotografie, die ich Dir schickte? Hier alles sehr gut. Nun, mein Allerbestes, viel Sonntagsgrüßchen und ein Sonntagsscheinchen ...
Verbring ihn gut!
Milliarden Grüßchen u. Küßchen

von Deinem ollen Jungen

Berlin, 18. März 30

Liebes, gutes Muttchen!
Vielen Dank für Sonntagsbrief und Karte. Ich bin recht besorgt, daß Deine Gesundheit so zu wünschen übrig läßt, und hoffe ja nur von ganzem Herzen, daß Du einen tüchtigen Arzt oder homöopathischen Doktor findest, der Dich richtig behandelt. Möchtest Du vielleicht einmal zu einem bekannten Spezialarzt gehen? Du weißt doch, wie sehr mir daranliegt, daß Du wieder ganz in Schuß kommst. Und ich könnte Dir doch das Geld dafür sofort schicken! Ja? Daß Du Zucker hast, halte ich für glatten Unsinn. Ob es nicht doch besser ist, Du gehst zu irgendeinem berühmten Arzt, statt Dich verkehrt diagnostizieren und behandeln zu lassen? Bitte, Allerbeste! Und schreib mir genau darüber.
... Die Frankfurter Kinder, schrieb ich Dir's schon, haben mir ihre Aufsätze geschenkt. Na fein. Du kannst sie dann, wenn wir das nächste Mal beisammen sind, Dir gründlich anschauen. Die neue Auflage von «Lärm im Spiegel» ist inzwischen erschienen. Hoffentlich geht sie gut. Der «Emil» wird wohl bald ausverkauft sein und wird vielleicht noch *vor* Ostern neugedruckt werden. Das ist ein braves Buch! Amerika will ihn wohl schon im Juli herausbringen.
Ein kleines Gesundheitsscheinchen leg ich Dir bei und eins für Wäsche. Die Smokinghemden, bitte, laß ganz steif plätten. Über E. ärgre Dich nicht. Man kriegt auch ohne Ärger graue Haare. Der blaue Mantel ist wieder sehr hübsch geworden.
Milliarden Gr u Küßchen von   Deinem ollen Jungen

P.
Liebes gutes Muttchen!
Vielen Dank für den lieben Brief und die Zusendung der
wunderbaren Kritik vom Wolfgang Schumann. Hat mich
sehr gefreut. Aus Leipzig hab ich noch keine gesehen. Auch
aus Breslau nicht. Wird aber schon noch werden. Hast Du
keine Umstände, wenn Du den Teppich erst an Dich schikken läßt? Er wird sicher passen. Die Tapete sieht an jeder
Wand und Ecke anders aus, durch das drauffallende Licht.
Eine Probe hat also wenig Sinn. Blaugrün in allen Schattie-
rungen. Gehe ja zum richtigen Arzt. Ich wünsch Dir recht
bald völlige Besserung, Liebes! Morgen oder Sonnabend
kriegst Du einen Brief. Am Sonnabend tanzt Ilse an. Ihr
neuer Dienst beginnt am Montag. Ich mußte für sie inserieren. Mir geht's unberufen sehr gut. Der ganze Kerl in schön-
ster Ordnung. Das Teppichgeld liegt bereit.
Milliarden Gr u K   Dein Junge

                                          Berlin, 22. März 30
Liebes, gutes Muttchen!
Also, heute ist der Tag des Buches. Und in der «Vossischen
Zeitung» steht ein Beitrag von mir, den ich Dir mitschicke.
Nächsten Sonnabend lese ich hier in einem großen Kauf-
hause, Karstadt, am Nachmittag eine halbe Stunde. Vielleicht aus den Kinderbriefen; denn ein Kapitel «Emil» wird
sicher nicht gut wirken. Am 4. April lese ich mit Kesten zusammen in einer Magdeburger Buchhandlung. Da kriegen
wir zwar nur die Fahrt bezahlt, aber ich werde in Magdeburg
viel gedruckt und will mich mal den Leuten vorstellen. Heute
in einem Monat, am 26. April, fahre ich mit Ohser zusammen
auf eine Woche nach Rußland. Eine billige Reise, von einem
Verkehrsbüro veranstaltet. Kesten fährt schon früher und
bleibt länger. Da werden wir uns in Moskau mal guten Tag
sagen. Sehr ulkig. Eine Woche Rußland ist natürlich viel zuwenig. Aber man muß doch mal anfangen es kennenzulernen. Ist ja heute das interessanteste Land. Zu Deinem Geburtstag komme ich paar Tage nach Hause, wenn Du nicht

etwa lieber herüberkommen willst ... Das Geld für den Teppich schicke ich Dir also Montag ab. 355 Mark waren's, nicht? Ich freue mich schon auf ihn. Und dazu kommt ein Stuhl ins Zimmer, der bißchen Gemütlichkeit verbreitet. Den kaufen wir zusammen ...

Ilse kam heute früh. Sucht jetzt Wohng. Morgen um 4 Uhr treffen wir uns wieder, bißchen Kaffee trinken. Meine Wohng gefiel ihr großartig. Sie hat überhaupt tollen Respekt vor mir bekommen. Na, das kann nichts schaden. Im übrigen steht wirklich fest, daß sie bißchen dämlich ist. Trotz ihres Doktortitels.

Vielleicht ist bei Deinen 3 Freilosen eine Reise nach Amerika dabei? Und kaufe doch 2 Lose für mich gleich mit. Ich geb Dir's wieder. Vielleicht gewinnen wir doch was? Jetzt geh ich essen. Werde bald wieder ganz gesund, Gutes!

Milliarden Sonntagsgrüßchen und Küßchen

Dein Junge

Berlin, 25. März 30

Liebes, gutes Muttchen!

Ist das Geld für den Teppich eingetroffen, hm? Ich hab es gestern aufgeben lassen. 360 Mark. Hoffentlich reicht es. Schreib mir, ob oder ob's nicht. Ich hab den Preis nicht ganz im Kopfe.

Wegen der Rußlandpartie brauchst Du Dir keine Gedanken zu machen. Meine Bekannten hier waren alle schon mal drüben. Ist genau so wie in andern Ländern auch. Daß Ohser mitfährt, freut mich auch. Er ist ein netter Reisekamerad. Im übrigen wird Verpflegung, Übernachtung usw. von der Reisegesellschaft besorgt, die die Tour veranstaltet. Braucht man sich also über gar nichts den Kopf zu zerbrechen. Das ist ja sehr wichtig, wo wir alle keine Silbe Russisch können! Ich freue mich drauf.

Die Jacobsohn schrieb heute, daß Verlage aus Ungarn, der Tschechoslowakei und England wegen des «Emils» angefragt haben. Amerika und Holland haben wir schon. Dänemark, Norwegen usw. werden bearbeitet. Kurz, der brave kleine «Emil» wird sich in ganz Europa breit machen. Bis ihn alle Kinder kennen. Da freut sich der olle Junge mit seiner Mama...

Ilse hat ein Zimmer gefunden. Ganz beim Café Carlton. Wollte in Gegenwart Ponys und Buhres bißchen sehr zutraulich werden. Da hab ich ihr aber deutlich abgewinkt.... Ich lege Dir paar gedruckte Sachen bei. Den dritten Gedichtband will ich nennen: «Ein Mann gibt Auskunft». Gefällt Dir?

Milliarden Grüßchen u. Küßchen   Dein oller Junge

Berlin, 29. März 30

Liebes, gutes Muttchen!

Heute lese ich also in dem großen Kaufhaus. Ich habe mir gestern schon mit Ilse, die mich besuchte, den Vortragssaal angeschaut. Nicht sehr hübsch. Und laut! Egal rennen Kellnerinnen herum, bedienen und klappern mit den Tassen. Nebenan spielt Musik im Erfrischungsraum. Ich hab ihnen gesagt: Wenn's heute wieder so laut ist, lese ich nicht.

Was sagst Du dazu: Ilse hat schon wieder gekündigt! Hat vier Tage gearbeitet. Es gefiele ihr gar nicht, acht Stunden am Schreibtisch zu sitzen. Na ja, das haben wir ja immer gesagt, daß sie nicht arbeiten kann. Heiraten soll sie, sagte ich. Will sie auch. Wußte aber keinen Mann. Ihr blonder Harald verdient 300 M im Monat. Sonst wäre er schon richtig. Meine Sorgen!

Gestern abend bei dem Bankier war es sehr hübsch. Eine Riesenvilla mit kostbaren Bildern usw. Die Bernhard hatte sich auch gleich mit einladen lassen. Jetzt spricht schon ganz Berlin davon, daß wir befreundet sind, mir egal. Du meinst also, wir sollten dieses Jahr ins Bad fahren? Nach Nauheim? Na gut, wenn Du meinst, können wir's ja machen. Vielleicht ist es für uns beide das Beste... Wenn ich zum Geburtstag in Dresden bin. Gott, freu ich mich schon drauf, endlich wieder mal zu Hause zu sein!... Der Tante Alma meine besten Glückwünsche.

Milliarden Grüßchen u. Küßchen   Dein Junge

Liebes, gutes Muttchen!
Also, der Tag der Abreise rückt näher. Na, lange bin ich ja diesmal nicht auf Tour. Pony wird übrigens auch bißchen wegfahren. Und zwar an den Gardasee. Sie ist sehr kaputt und reichte nicht ganz mit ihrem Geld. Da hab ich ihr was dazugegeben. Ich hab ihr gegenüber ja doch ein schlechtes Gewissen. Auch wenn sie mich bemogelt haben sollte. Sie hat noch keine Berge gesehen, war noch nicht in Italien. Es wird ihr sicher gefallen, obwohl sie allein reist.
Wir sind, Ohser und ich, ab *28. April* vier Tage in Moskau, und zwar «Hotel Metropol. Akt. Ges.» «Intourist», Swerdlow-Platz. Und ab *2. Mai* 3 Tage in *Leningrad*, «Hotel de l'Europe». Da kannst Du mir also doch zweimal schreiben. Wie lange die Post geht, weiß ich allerdings nicht. Das mußt Du mal fragen. Die Fahrt Berlin—Moskau dauert 40 Stunden. Da wird uns ja der Hintern weh tun!
Ich lege Dir heute ein etwas größeres Scheinchen bei, weil ich Dir doch von Rußland aus nichts werde schicken können, damit nichts wegkommt. Verleb's gesund, mein Allerbestes!
Die zwei Gedichte vom Sonntag lege ich Dir bei. Außerdem steht diesmal eins in der «Berliner Illustrirten» und eins in der «Frankfurter Illustrierten». Die beiden kaufst Du Dir, gelt? . . .
Abreise erfolgt Sonnabend 6 Uhr 18 ab Bahnhof Friedrichstraße. Ich freue mich sehr drauf, mal was Neues zu sehen und werde den Fotoapparat mitnehmen . . . Einen dunkelblauen Pullover ohne Ärmel, zum Unterziehen, hab ich mir gekauft. 13,90 M. Sehr hübsch. Eh ich fahre, schreib ich noch mal. Milliardonen Grüßchen u. Küßchen

von Deinem Jungen

Liebes gutes Muttchen!
Vielen Dank für Deinen lieben Brief! Ich schreibe Dir rasch noch mal. Bißchen hopp, hopp, aber das ist besser als gar nichts, wie? Ob ich 2. Klasse kriege, weiß ich noch nicht. Be-

stellt hab ich's. Walter Mehring fährt auch mit. Der ganze deutsche Dichterwald wird unterwegs sein. Mach Dir ja keine Sorge! Mein Allerbestes, Du!

Du hast also auch einen Herzklaps? Na, da passen wir zwei Hübschen ja ganz vorzüglich ins Kohlensäure-Badewasser. Es wird sicher sehr hübsch. Man kann schöne Ausflüge machen, sagt John; an den Rhein, nach Wiesbaden, in den Taunus usw.

Fein, daß Du bei Z. warst. Digitalen ist sicher gut gegen die Herzklappe. Aber sei vorsichtig. Mittelstandskuren machen wir nicht. Sondern richtig auf fein. Das ist doch klar. Es ist so wichtig, daß wir beiden wieder ganz gesund werden u. bleiben! ... Ich freu mich schon jetzt sehr darauf, daß Du am Muttertag kommst. Wenn dann so ein Wetter wie heute ist, nehmen wir uns ein Auto und gondeln in die Baumblüte an die Seen. Gelt? Von unterwegs schreib ich, so oft es geht. Aber nur Karten. Die machen nämlich die Briefe auf. Das vermeiden wir besser. Du kannst mir ja einen Brief schreiben. Hinzu, das geht. Nur nach Deutschland, da denken sie, man erzählt was. Sind sehr ängstlich, die Russen ...

Berlin, 14. Aug. 30

Liebes, gutes Muttchen Du!

Vielen Dank für Briefchen und Kärtchen. Die Abreise hat sich um einen halben Tag verzögert. Aber morgen, Freitag, ½ 5 h geht's ab. Sonnabend früh sind wir an Ort und Stelle. Moritz wollte erst nicht mitfahren. Weil sie mich liebt und ich sie nicht liebe, hat sie gesagt. Na ja, sagte ich, da fahr ich allein. Aber das war ihr auch nicht recht. Und nun kommt sie also mit. Sie pariert ganz gut. Muß sie auch. Sonst verschwinde ich aus ihrem Gesichtskreis ...

Das Frankfurter Schauspielhaus hat das «Emil»-Stück angenommen. Da gibt's bißchen Vorschuß, wenn ich von der Reise wiederkomme. Ganz hübsch. Ich werde schön faul sein. Marguth schrieb zwar einen Jammerbrief, weil ich wieder wegführe. Doch da kann ich ihm nicht helfen ...

Gestern hab ich wieder wegen des Films verhandelt. Mit den

Leuten, die Buhre rangeholt hat. Vielleicht wird das was. 10
Tausend und Auslandsbeteiligungen hab ich verlangt. Ich
soll mitspielen. Die Rolle des Reporters. Wäre ganz ulkig,
was? Na ja, mein bestes Muttchen. Nun will ich mal den Koffer
bißchen packen. Laß Dir die Schokolade schmecken . . .
Laß Dir's mächtig gut gehen! Freßscheinchen. Ich schreib
sofort. Laß Dir heizen!!
Milliardonen Grüßchen u. Küßchen   Dein oller Junge

P.   Berlin, 13. Sept. 30
Mein liebes, gutes Muttchen Du!
Wie geht's Dir? Ich bin bißchen abgespannt, habe Menge
Gedichte gemacht, hintereinanderweg. Das Singspiel, das ich
vorhabe, ist die Sache mit dem Preisausschreiben und dem
Schweizer Hotel. Weißt Du jetzt? Es stand mal im «Berliner
Tageblatt». Das Breslauer Stadttheater hat den «Emil» heute
angenommen. Das Stuttgarter Landestheater hat auch einen
Vertrag verlangt. Wird also auch klappen. Na, die Dresdner
sind eben schlauer. Da kann man nichts machen. Heute hab
ich die Belege vom Gedichtband bekommen. Am Montag
schick ich Dir ein Exemplar.
Mörike sagte, paar Buchhandlungen hätten schon nachbestellt. Liegt schon in den Schaufenstern. Na, wird schon gekauft werden. Trotz der Pleiten überall.
Milliardonen Gr u K   Dein Junge
Grüße an Papa.

                                        Berlin, 15. Sept. 30
Mein liebes, gutes Muttchen!
Vielen Dank für Dein Sonntagsbriefchen. Also das Gedicht,
nach dem Du wiederholt gefragt hast, steht im neuen Band
auf Seite 37. Ich dachte, Du fändest es beim Lesen. Deswegen schrieb ich nicht. Na, sieh mal nach, meine Gute! Ich
hab's sogar geändert wie Du wolltest. Mehr kann man nicht
verlangen. Gelt? Morgen schick ich Dir einen Band. Mit dem
Geld geht's mir schon wieder ganz halbwege. Aber ich will

mal bißchen besser haushalten. Erstens macht's mir persönlich ja wirklich Spaß. Keine großen Sachen zu machen, und zweitens möchte ich mir ja gern wieder was weglegen und einen Anzug machen lassen und drittens will ich noch diese Woche mit dem Singspiel loslegen und kann da weniger fürs augenblickliche Geld arbeiten. Aber das richte ich mir alles ein. Das geht mühelos. Und daß Du mir von Deinem Geld schickst, fehlte grade noch. Nein, nein, mein Allerbestes, das gibt's unter gar keinen Umständen! ...

Daß Wolf abgelehnt hat, tut mir sehr leid. Ich hätte mich Deinet- und meinetwegen so sehr gefreut, wenn das Stück im Dresdner Schauspielhaus gespielt worden wäre ... München hat das Hörspiel nicht gebracht. Aber Frankfurt. Die Wahl ist so ausgefallen, wie ich dachte ...

Schone mir ja Deine Arme recht! Hörst Du? Ist Z. noch nicht da? Geh gleich hinaus! Was aus dem Tonfilm wird, weiß ich nicht. Ein altes «Herz auf Taille» werd ich schon noch haben.

Schreib bald wieder, mein Gutes. Milliardonen Grüßchen u. Küßchen und gute Besserung   Dein oller Junge

Mein liebes, gutes Muttchen!
Vielen Dank für das hübsche Hundchen per Karte. Es steht auf dem Schreibtisch und ist völlig stubenrein. Und vielen Dank für die schöne saubere Wäsche. Nun ist der Schrank wieder bummvoll. Hoffentlich hast Du Dich dabei nicht überarbeitet. Mir geht's unberufen großartig. Ich arbeite kolossal — vorläufig Gedichte auf Vorrat, damit ich Geld verdiene, während ich das Singspiel schreibe, und es bekommt mir glänzend. Die neue Kindergeschichte aus dem «Berliner Tageblatt» leg ich Dir bei. Ich mußte wohl oder übel was dazu erfinden, sonst wäre das Ganze nicht interessant geworden ...

Heute hab ich Dir einen neuen Band abschicken lassen. Hast Du ihn erhalten? Im «Prager Tagblatt» stand die erste kurze Kritik. Wenn der junge Autor nicht schon so berühmt wäre, müßte er allein durch diesen Band großen Ruhm erlangen. Er gefällt vielen Leuten sehr gut. Ist ja auch prima.

Nun, Muttchen, ich bin fest überzeugt, daß Deine Armgeschichte nichts Schlimmes ist. Verlaß Dich drauf. Und lenk Dich schön ab. Ich leg ein Scheinchen bei. Für Kino usw. Und am 27. Sept. — ist wohl ein Sonnabend — komm ich nach Dresden zum Muttchen. Ich denke, es wird nichts dazwischenkommen. Ich leg mir schon alles, wenn irgend möglich, so, daß ich trotz des hiesigen Hochbetriebs loskomme. Ich freu mich riesig mal wieder auf Dresden. Und Du Dich sicher auch, was? Hurra!

Bis dahin heißt's noch feste arbeiten. Gleich geht's los. Winke winke und gute, gute Besserung!

Milliardonen Gr u Küßchen   Dein Junge

P.   Berlin, 24. Sept. 30
Liebes gutes Muttchen!
Ich bin schon ein Trottel, ein kleiner. Vorhin hab ich Dir einen Brief geschrieben, mit einer Kritik drin. Und nun weiß ich nicht, ob ich ihn in den Kasten gesteckt habe. Aber ich denke schon, daß ich ihn ganz automatisch eingeworfen habe. Schreib mir's doch, Allerbeste . . .

Milliardonen Gr u K   Dein Junge
Grüße an Papa.

                                    Berlin, 24. Sept. 30
Liebes, gutes Muttchen!
Vielen Dank für Deinen lieben Brief. Heute schick ich Dir wieder eine Kritik. Auch wieder gut. Wie die Bücher im Laden gehen, weiß ich nicht. Sicher nicht allzu gut. Denn es hat ja kein Mensch Geld. Da leidet natürlich auch das Buchgeschäft drunter.

Was aus der Tonfilmsache wird, weiß ich noch nicht. Engel spricht erst heute mit dem Geschäftsmann. Ich habe für alle Fälle erst mal 10 Tausend verlangt. Runtergehn kann ich immer noch. Aber wozu sollen stets die andern viel verdienen?

Da hab ich also zwei 10-T.-Mark-Geschäfte im Gang. Emil-film will ich ja auch soviel haben. Also, in Zukunft, wenn's klappt, Geld genug . . .

Daß mir Muttchen einen Anzug stiften will, ist zwar ganz großartig. Aber ich möchte doch lieber, daß Muttchen sich's spart. Und den Mantel bring ich zum Reinigen mit . . . Einen neuen Band für Z. bring ich mit. Wir machen's uns recht gemütlich.

Winkewinke! Milliardonen Grüßchen u Küßchen

von Deinem Jungen

Berlin, 30. Sept. 30

Liebes, gutes Muttchen!

Bin gesund und munter in Berlin eingetroffen. Dr. Singer aus Wien ist da. Da geht wieder Zeit drauf. Die Wiener haben nämlich egal viel Zeit. Nachher muß ich zur Ebinger. Sie will mir meine Sachen vorsingen, die sie im «Kabarett der Komiker» nächstens vortragen wird. Ich bin sehr gespannt . . .

Schade, daß ich jetzt schon wieder aus dem Haus muß. Aber ich schreibe bald mehr. Es war wunderschön, wieder mal beim Muttchen zu sein. Hoffentlich lassen die bösen Nervenschmerzen bald mal nach.

Alles, alles Gute! Winkewinke! Milliardonen Grüßchen u Küßchen   Dein oller Junge

P.   Berlin, 4. Okt. 30

Liebes, gutes Muttchen!

Heute bekam ich von Weller die Nachricht, daß «Ein Mann gibt Auskunft» vor Weihnachten schon die nächste Auflage erleben soll. Fein, was?

Die Volksbühne hier will, daß Kesten und ich ein Stück für sie schreiben sollen. Am Mittwoch haben wir Besprechung mit dem Direktor. Mal sehn. Jetzt mach ich Mittagsschläfchen. Frohe Sonntagsgrüße!

Milliardonen Gr u K   Dein oller Junge

Viele Grüße an Papa.

P.   18. Okt. 30
Liebes gutes Muttchen!
Ein rasches Sonntagsgrüßchen. Vielleicht macht die
Dresdner «Komödie» den «Emil»? Ist interessiert. Ponto —
Olga Fuchs erzählte mir — möchte gern, daß ihn das Schau-
spielhaus macht. Na, mal sehn. Ich hab im Moment viel Lau-
ferei. Bin aber sehr mobil dabei. Morgen bei Thomas Mann
eingeladen. Winkewinke. Milliardonen Gr u K
                                         Dein oller Junge

                                         Berlin, 21. Okt. 30
Liebes, gutes Muttchen Du!
Vielen Dank für Deinen Brief. Erst jetzt find ich bißchen
Zeit zum Antworten. Max Hansen, der Operettentenor,
braucht paar Liedertexte. Einen hat er schon genommen. Gefällt ihm sehr. Er hat Theaterproben. Kommt sein Chauffeur, fährt mich ins Bristol, wir essen, er liest den Text, legt
250 M auf den Tisch, gibt einen neuen Auftrag, den ich morgen erledige. Händeschütteln, der Chauffeur bringt mich
nach Hause, Erich Engel soll mit ihm einen Film machen.
Vielleicht mach ich da mit. Wär schön! . . .
Heute schickte die Jacobsohn die Andrucke der Tierbilder.
Na, kostbar! Also, Ende des Monats kommen die Bände
raus. 25. Okt., glaub ich. Das wäre also sogar Ende der Woche. Da siehst Du sie schon, wenn Du hier bist, Allerbeste.
Paar Kritiken leg ich bei und ein Scheinchen zur Wäsche. Ich
schick Dir gleich in den nächsten Tagen noch was, für Thea-
tergehen und Pollender. Der Herbst ist ja zu schön. Zum
Smokingschneider kam ich noch nicht. Nicht mal zum Nä-
gelschneiden. Hab Krallen wie ein Affe . . .
Hunderttausend Tragkörbe voller Grüße und Milliardonen
Küsse   Dein oller Junge
Wann denkst Du, anzuhüpfen? Sonntag früh oder?

Mein liebes, gutes Muttchen!
Vielen Dank für Deinen lieben Brief. Ja, es war sehr schön,
daß Du bißchen bei mir warst. Ist der Magen ganz wieder in
Ordnung? Sieh Dich ja vor. Heute war wieder Probe, von
3—7 Uhr. Ich muß aufpassen wie ein Schießhund, daß Martin nicht Regie macht, wie ich's gar nicht möchte. Er nimmt
sich, wenn ich da bin, sehr zusammen. Deswegen muß ich
hin. Schade, daß die Pragreise dazwischenkommt. Ich kann
erst am Sonntag nachts 22.50 Uhr hier wegfahren. Schlafwagen. Weil ich vorher ins neue Brucknerstück gehen muß, bei
Reinhardt. Mit Wohlbrück in einer großen Rolle. Da schreib
ich dann von Prag aus sofort die Theaterkritik …
Die Premiere wird voraussichtlich pünktlich am 15. November sein. Die Proben machen sehr viel Vergnügen. Bloß,
wann ich arbeiten soll, weiß kein Mensch.
Morgen ist wahrscheinlich schon die 2. Probe. Vom Smoking, mein ich. Wird, glaub ich, sehr nett. Vielen Dank, ge-
liebter Weihnachtsmann! …
½3 ist wieder Probe im Theater. Am Sonntag auch. Egal Betrieb. Aber sorg Dich nicht. Ich schlafe reichlich. Jetzt rasier
ich mich. Ist gleich 9 Uhr abends. Dann geh ich futtern. Ein
kleines Scheinchen leg ich Dir bei. Verleb's gesund. Winkewinke!
Milliardonen Gr u Küßchen   Dein oller Junge

P.   Praha, 3. Nov. 30
Liebes, gutes Muttchen!
Glücklich angekommen und erst mal mit den Leuten im
«Prager Tagblatt» gegessen etc. Nachher Radio-Vorlesung.
Am liebsten führ ich schon Dienstag nacht. Dann bin ich
aber unausgeschlafen. Es bleibt schon dabei, daß ich Mitt-
woch früh 9 Uhr abfahre. Auf frohes Wiederschaun
                                        Dein Junge

P.   6. Nov. 30
Liebes, gutes Muttchen!
Heute erst 8 h abends von der Probe heimgekommen. Ver-
handlungen dazwischen. Die Premiere wird erst am 18. sein,
ist Dienstag in 8 Tagen, — und am 17. lese ich ausgerechnet
in Braunschweig! Da wird die Generalprobe sein. Pech.
Nicht zu ändern. Zum Schneider bin ich heute nicht gekom-
men. Na, morgen. Die Wurstbrote schmeckten fabelhaft.
Jetzt hau ich mich ¼ Stunde auf die Couch. Dann geh ich
Abendbrot essen. Mein Magen knurrt wie dumm. Winke-
winke, Milliardonen Gr u K   Dein oller Junge
Briefmarke ist nicht passend im Haus.

                                        Berlin, 11. Nov. 30
Liebes, gutes Muttchen!
Vielen Dank für das Kärtchen. Wegen des Premieren-Ter-
mins zerbrich Dir mal nicht das Köpfchen. Es ist durchaus
möglich, daß das noch einmal verschoben wird, und dann
vielleicht wieder auf einen Sonnabend. Das weiß man hier
nie vorher. Aber Ende dieser Woche wird sich's ja wohl herausstellen.
Gestern war ich wieder beim Schneider. Ohser war mit.
Fand, daß der Smoking sehr gut paßt und aussieht. Mir gefällt er auch sehr. Morgen wird er geschickt. Bezahlt hab ich
ihn schon. Mit dem Geld vom Weihnachtsmann. Danke,
danke, guter Weihnachtsmann. Der blaue wird auch schön.
Zweireihig, wie ausgemacht.
Mit dem Roman geht's langsam weiter. Ich steck jetzt im 5.
Kapitel und hab heute die erste Hälfte vom 1. Kapitel dik-
tiert. Nun muß ich erst mal wieder paar Gedichte schreiben.
Dann geht's weiter im Text.
In 3 Tagen gehen die Proben wieder los. Bis dahin möchte
ich mich bißchen ausschlafen. Bist Du auch soviel müde?
Verflixt noch mal! Ich will mich gleich mal bißchen aufs Ohr
hauen.
Milliardonen Gr. u. Küßchen und ein Scheinchen
                           von Deinem ollen Jungen

P.   [Berlin] 13. Nov. 30
Liebes, gutes Muttchen!
Vielen Dank für Deinen lieben Brief. Mit dem Film spinnt
sich wieder was an, «Emils» wegen. Doch warten wir lieber
ruhig ab. Das klappt schon mal. Recresal kauf ich mir morgen. Da gehen die Proben wieder an. Montag les ich in
Braunschweig. Der Anzug wird erst nächste Woche fertig.
Ich wollte ihn eigentlich nach Br. anziehen. Heute kamen die
Bilderbuchbelege. Franzl kriegt sie erst zu Weihnachten,
was? Jetzt geh ich spazieren. Bißchen arbeiten dabei. Der Roman ist im 5. Kapitel. Es hat erst Sinn, daß Du ihn liest, wenn
mehr fertig vorliegt ... Dresden hat noch nicht fest angenommen. Leipzig aber will's als Abendstück spielen! Dez.,
am 25. les ich im Leipziger Rundfunk. Milliardonen Gr u K
                                               Dein Junge

P.   [Berlin] Sonnabend, 15. Nov. 30
Liebes, gutes Muttchen!
Na, da wären wir wieder mitten in Proben. Unentwegt.
Heute nacht. Sonntag ab 10 Uhr wieder. Ich glaube noch
nicht recht an Donnerstag Premiere. Vielleicht erfahr ich
nachher was. Vorläufig noch immer der Donnerstag vorgesehen. Hoffen wir das Beste. Dann schreib ich Dir's noch auf
die Karte. Schade mit der Komödie. Die führen das Stück
erst im Januar auf. Und zwar abends. Das bringt auch mehr
Geld, sagt Mörike. Die Ufa verhandelt mit mir wegen des
Films. Vielleicht klappt es diesmal.
Morgen Besprechung mit Spoliansky. Der will die Filmmusik
dazu machen. In Amerika wird der «Emil» gut verkauft,
hörte ich von Reichl aus New York. Die Kritiken in den New
Yorker Blättern wären sehr gut. Für Schal mit Briefchen vielen Dank! Guten Sonntag, Beste
Milliardonen Gr u K   Dein Junge

Liebes, gutes Muttchen!

Gestern 150 Mark Steuern abgeladen. Heute und morgen im Künstlertheater rumkriechen, weil doch ab morgen nachmittag der «Emil» hier gespielt wird. Am 14. Dez. in Breslau. Ich soll hinüberkommen. Weiß noch nicht, ob's klappt. Wenn alles gutgeht, werde ich an der Berliner Aufführung, bei 25 Vorstellungen, zirka 2000 M verdienen. 1000 davon hab ich im Sommer gekriegt. Aber die restlichen 1000 sind auch kein Dreck. Und an den Provinztheatern kommt ja auch noch was zusammen. Von den Bilderbüchern sind jetzt je 3000 verkauft, also 6000 insgesamt. Sehr wenig. Der «Emil» soll aber gut gehen. Die Restauflage (bis 20000) wird wohl bis 1. Januar verkauft sein. Dann druckt sie neu. Ich hab ihr die Meinung bißchen gegeigt. Am 1. Januar kommt auch die erste Abrechnung aus New York. Und die Ufa will mit mir einen Vorvertrag machen. Also auch ziemlich sicher. Und da wollen wir dem Muttchen nicht einmal einen guten Rundfunkapparat kaufen? . . . Du kriegst einen feinen für 500 M, oder ich heiße Moritz.

Apropos, Moritz. Hab mich mit ihr ziemlich gezankt. Aber ich nehme an, sie wird wieder ankommen. Wenn sie schon bliebe; diese nervöse Gereiztheit ist kein Vergnügen für mich. Eifersüchtig auf jeden Menschen, der in meine Nähe kommt. Und laut, daß die Wände wackeln.

Nun, Muttchen. Gleich geht die Arbeit weiter. Ich bin nur erst für ein Viertelstündchen müde. Beiliegend paar Kritiken und ein kleines Scheinchen. Milliardonen Grüße und Küsse

von Deinem ollen Jungen

P. Schloß Marienburg, 8. Dez. 30
Liebes gutes Muttchen! Königsberg erfolgreich erledigt. Jetzt auf der Fahrt nach Danzig. Abends Rundfunk. Dann werde ich früh schlafen gehn. Das Bahnfahren macht müde. Sonst geht's mir gut. Mittwoch abend bin ich wieder in Berlin. Die Landschaft hier oben ist interessant. Milliardonen
Gr u K Dein oller Junge

P.   Danzig, 9. Dez. 30

Liebes, gutes Muttchen! Heute hab ich bis 3 h mittags geschlafen. Das Gescheiteste, was man hier machen kann. Nachher muß ich zu den Leuten hin, Kaffee trinken. Und morgen früh geht's wieder nach Berlin. Es wird Zeit. Das Rumkutschieren ist nichts für mich. Bald auf Wiedersehen mit   Deinem Jungen
Viele Grüße an Papa.

                                      Berlin, 18. Dez. 30

Mein liebes, gutes Muttchen!
Na, war sehr fein, daß Du hier warst. Wie geht's dem ollen Magen? Sei ja vorsichtig! Breslauer Kritiken sind heute noch nicht dabei, werden aber bestimmt kommen.
Gestern mit der Ufa abgeschlossen. Kontrakt wird bis Montag unterschriftsfertig gemacht. Da gibt's vielleicht noch vor Weihnachten Geld. Voraussichtlich im Dezember 6, im Januar 4, und die 2 für Manuskript nach dessen Fertigstellung. Sonst war nichts Besondres los, seit Du hier fortbist. Wie war die Fahrt?
Winkewinke u kleines Scheinchen. Ich hab für Hilde Decke was Eiliges zu tun.
Milliardonen Gr u K   Dein oller Junge

                                      Berlin, 20. Dez. 30

Liebes, gutes Muttchen!
... Stell Dir vor: In Breslau wird ab heute «Emil und die Detektive» abends gespielt. Wegen des großen Erfolges, stand in der Notiz, die ich erhielt. Außerdem Sonntag nachmittag. Fein, was? Ich freu mich sehr. Paar Kritiken leg ich Dir bei. Auch ein Scheinchen.
Und jetzt will ich mal rasch in Kolpes Kinderrevue fahren. Karte habe ich schon. Morgen und Montag abend Theater. Dienstag auch noch mal. Ich muß da am Heiligabend früh 8 h losfahren und bin gegen 11 Uhr in Dresden. Gelt? Die Firma Dulze hat mir die Radio-Rechnung aus Dresden ge-

schickt. Hörst Du's wirklich gut mit dem Apparat? Ich freu mich schon drauf. Wo haben sie ihn denn hingestellt? Ist er wirklich gut genug? Sobald ich das Ufa-Geld habe, schick ich das Geld weg (464 M). Aber vielleicht sollte man einen Rest davon aufheben, sonst kümmern sie sich nicht drum, wie er funktioniert! Was? ... Beste, nun frohe Sonntagsgrüße. Bald auf Wiederschaun.

Mit Milliardonen Gr u K   Dein oller Junge
«Mann gibt Auskunft» im Januar schon 3. Auflage!

P.   Berlin, 22. Dez. 30
Liebes gutes Muttchen!
Also, es bleibt bei Mittwoch früh. Gegen 11 h komm ich an, fahre 8 h hier fort. Dem Dulze hab ich eben geschrieben, erst müßten die Geräusche weg! Mit der Ufa unterschreib ich morgen früh 10 Uhr. Jacobi will 5%, nicht 50%. Aber auch die kriegt er nicht. — Ich muß Sonnabend zurück. Viel Theater ist los. Na, 3 Tage ist auch ganz hübsch. Gelt? Auf bald!

                                            Dein Junge

                                      Sonntag, 28. Dez. 30
Mein liebes, gutes Muttchen!
Eben krieg ich Deine beiden Karten. Na, da hast Du ja eine schöne Aufregung gehabt, und Oskar hatte recht, der olle Langschläfer. Dulze hat nun 370 M, was? Wenn ich Deine Karten richtig verstanden habe ... Mit der Ufa bin ich noch nicht in Ordnung. Haben Brief geschrieben, der Bühnenvertrieb (Mörike) müsse eine andre Erklärung abgeben. Morgen geht also die Rennerei weiter. Buhre holt mich um 11 h ab. Jacobi ist mit 100—200 M zufrieden. Na, wird schon alles klappen. Däumchen halten ...
Es war sehr schön in Dresden, Allerbestes. Die Uhr geht schön. Steht auf dem echten Bücherbrett. Das grüne Kissen, der Smoking und die vielen andern lieben Geschenke freuen mich auch enorm. Das Hemd, das ich anhabe, und der Schlips erregen Aufsehen.

Nun will ich sehen, daß Du den Brief morgen kriegst. Werde zum Zoo spazieren und ihn dort einwerfen.
Milliardonen Gr u Küßchen   Dein oller Junge

Berlin, 31. Dezember 30
Mein liebes, gutes, allerbestes Muttchen!
Also heute, am letzten Tag des Jahres, hat die Ufa die Bestätigung geschickt, daß sie den Vertrag billigt. Ein gutes Ende. Und am 2. Januar werde ich das Geld abholen. Oder am 3. Januar. Ein guter Anfang für 1931. Moritz will Ende Januar nach Paris gehen, weil ich sie nicht lieb hätte. Auch das, wenn's nur wird, ist eine gute Lösung. Für beide Teile. Dann werde ich auch wieder arbeiten, ohne nach links oder rechts zu sehen. Das ist für mich das Vernünftigste. Und da tu ich auch niemandem weh, wie mir's immer wieder mit den Mädchen passiert.
Nun zu Deinem heutigen Brief, mein Gutes. Da hab ich Dir ja einen schönen Ärger zu Weihnachten geschenkt! Na, Blinddarmentzündung oder so was wäre noch ein bißchen schlimmer.
... Ein Neujahrsblumenscheinchen und paar Kritiken leg ich bei. Vielen Dank und Küßchen für die Blumen, die & Co mitbrachte. Und *uns beiden im Neuen Jahr viel Gesundheit, Freude und eine schöne Reise!* Gelt? Milliardonen Gr u K
Dein oller Junge

Berlin, 2. Januar 31
Mein liebes gutes Muttchen Du!
Damit das neue Jahr gut anfängt, hat mir heute die Neue Leipzg. Zeitg. den Kontrakt gekündigt, ¼jährliche Kündigung, also ab April. Sie wollen sich meine Mitarbeit erhalten, und ich soll in dieser oder nächster Woche nach Leipzig kommen und besprechen, was nun geschehen soll. Wahrscheinlich soll ich ihnen für jeden Beitrag, den sie bringen, noch zehn Mark draufzahlen. Das ist ein Pack. Na, ich werde ihnen meine Meinung geigen. Wegen der Moritz-Af-

färe mach Dir, bitte, keine Sorgen. Wenn ich jetzt, ohne jeden Grund mit ihr brechen wollte, wäre das sehr unschön von mir. So etwas mach ich nicht. Das ginge mir viel mehr auf die Nerven als der augenblickliche Zustand. Heiraten tu ich sie nach wie vor auf keinen Fall. Das weiß sie, und sie sagt ja stets, sie will es auch nicht. Das regelt sich alles mit der Zeit.

Schreib bald, was der neue Arzt sagt. Geld spielt wirklich keine Rolle, mein einziges! Milliardonen Gr. u. K.

Dein oller Junge

P.   Chemnitz, 7. 1. 31
Liebes, gutes Muttchen!
Heute über Döbeln, Ischgautal (schöne Erinnerungen) nach Chemnitz gegondelt. Gleich nach Vorlesung. Es soll ausverkauft sein. Schön, was? Morgen früh wieder zurück. Nachmittags in der Ufa Sitzung. Wegen des Manuskripts.
Milliardonen Gr u K   Dein Junge
Viele Grüße an Papa

P.   Annaberg, 8. 1. 31
Liebes, gutes Muttchen!
Großartig. Wir haben eine Nachtpartie im Auto bis nach hier gemacht. Ins Erzgebirge. Im schönsten Schnee. Ich habe vieles wiedererkannt, wo wir zu zweit oder mit Dora gewandert sind. Fein. Viele liebe Grüße. Milliardonen Gr u K

Dein oller Junge

Berlin, 9. Jan. 31
Liebes, gutes Muttchen!
Der Chemnitzer Vortrag war sehr besucht. Viele standen. Großer Beifall. Viel schöner war aber noch die Autofahrt nach Annaberg über Niederwiesen, Flöha, Wiesental, Wolkenstein usw. Alles Orte, wo wir früher auch zusammen waren. In Flöha fiel mir ein, daß wir dort mal bei einem Bäcker

Einback gekauft haben. Komisch, was man sich so merkt. Nicht?

. . . Die beiden Unterschriften hab ich mir auf der Bank hier (Depositenkasse G 3) bestätigen lassen, und der Bankvorsteher schickt es an die Berliner Direktion der DD-Banken. Die bestätigt dann wieder, daß die Unterschriften von G 3 richtig sind. Und erst dann schickt sie an den Albertplatz. Übermorgen, also Montag, wär's dort. Du kannst also das Konto immer einrichten . . .

Mir geht's gut. Und Dein Näschen heilt? Das freut mich. Jetzt muß ich schon wieder zur Ufa. Ich werde mir nächstens ein Bett hinstellen lassen. Zum Übernachten. Ja, der Kerl wird wohl mit nach Kitzbühel fahren und das Manuskript dort mit mir schreiben. Es soll bald fertig sein. Na, da gibt's dann wieder 2000 M. Im Februar. Am Dienstag les ich in Oldenburg. Kenn ich noch nicht. In Chemnitz will mich die «Volksbühne» zum «Vorlesen» einladen. Im Herbst etwa. Na, hoppla zur Ufa! Winkewinke. Gute Gesundheit und Milliardonen Gr. u. Küßchen   Dein oller Junge

P.   Wien, 17. 1. 31
Liebes, gutes Muttchen!
Na, habt Ihr was im Rundfunk gehört? Ich hoff schon . . .
Morgen gegen Abend ist «Leben i. d. Zeit». Ich war heut zur Probe. So so la la. Ich hoff, Dir geht es gut. Milliardonen Gr. u. K.   Dein oller Junge

P.   Wien, 19. 1. 31
Liebes, gutes Muttchen! «Leben i. d. Zeit» war ein großer Erfolg. Immer wieder verbeugen müssen. Die Leute schrien sich heiser vor Begeisterung. Die Presse ist noch nicht heraus. Darüber schreib ich Dir von Kitzbühel aus. Morgen früh fahr ich los. Hier bin ich dauernd eingeladen. Schrecklich! Aber was will man machen. Milliardonen Gr. u. K.
                                              Dein oller Junge

P.   [Kitzbühel] 25. 1. 31
Liebes, gutes Muttchen!
Heute waren wir auf der Stangl-Alm. Herrliche Sonne. Und
eine ganz kleine hellbraune Katze. Herrlich. Ich werde braun
wie Othello. Abends am Film geschrieben. Jetzt fall ich ins
Bettchen. Geht Dir's gut? Milliardonen Gr. u. K.

                                              Dein oller Junge

                                              Berlin, 27. Feb. 31
Liebes, gutes Muttchen!
Wie geht's Dir denn? Hoffentlich bißchen besser als hier?
Das macht Dich auf die Dauer zu nervös. Die Vorlesung gestern hatte großen Beifall. Als ich, in Hut und Mantel, raus-
ging, sagte ein Arbeiter, der zugehört hatte und mich nicht
wiedererkannte: «Wa ... Der war richtig! Die Witze! Ob der
bald wieder mal liest?» Ich sagte: «Keine Ahnung, ob er bald
wieder lesen wird.» Paar, die mich erkannt hatten und es hör-
ten, lachten. Nett, was? ...
Die Ufa rückt das Geld immer noch nicht heraus. Stuttgart
hat auch noch nicht geschickt. Die lassen sich Zeit.
Morgen wird aber Leipzig schicken. Da zahl ich Miete, & Co
und schicke an die DD Albertplatz was weg. Wenn's morgen
kommt. Bist Du gut nach Hause gekommen? Es war so
schade, daß Dir nicht gut war. Die Steppdecke macht sich
wirklich ganz wunderbar, und ich danke Dir nochmals für
die schönen und so wertvollen Geschenke, meine Allerbeste!
Vielen, vielen Dank!
Jetzt will ich ins Theater, die Bergner anschauen. Ich wollte
Dir ein Scheinchen beilegen und sehe, daß es nicht geht. Weil
ich einen 50-M-Schein habe. Da müßte ich ein Stück ab-
schneiden. Aber morgen oder von Stuttgart aus, Gutes. So,
nun winke, winke für heute ...
Milliardonen Gr. u. Küßchen   Dein oller Junge

Mein liebes, gutes Muttchen!

Vielen Dank für Deinen lieben Brief. Eh ich's vergesse: & Co schickt heute einen Band für Schwester Anni weg. Grüße Sie schön von mir.

Und nun zu Deinem Geldkummer über mich. Die Sache ist wirklich nicht schlimm, glaub mir's doch endlich! Ich verdiene doch genug und spare nur etwas weniger, wenn ich im Jahr fast hundert Mark für die armen Leutchen rausrücke. Wenn ich ein Kind hätte, wie Du eines hast, wäre ich anders. Aber so bin ich denn eben ein klein bißchen wohltätig. Wohltätigkeit ist die schönste christliche Tugend! Was hast Du nur dagegen? Ich entbehre doch deswegen nichts. Ich spare außerdem. Also, warum stört Dich das so? Daß es die Betroffenen nicht wert sind, hat da nichts zu sagen! . . . Ich gebe doch nicht, damit man mir wieder gibt. Ich hoffe, es nie nötig zu haben. Also, Muttchen, überleg Dir die Sache noch mal, und sieh nicht so schwarz!

Und warum Du Dich sträuben willst, von mir kleine Scheinchen zu verbrauchen, versteh ich schon gar nicht mehr. Dann macht mir das ganze Geldverdienen keinen Spaß. Daß wir zusammen Reisen machen, daß ich Dir das Dresdner Konto aufbauen will und daß ich Dir Scheinchen schicke, ist mir doch das Allerwichtigste im Leben. Und nun bist Du plötzlich so komisch. Muttchen, Muttchen, sei nett und schimpf nicht. Heute habe ich 100 M zur DD geschickt. Laß es gelegentlich eintragen, gelt? Und ein Scheinchen lege ich auch wieder bei. Verleb's gesund, mein Allerbestes!

Daß es Dir in Berlin nicht gefallen hat, ist sehr schade. Ich fand es wieder wunderhübsch . . .

Muttchen, Deinen Brief hat der Bandwurm geschrieben. Glaub mir's!

Nachher geh ich zum Schneider. Mit dem Schrank warten wir, bis Du hier bist. Um 5 h treff ich mich mit Mörike. Ich weiß nicht, was er will. Werde ich ja hören . . . Ich hab wieder paar Gedichte gearbeitet und fühl mich sehr wohl. Nach Leipzig fahr ich nicht. Hab morgen, Sonntag, eine Besprechung mit einem Dirigenten, der paar Sachen aus «Leben in dieser Zeit» aufführen will. Hab auch keine Lust auf Maskenballsauferei. Ich fahre Sonntag 9 Uhr abends und bin Montag früh 9 Uhr in Stuttgart. Wird sicher hübsch werden.

Geh bißchen ins Theater und Kino, mein Gutes, hörst Du? ... Nun, gutes Muttchen, frohe Sonntagsgrüßchen. Und Milliardonen Gr. u. Küßchen   von Deinem ollen Jungen

Berlin, 7. März 31

Mein liebes, gutes Muttchen!

Vielen Dank für Deinen lieben Brief. Zuallererst: meine herzlichsten Glückwünsche, daß Du nun endlich Deinen Untermieter, den Herrn Bandwurm, los bist! ... Du mußt nun ganz richtig wieder essen, daß Du ganz gesund wirst. Und den Schnupfen mußt Du auch bald loswerden. Zu dumm, daß die Wäsche dazwischenkommt! Geht's nicht einmal, daß Du Dich gar nicht drum kümmerst, sondern im Bettchen bleibst? Ich leg Dir für die Wäsche was bei. Sag mal, wieviel mehr kostet der andre Lautsprecher? Ich möchte Dir sehr gern das Geld bald schicken. Also, nicht vergessen!

In Stuttgart war es sehr hübsch. Die Aufführung, trotz der Erwachsenen, sehr ordentlich. Sie bringen es dort, zweimal pro Woche, im Abonnement. Daß Du den Rundfunk gehört hast, ist fein. Ich sprach frei, und Weber hatte sich alles aufgeschrieben, was er sagte. Das war der Unterschied. Er zeigte mir Deine Karte an ihn, freute sich sehr drüber und hofft, Dich bald mal kennenzulernen. Er ist sehr gespannt auf Dich. Der Vortrag im Saal war ein großer Erfolg. 600 Leute. Fast ausverkauft und großer Applaus. Weber strahlte. Hinterher vom Goethebund eingeladen. Mit Reden und so. Dr. Kilpper, der Generaldirektor des Verlags, lud mich zu sich ein, obwohl er furchtbar viel zu tun hatte. Er und ich können uns gut leiden, obwohl er ein gefürchteter Despot ist. Beim Vortrag saß er in der 1. Reihe. Die Kritiken leg ich Dir bei. In allen Buchhandlungen fast waren Sonderschaufenster mit meinen gesammelten Werken. Die Leute haben noch ¼ Stunde hinterher geklatscht. Obwohl doch die Stuttgarter zurückhaltend sind. Der Verlag war sehr zufrieden. «Herz auf Taille» wird nächstens neu gedruckt. 11. und 12. Tausend. Großartig.

Nun hab ich auf einer Bank 11, auf der andern 8. Also, fast 20, obwohl die Ufa noch immer nicht gezahlt hat. Also, keine Sorge, gutes Muttchen, ich bin ein sparsamer junger Mann. Aus Amerika muß auch bald Geld kommen. Und von den Theatern, die den «Emil» spielen. Heute kam ein Band, in dem ein junger Mann aus Schweinfurt das ganze «Herz auf Taille» abgeschrieben hat! Für seine Freundin zum Geburtstag. So was von Arbeit, was? Ein andrer will wissen, wie ich übers Heiraten denke ...

Von Stuttgart aus war ich einen Tag (eine Nacht, genau) mit einer kleinen Schauspielerin in Ulm. Als Ehepärchen. War reizend ...

Bei Friedrich Wolf war ich zum Mittagessen. Rohköstler ist er. Da wird alles nur gedämpft. Und kein Fleisch. Pfui Spinne! Er ist sehr nervös. Heute spricht er in Berlin. Das wird ein toller Prozeß werden. Ich habe in der Vorlesung auch darüber gesprochen. Seine Frau dankte mir hinterher.

Heute abend spielen Kinder in Steglitz Kabarett. Da soll ich hinkommen. Sie wollen sich für den «Emil» revanchieren. Ich guck mal hin. Dann ist eine Nachtvorstellung im Theater. Und die ganze nächste Woche bis Donnerstag im kleinen Theater. Theater, Theater. Mit Kilpper hab ich lange über meinen Roman gesprochen. Ich glaube, er hat großes Zutrauen zu mir ...

Das Bild von uns ist eingerahmt. Morgen häng ich's auf. Heute zuviel Rennerei.

Liebes, gutes Muttchen, laß Dir's recht gutgehen! Schone Dich! Iß tüchtig! Schlafe viel!

Sogar die Hotelwirtin schickte mir einen Zettel, wie gut ihr mein Abend gefallen hätte. Winke winke,

Milliardonen Gr. u. K.   Dein oller Junge

P. Berlin, 10. 3. 31

Mein liebes gutes Muttchen!

Wie ist's mit der Wäsche gegangen? Hast Du mal zusehen können? Sicher nicht, was? Meinen Brief hast Du am Sonntag sicher gekriegt, hoff ich. Ich danke für Deine Karte. Brauchst doch um mich keine Sorgen zu haben!

Stell Dir vor: Heute Dauerlauf in die Ufa. Ich soll mit Preßburger bis Montag ein Filmmanuskript völlig umarbeiten, was die anderen verpatzt haben ... Preßburger ist seit dem «Emil»-Drehbuch bei der Ufa ein angesehener Mann geworden. Das freut mich. Ich werde wohl noch öfter mit ihm Filme arbeiten ...

Schreibst Du bald? Wäsche hab ich noch genug. Milliardonen Gr. u. K. Dein oller Junge

Viele Grüße an Papa

Donnerstag, 12. März 31

Liebes gutes Muttchen!

Ganz rasch paar Zeilen. Wir haben heute von 11—7 h an dem Film gearbeitet und knapp 20 Seiten fertiggebracht. Sonntag muß er fertig werden, insgesamt 100 Seiten. Pfui Spinne, und am Montag müssen wir ihn diktieren. Aber dafür ist es rasch verdientes Geld! und ich hab ausgemacht, daß mein Name dabei nicht genannt wird. Denn schön wird der Film nicht. Zweimal haben sich schon je zwei Leute darüber gemacht, mit Preßburger und mir sind's sechs. «Das Ekel» von Reimann ist der Stoff. Hast Du's mal im Theater gesehen?

Muttchen, ich bin todmüde und krieche rasch unter die grüne Decke, die schöne. Vielen Dank für Deinen lieben Brief. Den Schrank fürs Radio usw. bestellst Du! Wie kommst Du nur auf die Idee, ich wollte ihn nicht oder er sei mir zu teuer! Du hast ja wirklich manchmal komische Einfälle, Muttchen! ...

Paar Kritiken und ein Scheinchen leg ich Dir bei. Verleb's gesund. Gutes Du! Und nun geh ich ins Bettchen. Den Brief kann ich erst morgen früh in den Kasten stecken.

Winkewinke, Allerbestes! Bestell den Geburtstagsschrank! Am Sonnabend wird der graue Anzug fertig. Wird sehr hübsch.

Milliardonen Gr. u. Küßchen   Dein oller Junge

Sonntag, 15. März 31

Liebes, gutes Muttchen!

Vielen Dank für Dein Briefchen. Preßburger ist grade zu seiner Stenotypistin gesaust, wie weit sie mit dem Abschreiben ist. Dann geht's gleich weiter. Da kommt er schon wieder. Also, winke winke, bis zum nächsten Freiwildständchen?! Wie gehts Deinem ollen Magen? Tut mir so leid!

Na, heute abend sind wir endlich fertig geworden, und morgen kann, wie versprochen, das Manuskript abgeliefert werden. Und denk Dir: Jetzt bin ich fertig damit und habe, außer mündlichen Zusagen, noch keine Zeile eines Vertrags. Weil da erst X-Onkels ihren Namen druntermalen müssen.

Aber morgen werde ich zur Ufa fahren und bißchen Krach machen. Daß ich wenigstens die Hälfte vom Geld sofort kriege ... Und Dienstag und Mittwoch wird der «Emil» durchgekaut. Im April wollen sie Probeaufnahmen mit den Kindern machen, sehen, wer sich eignet und wer nicht. Heute nachmittag war Emil-Premiere in Hamburg. Bin gespannt, wie die Kritiken ausfallen.

... Ich hab den neuen Anzug an. Paar Kleinigkeiten muß er noch ändern. Sonst seh ich sehr nett drin aus, und er gefällt mir sehr gut.

Also, Muttchen, laß Dir's und dem Magen gutgehen. Iß tüchtig.

Anbei ein Freßscheinchen! Guten Appetit. Milliardonen Grüßchen u. Küßchen   Dein Junge

Mein liebes gutes Muttchen!
Dank fürs Kärtchen. Viele Sonntagsgrüße zuvor. Geh rasch
in die Sonne. Hier ist es heute wunderbar. Bis früh ½25 h hab
ich das Emil-Filmmanuskript gelesen und dann vergessen,
das Licht zu löschen. Es brannte bis 10 Uhr.
Das ist aber kein Wunder. Das Manuskript ist ekelhaft. Emil
klaut in Neustadt einen Blumentopf für die Großmutter. In
Berlin, auf der Straßenbahn, klaut er einem Herrn den Fahr-
schein aus dem Hut und läßt für sich knipsen. Der Herr wird
von der Bahn gewiesen. Ein Goldjunge, dieser Emil. Der
«Stier von Alaska» wird er genannt. Pony «die Rose von Te-
xas». Lauter Indianerspiel, wo doch heute kein Mensch mehr
Indianer spielt. Die ganze Atmosphäre des Buchs ist beim
Teufel. Und ich werde Anfang der Woche saugrob werden,
wenn ich mit Stapenhorst rede. Heute hoff ich mit Preßburger zu sprechen. . . .
Gestern hab ich das 13. Kapitel fertiggekriegt. Heut und
morgen hoff ich, mit dem 14. Kap. zurande zu kommen. &
Co kommt über die Straße. Ich will ihr diktieren. Also, win-
kewinke, Allerbeste . . .
Vor allem: geh dieser Tage viel ins Freie. Es ist ja so herr-
lich!
Milliardonen Gr. u. K.   Dein oller Junge

Liebes, gutes Muttchen!
Frohe Pfingsten zunächst, paar Kritiken, Bilder, ein Pfingst-
scheinchen. Ich hab diesmal keine Feiertage. Früh um 10 h
morgen kommen die Ufa-Leute in meine Wohnung, schmei-
ßen mich aus dem Bett und beraten weiter. Heute wieder seit
11 Uhr früh in der Ufa getextet. Eben nach Haus. Es ist nach
5 Uhr, Kopfschmerzen hab ich und leg mich gleich paar
Stunden lang. Verzeih also, wenn ich nur ganz kurz schreibe.
Ja? Der Film wird nun ziemlich so wie das Buch. Aber Nerven hat das gekostet und Zeit. Und nun muß ich mir jeden
Tag anschauen, was Wilder, so heißt er, aus dem 3. Manu-

skript macht. Und mein Roman kriegt inzwischen einen Vollbart. Ist aber nicht zu ändern.

Das Pfingstwetter wird schön. Geh hübsch spazieren. Winkewinke.

Milliardonen Gr. u. K.   Dein oller Junge

                                                  Berlin, 28. Mai 31
Vielen Dank für Deine liebe Karte. Tu mir ja etwas für die Füße, hörst Du? Ich bin überzeugt, es wird wieder ganz in Ordnung kommen.

Morgen geh ich zu Löhrs. Sie riefen mich gestern an, daß ich es nicht vergessen soll. Er spielt jetzt abends in der Volksbühne eine kleine Rolle. Heute ist Premiere, morgen seh ich mir's an. Ich bringe ihm paar Bücher, auch eins von Dir, dann fahren wir zusammen ins Theater.

Eben bin ich mit dem 17. Kapitel fertig geworden. Bis 15. Juli muß der ganze Roman fertig sein, weil Kilpper dann in Urlaub geht, und ich will, daß er sich bis Ende Juli entscheidet. Denn wenn die Deva den Roman nicht bringen will, muß ich ihn wem anders anbieten. Aber ich hoffe, daß sie ihn nimmt. . . . In den ersten Tagen rutsch ich vielleicht drei Tage nach Warnemünde, um in Ruhe den Kinderroman zu überlegen. Das wird mir guttun. Dann schreib ich jeden Tag ein Kapitel, und wenn der ganze Schnee verbrennt. Und nach Dresden komm ich noch vor der Wäsche. Das richte ich schon ein. Das werden noch zwei eklige Monate, aber dann ruh ich mich mal gründlich aus.

Mit dem Film wird's hoffentlich auch klappen. Heute kriegte ich von der Terra-Film das Angebot, im Juni an einem Filmmanuskript mitzuarbeiten, mußte natürlich ablehnen.

So, mein Muttchen, jetzt geh ich ins Freie und überlege das 18. Kapitel. Ich fange heute noch damit an, es zu schreiben. Damit genau das Pensum fertig wird, das bis zum 1. Juni vorgenommen war. Ordnung muß sein. Das Wetter ist herrlich. Nütz es aus!

Milliardonen Gr. u. K.   Dein oller Junge

Liebes gutes Muttchen!
Wie geht's denn? Gestern war ich also zum Geburtstag von
Hans Albrecht. Ich brachte ihm ein Buch von Dir und eins
von mir. Sie zeigten mir stolz Deine Karte. War ganz nett,
die paar Stunden.
Seit gestern schreib ich am 18. Kapitel, so daß ich mein Pensum bis zum 1. Juni fertigkriege. Ab Montag Kinderbuch.
Nebenher will ich im Juni noch das 19. und 20. Kap. schreiben, so daß ich ab 1. Juli nur noch 5 Kapitel zu schreiben
habe. Es wird so langsam.
Stettin und Bremen haben das Emil-Stück angenommen.
Stockholm »Leben i. d. Zeit«. Der Film wird wohl auch Anfang der Woche fertig sein und wieder durchgesprochen
werden müssen. Hoffentlich ist er nun besser. Hilde Decke
ist da und hat heute mit mir zu Mittag gegessen, im «Leon»,
wo ich jetzt meist sitze. Es sieht eben aus, als wollte es gewit-
tern. Hoffentlich haben wir einen schönen Sonntag. Ich will
mal bißchen ins Grüne. Geh Du nur auch fort. Ja? Kleines
Spazierscheinchen leg ich bei. Vorgestern wurden 117 Mark
Steuern abgeholt. Das geht ja noch.
Moritz fährt Mittwoch für 4 Wochen nach Franzensbad. Sie
soll Moorbäder nehmen, damit ihr Bauch in Ordnung
kommt, sagt der Arzt.
Ich wäre gleich gern bißchen nach Hundekehle gefahren,
aber bei dem Himmel will ich lieber nicht riskieren, sonst
regnet man vielleicht noch ein. Ich werde mich also wieder
vors «Leon» setzen und dort weiterschreiben. Das 18. Kapitel macht mir kein Kopfzerbrechen weiter.
Wie geht's denn den Füßchen? Wieder besser? Ich hoff's
sehr.
Leb recht gesund, Muttchen. Fein, daß wir uns bald wiedersehen. Ich denke, den Kinderroman in 3, 4 Tagen richtig
überlegt zu haben. Dann geht's los mit dem Aufschreiben.
Pro Tag ein Kapitel, so daß ich am 25. Juni ungefähr fertig
bin. Ich denke, er wird nett werden. Milliardonen Gr. u.
Küßchen   Dein oller Junge

Liebes, gutes Muttchen!
Hab vielen schönen Dank für die Karte und die viele frische
Wäsche. Es ist ein Genuß, in meinen Wäscheschrank zu sehen. Und die Strümpfe sind, ohne Ausnahmen, wunderbar.
Ich habe gleich mal paar blauseidne angezogen, weil ich ab-
wechslungshalber den blauen Anzug trage. Sie passen in der
Größe völlig, und zu dem Anzug sehen sie ausgezeichnet
aus. Hab vielen Dank. Nun brauch ich mal 'ne ganze Zeit
keine neuen Strümpfe mehr.
Morgen wird & Co mit dem Kinderbuch fertig. Freitag kor-
rigier ich's, so daß Du Anfang nächster Woche ein Exemplar
kriegst. Du liest es bald und schreibst, was Dir nicht gefällt,
ja? Es wird doch wohl eine ganze Portion dicker als der
«Emil».
Zu Monatsanfang wird wohl mit dem Emil-Film begonnen.
Den genauen Termin erfahr ich noch.
Willst Du nicht paar Tage herüberkommen, damit wir zu-
sammen beim Filmen zusehen? Überleg Dir's mal, meine
Gute ...
Mit dem Roman geht's seit gestern weiter. Vom 21. Kapitel
ist die Hälfte fertig, es ist ein schwieriges Kapitel. Wenn alles
klappt, bin ich zum 1. Juli fertig. Dann schreibt & Co den
Rest, und ab geht's damit nach Stuttgart. Dann wird der
Daumen gehalten.
Ich leg Dir eine Kritik über «Leben i. d. Zeit» bei, die Du
wohl noch nicht kennst, und ein kleines Magenscheinchen.
Recht baldige Besserung, meine Gute.
Milliardonen Gr. u. Küßchen   Dein oller Junge

Liebes, gutes Muttchen!
Vielen Dank für Briefchens. Hast Du jetzt oft Kopfschmerzen? Frage mal den Arzt. Und nimm Pyramidon, das schadet
nichts. Heute hab ich die Banken gestürmt. Deutsche B. bekam ich 100 M und ein Scheckbuch. Morgen laß ich & Co
mit einem Scheck ihr Gehalt abheben, obwohl sie es schon

hat. Da krieg ich wieder was. Bei der Dresdner Bank gab's
90 M. Stuttgart will auch paar hundert M schicken. Ich richte
mir jetzt eine Bank zu Hause ein, das ist sicherer. Verbrauchen tu ich sehr wenig. Moritz hab ich allerdings paar hundert Mark dagelassen. Ohne Nachkur hat ja die ganze
Moorbaderei keinen Sinn. Sie liegt noch in München und hat
Bauchschmerzen.
Zur Danatbank geh ich morgen und will mal sehen, ob da
was zu holen ist. Mehr als ein Scheckbuch wird nicht raus-
springen. Davon bezahl ich dann die Miete und solche Sachen . . . Ich hab den Eindruck, das Ausland wird Geld borgen, damit die verrostete Karre weiterfährt.
Ich bin dabei, den Roman zu korrigieren, und tu im übrigen
als ob ich nicht in Berlin wäre, am Telefon und so. Auch bei
der Ufa und dergleichen melde ich mich nicht. Das frißt bloß
Zeit. Da arbeite ich lieber. Heute beginn ich am Abend das
neue Romankapitel, das in einer Nachtredaktion spielt. Ich
will es recht gut und gründlich schreiben, damit Kilpper den
Mund hält.
Ein neues «Emil»-Foto leg ich Dir bei: Ist schon ein netter
Junge, der kleine Wenkhaus. Ein kleines Scheinchen auch.
Reg Dich über nichts auf, Gutes. Sonst komm lieber sofort
herüber. Milliardonen Gr. u. K.   Dein oller Junge

                                            Berlin, 22. Juli 31
Mein liebes, gutes Muttchen!
Vielen Dank für den lieben Brief. Fein, daß Du Dir von den
Scheinchen was beim Optiker besorgst. Ich hab inzwischen
fleißig Geld abgehoben: bei der DD 100 M und außerdem
150 M, quasi als Gehalt für & Co; bei der Dresdner 90 M,
heute sogar bei der Danat 100 M, morgen geh ich mit & Co
dorthin, auch «Gehalt» abheben. Auf die Art geht's mir gut,
und ich leg Dir wieder ein Scheinchen bei.
Weller schrieb, er würde am 20. und 27. je 350 M per Post
schicken. Da muß also die erste Portion morgen kommen.
Dann kommt ja am Monatsende das Leipziger Geld. Und
wenn ich mit der Tobis verhandle, krieg ich für Chansons zu

einem Film 1500 M, allerdings in zwei Raten. Aber Du siehst: ich bin tüchtig.

Ärgere Dich nicht über die Bankfritzen in Dresden. Die Miete zahl ich per Scheck. Wann hast Du denn Miete zu zahlen, und wieviel? Dafür schick ich Dir auch einen Scheck! Vergiß es nicht. Wozu soll das Geld auf der Bank kaputtgehen? Und frag mal im Konsum, ob sie Kohlen gegen Scheck liefern. Das wäre doch das Gescheiteste. Auf die Art haben wir länger bares Geld, das ist jetzt das Wichtigste, damit man zu essen kaufen kann. Die Londoner Verhandlungen sehen noch immer völlig trostlos aus ...

Das Wäschegeldchen kommt mit der nächsten Post, mein Allerbestes. Schreib bald wieder. Ich freu mich doch über jede Zeile ...

Berlin, 25. Juli 31

Liebes, gutes Muttchen!

Na, wie geht's Dir denn? Endlich scheint die Sonne wieder. Ich sitze viel im «Leon», um braun zu werden. In Klotzsche war ich auch schon mal. Aber hauptsächlich: ich mache jeden Tag irgendeine Bank unsicher. Mein Vermögen, das ich jetzt hier im Haus habe, liegt schon zwischen 2 und 3 T. Und wenn sich die Tobis-Sache günstig entscheidet, wird's noch mehr. So kann uns in der nächsten Zeit nicht viel passieren. Ich schreibe auch schon wieder fleißig Gedichte, für «Weltbühne», «Simplizissimus» etc. So daß laufende Gelder bald wieder mehr als bis jetzt eingehen werden. Man muß den Laden eben wieder in Schwung bringen.

Das neue 3. Kapitel hab ich eben gelesen und korrigiert. & Co muß paar Seiten noch einmal schreiben. Morgen werde ich das ganze Manuskript noch einmal durchackern, so daß das Bündel Mitte der Woche endgültig nach Stuttgart gehen kann. Kilpper ist im Schwarzwald auf Urlaub. Er kriegt es nachgeschickt. ... Wenn die Tobisgeschichte klappt — Du entsinnst Dich richtig, es waren die Leute im Jester —, muß ich hintereinanderweg sieben Chansons schreiben, auf Teufel komm raus. An Wegfahren denk ich vorläufig gar nicht mehr. Es wäre aber wunderschön, wenn Du bißchen zu mir kommen wolltest. Wir würden's uns schön gemütlich machen. Hast Du Lust? Überleg Dir's in Ruhe, mein Gutes. Heute war ich eine Stunde am Bahnhof Zoo. Da drehten sie, wie Emil auf die Straßenbahn steigt, in die Grundeis geklettert ist. Es war so langweilig, das Dabeistehen! Ehe allemal so eine Einstellung gedreht ist, kann man einschlafen. Das wäre kein Beruf für mich. Mach Dir keine Sorgen, weil eine Kundin nicht mehr kommt. Deswegen geht's weiter. Und bißchen zu tun wirst Du immer haben. Sehr viel sollst Du ja gar nicht arbeiten. Das bekommt Dir nicht ...

Also, Muttchen, frohe Sonntagsgrüßchen! Milliardonen Gru. K.   Dein oller Junge

Berlin, 28. Juli 31

Mein liebes, gutes Muttchen!

Gestern ist der Roman fort nach Stuttgart, und ich hoffe, daß ich nun damit Ruhe habe. Noch einmal zurück möchte ich ihn nicht haben. Als Titel hab ich vorgeschlagen: «Sodom & Gomorrha», und ich hoffe, daß es auch dabei bleibt. Ich denke, spätestens Anfang nächster Woche von Stuttgart Bescheid zu erhalten.

Norwegen will auch den «Emil» erwerben. 400 M dafür, für mich also 200 M. Kurzum, ein guter Junge, mein Sohn Emil. Er ist gewissermaßen Dein kleiner Enkel, nicht. Dieses Jahr kriegst Du nun Pünktchen als Enkelin dazu. Die Tobis schweigt sich aus, aber ich denke schon, daß sie sich noch rührt. Daß Du hier wärst, würde mich beim Arbeiten gar nicht stören. Aber erledige nur erst Deine Köpfe in aller Ruhe. & Co kommt vielleicht am Sonntag nach Dresden. Aber sie schreibt Dir noch Genaueres.

... Zum Reisen hab ich jetzt gar keinen Schneid, auch mit Ohsers nicht. Ich würde doch nur immer dasitzen und Zeitungen lesen. Es sieht nach wie vor hoffnungslos aus. Das Gequatsche der Minister hat uns noch keinen Schritt weitergebracht. Sie werden vor lauter blödem Reden den letzten Moment verpassen ...

Ich mache fleißig Gedichte, damit im August Geld kommt. Das klappt schon alles. Sobald Stuttgart den Roman angenommen hat, laß ich mir Vorschuß zahlen. Am 15. August ist außerdem Quartalsabrechnung mit den Verlagen. Da gibt's ja auch wieder bißchen Bargeld. Also, Sorgen brauchen wir gar keine zu haben.

Heute abend fahr ich vielleicht mal mit Wilder nach Babelsberg, um mir vorführen zu lassen, was bis jetzt von Emil fertig ist.

Sonst ist nichts Besondres los, gutes Muttchen. Ich sitze im «Leon» wie auf dem Lande ... Prag schrieb heute. Sie wollen zur Berliner Theaterkritik jemanden andern nehmen, so daß ich nur noch für Leipzig zu schreiben hätte. Na, mir ist das ziemlich egal. Ich habe trotzdem hingeschrieben, ich würde es ganz gern weitermachen. Mal sehen, was Blau antwortet ...

So, mein Gutes, nun will ich mal 'nen Punkt machen. Und ein neues Gedicht beginnen. Laß Dir's recht gutgehn.

Milliardonen Grüßchen und Küßchen   Dein oller Junge

P.   Berlin, 30. Juli 31
Liebes, gutes Muttchen!
Hab vielen Dank für Deine Karte. Wahrscheinlich haben T. und der andre den Stoff geklaut. Da kann man nichts machen. Sie würden es auch nicht zugeben. Zerbrich Dir nicht den Kopf darüber. Es ist ja nachweisbar, daß der Einfall ursprünglich von mir stammt. Viel ärgerlicher ist folgendes: Trier hat der Jacobsohn das Kinderbuch mit Pünktchen verekelt. Nun weiß sie nicht, was sie tun soll. Ich hab ihr gesagt, dann solle sie mir das Buch freigeben. Das will sie aber auch nicht. Ich soll es ganz umändern. Ich denke nicht dran. Augenblicklich lesen die Löhrkinder das Manuskript. Ich will mal probieren, wie es denen gefällt. Nichts wie Ärger. Ich hab in Babelsberg die ersten Aufnahmen vorgeführt bekommen. Sehr hübsch. Du wirst sie ja auch sehen, wenn Du könntest. Ich hab Verschen zu machen. Also winkewinke!
Milliardonen Gr. u. K.   Dein ...

Liebes, gutes Muttchen!

Zunächst: Viele Sonntagsgrüßchen! Ich hab & Co ein Couvert mitgegeben, das sie Dir am Sonntag, also heute, übergeben wird.

Weller ist mit der Romankorrektur einverstanden. Nun heißt es abwarten, was Kilpper dazu meint. Hoffentlich gibt's keine neuen Schwierigkeiten, sonst platzt mir der Papierkragen, wie man so schön sagt.

Ich leg Dir einen Ausschnitt vom «Emil»-Film bei. Heute kam ich zufällig am Café Josty dazu — weil ich auf der Danatbank 100 M bekam — wie Emil von der Straßenbahn kletterte und zwischen den Autos stand, mit dem Blumenstrauß, und dann zum Kiosk ging. Komisch ist das, wenn man so seinen Figuren begegnet!

Leider ist noch nicht zu erfahren, wann die Diebsverfolgung nach der Bank gedreht wird. Mit den vielen Kindern. Das wird sicher besonders lustig. Hoffentlich bist Du da gerade hier. Hast Du Dir schon überlegt, wann Du loszitterst?

Die Tobis schickte heute den Vertrag. Aber ich nehm ihn nicht so an. Sie wollen erst nur 500 M zahlen. Den Rest später. Da sollen sie sich ihre Chansons selber machen. Man kann sich von den Brüdern wirklich nicht alles gefallen lassen!

Heute nacht ist Generalprobe im «Kabarett der Komiker». Ich bin eingeladen und werde mir mal die Geschichte betrachten.

Die Post nahm, für die Telefonrechnung, den Danatscheck nicht an! Das ist doch die Höhe. Das Reich stützt diese Bank, und die Reichspost nimmt die Schecks nicht. Da hab ich eben bar geschickt. Was soll man machen.

Na, also liebes gutes Muttchen! Recht frohen Sonntag. Milliardonen Gr. u. K.   Dein oller Junge

Liebes, gutes Muttchen!

Also, wie geht's Dir denn mit Deinem Berliner Besuch? Vielen Dank für die hübsche Karte. Das Wetter ist großartig. Hoffentlich auch in Dresden. Ich denk schon.

Ab morgen zahlen die Banken voll aus. Und ich werde mir im Laufe der Woche noch paar Tausend abheben. Augenblicklich hab ich 3½ Tausend zu Hause.

Am Sonntag ist der Volksentscheid, der gefährlichste politische Tag seit der Revolution von 1918. Wenn die Kerls damit durchkommen, können wir einpacken. Dann kommen die Hitlerleute an die Regierung, dann borgt uns Frankreich keinen Heller, dann weiß kein Mensch, was werden wird ...

Von Kilpper hab ich noch nichts gehört. Aber Löhrs haben mir erzählt, daß ihnen das Pünktchenbuch sehr gut gefallen hat. Und so werde ich morgen der Jacobsohn entsprechenden Bescheid geben. Entweder bringt sie das Buch, wie es ist. Oder ich geb es jemandem andern. Ich ärgre mich nicht länger ...

Ich sitze jetzt täglich im «Leon» und lasse mich von der Sonne bescheinen. Das ist sehr angenehm. Außerdem schlafe ich viel, 8 bis 9 Stunden pro Tag ...

Liebes Muttchen, ich hoffe, bald von Dir zu hören. Ich lege Dir ein Scheinchen bei. Hoffentlich hast Du dafür Verwendung. Ja? Also, schreibe bald Deinem Berliner.

Milliardonen Grüßchen und Küßchen   Dein oller Junge

P.   Berlin, 5. 8. 31

Mein liebes, gutes Muttchen!

Vielen Dank für die Karte vom Amselfall. Ich freu mich schon auf Dein Kommen. Heute früh rief Weller aus Stuttgart an. Kilpper ist einverstanden. Na also. Nun müssen wir nur noch den Vertrag machen. Das wird schon klappen. Die Jacobsohn rief auch an und ist auch endlich bereit, das Pünktchenbuch so zu bringen, wie es ist. Somit wären die zwei Dinge in Ordnung. Gott sei Dank!

Nachher fahr ich zur Tobis. Sie wollen den Vertrag auch in

meinem Sinne abfassen. So lange hat sich das hingezogen. Jetzt können sie es nicht erwarten.

Schreib mir noch genau, wann Du kommst, ja?

Und Milliardonen Gr. u. K.   von Deinem ollen Jungen

Berlin, 6. Aug. 31

Liebes Muttchen!

Donnerwettstock, ist das aber heiß! Da ist man immer kaputt, möchte sich legen, und wenn man liegt, ist es einem wieder zu heiß. Aber im «Leon» zu sitzen: dauernd kommen Bekannte. Es wird schlimmer als im «Carlton». Nur spät abends wird's dann ruhiger.

Morgen fängt bei den hiesigen Kindern die Schule wieder an. Die sieben kleinen Hauptdarsteller werden im Babelsberg aber noch gebraucht. Man hat den Direktoren geschrieben, daß die Schauspieler keine Schularbeiten aufkriegen.

Wir werden sicher noch verschiedenes zu sehen kriegen. Außerdem lassen wir uns vorführen, was bis jetzt schon kopiert ist. «Dann schon lieber Lebertran» wird auch gerade gedreht. Die Zeitungen berichten schon darüber.

Alfred Braun spielt den Petrus. Das lassen wir uns auch zeigen.

Das ist recht, daß Du Dir Schuhe und Kleidchen gekauft hast. Ich finde den Stoff sehr hübsch.

Morgen haben wir wieder Komiteesitzung zur Erkämpfung der Pressefreiheit. Geht immer viel Zeit drauf. Und springt nichts raus.

Die Tobis-Sache klappt noch nicht. Aber es wird schon werden. Ich habe allerlei von den Banken geholt. Jetzt liegen 6 zu Haus.

Berlin, 9. 9. 31

Liebes, gutes Muttchen!

Vielen Dank für den lieben Brief und die Nazi-Kritik. Ist ja sehr albern. Aber die Leute sind so.

Heute schickte die Jacobsohn das Geld. Und durchs Telefon

sagte sie: Sie hatte «Pünktchen» noch einmal gelesen, und es gefiele ihr besser als früher. Es sei doch sehr schön.
Die alberne Büchse. Was? Das wußten wir schon lang ...
Heute muß ich die Romankorrekturen zu Ende lesen. Ist allemal eine Sauarbeit.
Na, Allerbeste, für heute winkewinke. Um 7 h muß ich bei John sein. Und 8 h geh ich ins Künstlertheater. Soll ein schlechtes Stück sein. Milliardonen Gr u Küßchen

Dein oller Junge

P.   Berlin, 3. Sept. 31
Liebes, gutes Muttchen!
Eben las ich in der Zeitung, daß übermorgen, am Sonnabend, in Leipzig der «Emil» aufgeführt wird. Wollen wir hinfahren? ½8 h ist die Premiere. Ich könnte hier mittags fortfahren. Ein Zug ist ¼43 h in Leipzig, ein andrer kurz vor 5 h. Willst Du mich mal am Freitag zwischen 12 und 1 h anrufen, von der Tante aus? Bleibtreu 04 90, ohne Voranmeldung, ich wäre bestimmt zu Hause. Wenn Du nicht telefonieren willst, schreib mir rasch, aber Telefon geht rascher. Na, überleg Dir's mal, meine Beste. Es kommt bißchen überraschend, aber Mörike weiß ja nie was ... Vielen Dank für Deinen Brief. Hoffentlich geht's Dir halbwegs.
Milliardonen Gr. u. K.   Dein oller Junge

P.   Berlin, 15. Sept. 31
Liebes, gutes Muttchen!
Leider hat mich Mörike mit allerlei Quatsch so lange aufgehalten, daß die Karte nun erst morgen früh wegkommt. Er geht endgültig nach Stuttgart zurück; das wird für Weller sehr kitzlig werden.
Mir geht's soweit ganz munter; ich mische mich wieder bißchen unter die Leute. Sonst wird man ja ein kompletter Einsiedler. Die Sachen werden sehr hübsch, der Mantel gefällt mir im Schnitt noch nicht ganz. Aber das ändert er noch.
Wie hast Du denn die Wäsche überstanden? Mit Deinem

Kopf, da muß endlich etwas geschehen! Du darfst das nicht hinhängen lassen, wie Frau Großhennig im Gedicht sagt. Bald mehr. Milliardonen Gr. u. K.   Dein oller Junge
Grüße an Papa.

Liebes, gutes Muttchen!
Wie geht's Dir denn, hm? Ich war heute in der Ufa und hab mir die Musik angehört, die Allan Grey zum Emilfilm macht. Ganz nett. Der Film selber ist fertig und soll sehr hübsch sein. Ich hab ihn aber noch nicht zu sehen gekriegt. Vielleicht nächste Woche. Von der Leipziger Aufführung lege ich Dir eine Fotografie bei . . .
In dieser Woche war ich paarmal im Theater und Kabarett. . . . Im übrigen bin ich dabei, eine Winterhilfe-Aktion aufzuziehen. Wir waren im Reichsinnenministerium, aber diese Kerle sind zu schlafmützig. Ich möchte nun für den Winter in der ersten Etage vom Café Leon einen großen Mittagstisch für Notleidende veranstalten. Der Wirt ist einverstanden. Ich suche nun noch paar Helfer, dann wollen wir Geld zusammentrommeln, von Schauspielern, Schriftstellern, Filmleuten usw. Wenn das überall gemacht würde, gibt's im Winter keinen Krach. Sonst ganz bestimmt! Da laß ich mich fressen. Man kann doch nicht zusehen, wie Deutschland kaputtgeht. Mal sehn, ob man genug Geldgeber findet. Für 30 M im Monat kann eine Person Essen kriegen, Suppe und Fleischgericht, außerdem sitzen die Leute an gedeckten Tischen, sitzen warm und können lesen und sich unterhalten. Die Kellner vom «Leon» wollen umsonst bedienen.
Nachher geh ich wieder ins Theater . . .
Milliardonen Gr. u. K. und ein Scheinchen
                              von Deinem ollen Jungen

Liebes, gutes Muttchen!
Vielen Dank für das Sonntagsbriefchen und für die Karte
aus Döbeln. Das hast Du recht gemacht, daß Du mal wieder
hinübergefahren bist. Wie geht's Deinem Brummschädel?
Die Tabletten heißen Eumed, E wie Erich.
Ich schicke Dir heute eine Reihe Fotos vom Emil, von mir,
und auch paar Gedichte usw. Im übrigen, der englische und
der französische «Emil» sind fertig. Ich hab mir gestern in einem Buchladen je ein Exemplar gekauft. Sobald ich von der
Jacobsohn die Belegexemplare kriege, schick ich sie Dir. Damit Du auch eine komplette Emil-Sammlung bekommst . . .
Nun hat auch in England der Schlamassel richtig angefangen. Das wird ein toller Winter werden, fürchte ich. Heute
war ich beim Chefredakteur vom «Berliner Tageblatt», um
ihn wegen unsres Winterhilfplans zu befragen. Er sagte, das
sei aber nicht das Richtige. Sondern die Regierung müsse auf
Lebensmittelkarten an Arbeitslose kostenlos Lebensmittel
verteilen. Denn die Notleidenden wollten nicht im Café
Leon, sondern bei sich zu Hause essen. Da hat er ja recht.
Na, ich muß mal sehen, wie ich das mache. Die Leute sitzen
alle da und scheinen zu denken: Wie Gott will. Aber damit ist
keinem Menschen geholfen.
Sehr niederdrückend diese allgemeine Lage. Man muß sich
sehr zusammennehmen, wenn man in so einer Zeit arbeiten
will. Theodor Wolff, der Chefredakteur, sagte auch, das
Schreiben stünde ihm schon bis obenhin.
Na, Muttchen. Seien wir froh, daß es uns halbwegs geht.
Schreib bald wieder! Ich leg Dir ein Scheinchen bei.
Milliardonen Gr. u. Küßchen   Dein oller Junge

P.   Berlin, 30. Sept. 31
Liebes, gutes Muttchen!
Vielen Dank für Deinen Brief. Er kam erst gegen Abend, und
ich muß gleich ins Theater. Fein, daß das Alberttheater
schon Jungens sucht. Freilich zu alt, 15jährige! Montag
abend fahr ich nach Leipzig. Dienstag Besprechung wegen

«Leben in dieser Zeit». Dann wieder zurück. Chemnitz bringt den «Emil» auch. Aufführungstermin 15. November. Das Geschäft geht also wieder los. Laß den Pelz schön reparieren, und nimm den Waschbärkragen! Kleidet mich sicher besser. Morgen schreib ich einen Brief. Jetzt rasch in die Volksbühne. Wäsche schick ich bald ab. Cache-Nez? Au fein, und ich dank Dir schön. Ich freu mich sehr, daß Dir's besser geht. . . .
Winke winke, Milliardonen Gr u K   Dein oller Junge

Berlin, 1. Okt. 31

Mein liebes, gutes Muttchen!
Also, da will ich mal bißchen mit Dir plaudern. Gestern erzählte mir ein Buchhändler, in Paris stünde der französische «Emil» in jedem Schaufenster. Eine Buchhandlung hätte in der ersten Woche 150 Exemplare verkauft. Das wäre, wenn es stimmt, unerhört! Es interessiere sich auch schon ein großer Pariser Verlag für den «Fabian» . . . Gestern und heute war ich in der Sonne. Es war wunderbar. & Co hat heute sehr schöne Blumen besorgt, weil Du's ihr geschrieben hast . . . Wenn ich Theater hab, nehm ich immer wieder eine sehr hübsche Schauspielerin mit . . . Nachher bin ich bei einem Verleger eingeladen, zum Abendbrot. Ich bliebe lieber bißchen zu Hause. Aber man kann's schlecht abschlagen. Ein Scheinchen. Milliardonen Gr u K   Dein oller Junge
Du willst das Pelzgeld auslegen? Ich geb Dir's wieder, sobald wir uns sehen. Ich kann Dir's aber auch gleich schicken. Wie Du's willst!

P.   Berlin, 8. Okt. 31

Liebes Muttchen!
Das ist wirklich zu traurig, daß unsre kleine schwarze Mieze tot ist! Es tut mir furchtbar leid, sie war so nett. Aber Du darfst es Dir nicht so zu Herzen nehmen. Hörst Du? In Leipzig hab ich denen erst mal erzählt, wie die es inszenieren müssen. Es wird nun schon werden. Kassel hat den «Emil»

genommen. Heute abend schreib ich Dir ein Briefchen. Ich muß nur erst die Pünktchen-Korrekturen erledigen. Sie kamen heute früh, und morgen früh sollen sie schon abgeholt werden! Also, in ziemlicher Eile Milliardonen Gr u K

Dein oller Junge

Berlin, 9. Okt. 31

Mein liebes, gutes Muttchen!

Heute kriegst Du ein Emilfilmbild aus dem «Berliner Tageblatt» und paar Kritiken aus Stettin, wo das Emilstück großen Erfolg gehabt hat. Der Intendant schreibt, ob ich nicht mal raufkommen will. Na, erst wollen wir nur mal die Leipziger Premiere vorbeilassen. Ich bin ja ziemlich gespannt. Weller schrieb mir, daß er Dir in den nächsten Tagen einen in Leder gebundenen «Fabian» schickt. Er denkt immer hübsch von selber dran. Wir schreiben ihm von Leipzig aus eine Karte. Moritz ist also wieder da und gibt sich große Mühe, nett und lustig zu sein. Sie hat sich gut erholt. Mal sehen, wie lange sie verträglich bleibt. Jedenfalls hat sie den Heiratsplan wieder mal aufgegeben.

E. schrieb gestern wegen seines Sparkassenbuches, das auf meinen Namen lautet. Morgen werd ich mal das schwarze Jackett und bißchen Wäsche abschicken lassen. Nikoleit hat die Sachen fertig. Gestern abend habe ich den schwarzen Anzug eingeweiht. Er sieht sehr gut aus. Ich werde ihn nach Leipzig anziehen, was? Heute muß ich noch für das Leipziger Programmheft über «Leben in dieser Zeit» schreiben. Damit die Zuschauer nachlesen können, wie das ganze gemeint ist. Drei Vorstellungen sind vorläufig geplant. Kassel hat den «Emil» angenommen. Frau Jacobsohn druckt vor Weihnachten eine neue Auflage. Da sind dann also 30 000 verkauft. Fein, was? Also, im Winter wird allerlei verdient werden, wenn's nicht drunter und drüber geht. Ich leg Dir ein Scheinchen bei. Soll ich Dir mehr schicken? Schreib mir's doch, Allerbeste! Ja? Wie geht's Dir? Ich werd's ja in Leipzig sehen, aber schreib's auch. Milliardonen Gr u K

Dein oller Junge

P. Berlin, 10. Okt. 31
Mein liebes, gutes Muttchen!
Hab vielen Dank für Deinen lieben Brief. Sei doch wegen der
Mieze nicht so traurig. Ich möchte am liebsten, daß Du Dir
eine kleine Katze anschaffst, die Dir gehört und bei der Herr
Gabriel nichts zu sagen hat. Wenn sie gut erzogen wird, kann
sie doch ruhig viel in der Wohnung sein. Nicht? Heute ist der
Mantel gekommen etc. Soll ich ihn nach Leipzig anziehen?
Der Text fürs Programmheft ist fertig. . . .
Hab viele gute Sonntagsgrüßchen von mir. Milliardonen Gr
u K Dein oller Junge

Berlin, 12. Okt. 31
Mein liebes, gutes Muttchen!
Vielen Dank für Kärtchen und Brief. Ich wollte Dir heute
nachmittag schreiben, hatte schon alles zurechtgelegt. Da
kam der Anruf, ich solle nach Babelsberg kommen, den
Emilfilm anschauen. Darüber ist der ganze Tag draufgegan-
gen. Also, mir hat der Film nicht besonders gefallen. Sie wollen auch noch was wegschneiden. Im übrigen meinten alle
andern, der Film sei sehr schön und werde großen Erfolg haben. Wir werden ja sehen. Die Premiere ist erst Mitte Dezember, im Ufapalast am Zoo, dem größten Berliner Kino.
Das wird sicher sehr lustig werden. Lauter Kinder und die
Kritiker dazwischen. Innsbruck hat das Emilstück auch genommen.
Es freut mich sehr, daß Dir der «Fabian» so gut gefällt. Kesten ist richtig begeistert davon. Hoffen wir das Beste. Morgen kommen sicher die Belegexemplare an mich. Ich bring
Dir noch ein oder zwei Exemplare mit nach Leipzig. . . .
Milliardonen Gr u K von Deinem ollen Jungen

P. Berlin, 22. Okt. 31
Liebes, gutes Muttchen!
Vielen Dank für die Kritiken, die samt und sonders sehr
schön sind. Die im Anzeiger ist wirklich besonders gut. Es in-

teressieren sich schon 5 bis 6 Bühnen für «Leben i. d. Zeit».
Vielleicht erwisch ich Fischer mal. Leider muß ich schon
Sonntag gegen Abend zurück. Du mußt eben bald mal herüberkommen. Der Pelz ist ganz wunderbar! Weiße Hemden
hab ich noch, aber wenn Du mir eines zur Premiere schenkst,
ist das sehr fein. Karten hab ich bestellt. Eine Buchhlg. am
Kurfürstendamm hat schon 60 Fabiane verkauft. Buhre hat
das Buch nicht sehr gefallen. Es scheint aber der Neid mitge-
spielt zu haben. Ich gondle 8.15 los. Der 10-Uhr-Zug geht
erst ab Mai.
Milliardonen Gr u K   Dein oller Junge

                                            Berlin, 27. Okt. 31
Mein liebes, gutes Muttchen!
Vielen Dank für die Kritiken, die natürlich viel zu günstig
ausgefallen sind. Aber wir wollen uns nicht drüber beklagen.
. . .
Wenn die Aufführung auch nicht sehr schön war, so war es
doch schön, daß wir wieder mal in Dresden beieinander waren . . . Ich schick Dir heute einen Stoß Kritiken, Zuschriften
etc. Und ein kleines Scheinchen.
War eben bei der Jacobsohn. Ihr hat der Fabian sehr gut gefallen, und sie will Dir drüber schreiben. Dann hat sie mir einen Londoner «Emil» gegeben, ich schick ihn Dir morgen als
Päckchen. Mit Spanien werden wir wahrscheinlich auch bald
abschließen, und mit Jugoslawien.
Die Berliner Volksbühne will «Leben i. d. Zeit» *nicht* bringen. Ist ihr nicht radikal genug! Aber das Berliner Staatstheater interessiert sich sehr dafür. Leipzig pausiert, weil die Carstens krank ist. Aber am Sonnabend geht's wieder los, und
dann paarmal pro Woche. Die ersten 4 Vorstellungen waren
ausverkauft.
Vom Pünktchen sind bis jetzt 3200 Exemplare vorbestellt.
Das ist ganz ordentlich.
Aber jetzt muß ich mich rasieren lassen gehn. Es ist bald sieben Uhr. Abends ist Theater. In der Komödie . . . War die
Wäsche sehr anstrengend? Sieh Dich recht vor! Ich schick in

den nächsten Tagen das Waschgeld ... Das Kleid kann
selbstredend auch mehr kosten, hörst Du? Es spielt wirklich
keine Rolle!
Milliardonen Gr. u. K.   Dein oller Junge

Berlin, 5. Nov. 31

Mein liebes, gutes Muttchen!
Vielen Dank für Dein schönes, ausführliches Briefchen über
die Chemnitzer Reise. Wollen wir denn dem Kurt mal was
schicken? Es freut mich, daß Dir die Aufführung gefallen
hat, und den andern auch ...
Ich sitze jetzt jeden Nachmittag stundenlang in den Buchhandlungen und teile Autogramme aus. Aber es kommen fast
gar keine Leute. Wir sitzen da wie die Affen. Gestern wäh-
rend zwei (2) Stunden ein einziges Buch verkauft! Es ist fast
gar keine Reklame gemacht worden. Pünktchen kommt erst
Montag, erfuhr ich heute. Das Deutsche Theater will ein
Kinderstück von mir haben. Vielleicht bearbeite ich Pünktchen doch als Theaterstück? Mal sehen, ob was draus wird.
Könntest Du Dir «Pünktchen» als Stück vorstellen?
Vielen Dank auch für die Wäsche, mein Gutes. Ich schick
Dir wieder paar Kritiken und Abschriften mit. Und ein
Scheinchen. Fürs gute Muttchen.
Seit gestern ist hier wunderbares Wetter. Aber ich komm vor
lauter Buchhandlungen zu gar nichts. Es ist zu albern. Jetzt
sitze ich im «Leon» und hab gerade frische Blut- und Leber-
wurst gegessen ... Abends mit Granowsky Treffen wegen
des Koffer-Films. Er will Ergänzungen und Korrekturen.
Und bumms, ist der Tag vorbei. Und die Sonne scheint so
großartig!
Kleidchen gefunden? Nimm nur was sehr, sehr Hübsches. Es
kann ruhig mehr kosten. Macht nichts. Jetzt leb ich sowieso
bißchen vom Gesparten, und der Fabian geht gut. Pünktchen
wird auch gut gehen. Und der Volks-Emil auch. Also, Allerbestes, kein Kopfzerbrechen ...
Ich schreib ganz bald wieder. Milliardonen Gr u K
                                              Dein oller Junge

Mein liebes, gutes Muttchen!

Also, das Staatstheater hat auch abgelehnt. «Leben in dieser Zeit» sei zu kurz. Das könne man dem Publikum nicht zumuten. Na, da lassen sie es bleiben . . .

Dafür will aber Reinhardt im Deutschen Theater ein Kinderstück von mir bringen. Ich habe ihnen «Pünktchen» in den Fahnen schicken lassen. Wenn sie wollen und einen anständigen Vorschuß zahlen, kann ich ja ein Stück daraus machen. Da setz ich mich mal 14 Tage auf die Hosen. Fertig ist der Sack. Aber es ist noch ganz unentschieden.

Heute bin ich endlich mit dem Autogrammschreiben fertig geworden. Die Geschäfte hatten sich verpflichtet, 2% des Wochenumsatzes der Winterhilfe abzuführen. Und sie dachten, wenn die Autoren im Laden stehen und ihren Namen in die Bücher schreiben, kaufen die Leute mehr als sonst. Nun, am Dienstag wurde *ein* Buch von mir gekauft (Buchhandlung Stuhr). Es war sehr ermüdend.

Wegen Frau Mörike mach Dir keine Sorgen. Heute trommelte sie mich und einen andern Autor zusammen. Ihr Mann habe verzweifelt aus Stuttgart angerufen. Kilpper schikaniere ihn so. Da sollten wir ihr nun raten. Ich hab mich aber sehr vorsichtig benommen . . . Sollen sie sehen, was sie machen.

Wegen E. mußt Du Dich nicht ärgern. Sonst wird der Druck auf der Brust noch schlimmer. . . .

Weller rief heute aus Stuttgart an. Die Deva druckt vielleicht Ende November bereits das 11.—15. Tausend. Das wäre natürlich großartig.

Ich schicke Dir heute wieder so allerlei Kritiken etc. . . .

Eben kam Dein lieber Brief. Mach Dir keine Sorgen. Ich geh in diesen Tagen nicht in die Stadt hinein. Zu den Kleidern will ich Dir sagen, daß ich Schwarz sehr gern habe, wenn bißchen was Helles dabei ist. Und Du schreibst doch von einem weißen Perleinsatz. Das sieht sicher gut aus. Nur Mut, junge Frau! Soll ich den Rest an Alsberg schicken? Oder Dir? Oder wie sonst? . . .

Heute hab ich schon wieder mit Granowsky zu tun. Lauter so Abhaltungen. Die Berliner Zeitungen haben schon aus «Pünktchen» vorabgedruckt. So kleine Kapitelabschnitte. Damit es gleich gekauft wird, wenn es in der nächsten Woche erscheint.

Na, nun will ich mal bißchen Mittag essen. Es wird langsam Zeit dazu. Recht schönen Sonntag, Muttchen! Freilich wird man Dir Karten geben, fürs Alberttheater. Sonst mach ich Krach. Milliardonen Grüßchen und Küßchen

Dein oller Junge

Berlin, 15. Nov. 31

Mein liebes, gutes Muttchen!

Hab vielen Dank für Deinen lieben Brief. Nimm Dir ja eine Hilfe beim Reinemachen! Bitte, bitte!

Ich treffe mich heute wieder mit dem Sohn von Reinhardt. Wahrscheinlich kommen wir zum Abschluß. «Leben in d. Zeit» soll voraussichtlich am 22. oder 29. Nov. in der Dresdner Komödie sein. Ruf doch mal an, ob's stimmt, und frage nach der Besetzung. Da komm ich paar Tage hinüber, wenn es irgend geht. Allerdings wird die Pünktchen-Sache eine tolle Arbeit werden. Man will schon mit den Proben beginnen, wenn die ersten Szenen fertig sind. Da die Premiere am 15. Dez. sein soll. Und der kleine Reinhardt wird mir dauernd auf der Pelle sitzen. Na, erst müssen sie den Vertrag unterzeichnen. Eher fang ich nicht an.

Vom Pünktchen-Buch sind zirka 4000 verkauft. Die Jacobsohn läßt bald 7.—10. Tausend drucken. Der Fabian soll gut gehen, hörte ich vorhin.

...

Natonek hat den Fabian halblapperig besprochen. Immer gelobt und dann wieder gebremst, er kann nun mal nicht aus seiner Haut heraus.

Wegen der steifen Hemden: Ich habe paarmal den Smoking getragen, wegen Theater oder wenn Moritz ein Abendkleid ausführen wollte. Sie erzählt mir jetzt jede Woche mindestens einmal, von der Heiratsidee sei sie völlig abgekommen;

sie sei jetzt genauso dagegen wie ich. Na, also. Das hat lange gedauert, bis sie begriffen hat, daß wir nicht zusammenpassen. Im übrigen ist sie recht nett und verträglich zur Zeit. Ich schick Dir heute paar schlechte Fabian-Kritiken. Hauptsache, daß das Buch trotzdem geht.

Ich hatte so fest damit gerechnet, daß wir uns im November bißchen länger sähen! Aber die Pünktchen-Arbeit wird mich ziemlich auffressen . . .

Sobald wir wissen, ob und wann Fischer «Leben i. d. Zeit» herausbringt, werden wir mal gründlich beplaudern, wie wir's mit dem nächsten Wiedersehen einrichten.

Wann bist Du denn mit dem Reinemachen fertig? Ich schick Dir gleich ein Scheinchen und bald wieder eins, damit Du Dir eine Frau nimmst.

In Leipzig hat man «Leben i. d. Zeit» abgesetzt, weil es kein Geld eingebracht hat. Trotz der guten Kritiken.

Mörike schrieb mir heute. Wir haben für die ersten 4 Aufführungen 270 M Tantiemen bekommen. Da zieht sich Stuttgart 25% ab, bleiben noch 200 M. Die teile ich mit Nick; krieg ich also 100 M.

Nun waren's insgesamt 7 Aufführungen, also kommen noch 70 M dazu. Pfui Spinne, was?

Für die Pünktchen-Rolle möchte ich die kleine Inge Landguth aus dem Emil-Film vorschlagen, nein? Und den Anton soll der «Fliegende Hirsch» spielen. Weißt Du, der mit den Sommersprossen! Doch da weiß ich nicht recht.

An die Ufa hab ich Pünktchen auch geschickt. Mal sehen, was draus wird, und ob sie was von sich hören lassen.

Nachher treff ich mich mit Gottfried Reinhardt, von wegen Pünktchen. Bis dahin muß ich noch mal tief nachdenken, wie ich das Stück anlege. Und so vertreibt man sich die Zeit . . .

Winkewinke, Allerbestes. Milliardonen Gr u K

Dein oller Junge

Moritz strickt mir einen wollenen Schal. Das ist zum Totlachen. Ganz ernst sieht sie dabei aus und arbeitet wie wild.

Mein liebes, gutes Muttchen!

...

Vorhin stand ein Mann barfuß auf der Straße, ein Bäckerge-
selle aus Frankfurt. Ich hab ihm zehn Mark gegeben, daß er
sich ein Paar Schuhe kauft, und eine Mark Fahrgeld.
Er war sehr froh und wollte die Mark extra gar nicht nehmen. Er hatte das Leben schrecklich satt. Ein armes Luder.
Heute ging es mit dem Deutschen Theater wie verrückt zu.
Sie ließen 6½% bieten. Und ich ließ ihnen mitteilen, ich hätte
keine Lust mehr. Denn ich sei kein Altkleiderhändler, der um
die letzten Prozente handelt. Nun waren sie aufgeregt, tele-
fonierten wie die Irren hin und her. Und sagten, sie wollten
sogar 7% zahlen, was ich seit 10 Tagen verlangt habe. Da
werde ich also am Montag mit der Arbeit beginnen. Und die
Premiere wird am 21. oder 22. Dezember sein. Erst hatten sie
den 15. gewollt, aber durch das Hin und Her ist ja eine Woche nutzlos verstrichen. Eben rief Reinhardt junior an. Den
Anton soll der Schaufuß spielen. Und den Direktor Pogge
der Gülstorff, der in «Dann schon lieber Lebertran» den Vater spielte. Der wird großartig werden!
Na ja, das wäre das ...
Übrigens werden die Premiere vom Emil-Film und vom
«Pünktchen»-Stück am gleichen Tag sein. Richte Dich nur
immer ein, daß Du in der Woche vom 14. Dez. ab hier sein
kannst. Reinhardt sagte gerade, er wollte möglichst am 19.
Dez. Premiere machen. Und der Film soll ja wohl am 16.
oder 18. Dez. raus. Leider im Ufa am Kurfürstendamm, das
ist kein gutes Haus. Die Proben im Theater werden Dir sicher Spaß machen. Trier entwirft voraussichtlich die Büh-
nenbilder. Das wird besonders hübsch werden.
Morgen schlaf ich noch mal richtig aus. Und am Montag
geht die Arbeit los, wenn das Theater bis dahin nicht schon
wieder weniger zahlen will. Ich will sehr rasch und feste arbeiten, damit ich schon am Sonnabendfrüh oder so in Dresden sein kann. Moritz wollte sehr gern mitkommen. Sie will
bald nach Paris gehen und dort filmen. Sie hat Empfehlun-
gen eines Schweizer Bankiers, den sie mal kennengelernt hat.

Na, da wird sich dann schon alles in Wohlgefallen auflösen. Obwohl es ja, nun sie die Heiratsidee aufgegeben hat, sehr nett ist.

Eben kam wieder wer. Ein stellungsloser ältrer Herr, der sich ziemlich schämte. Er hatte mir einen Brief geschrieben. Und nun tauchte er im «Leon» auf. Malthaner hat einen oder zwei Monate Arbeit, zur Aushilfe, und ist überglücklich.

Liebes, gutes, allerbestes Muttchen! Ich schick Dir wieder paar Zeitungsausschnitte und ein Scheinchen. Ich hab nicht mehr einstecken. Der barfüßige Bäcker war nicht vorgesehen. Aber ich schick Dir ganz rasch mehr.

Gestern kam die erste Pünktchen-Zuschrift. Von einer Mutter, der es die erwachsenen Kinder zum Geburtstag geschenkt hatten. Drollig, was? Sie schrieb, wenn die dicke Bertha kündigen sollte, könnte sie bei ihnen eintreten, da ihr Mädchen im Frühjahr heiratete.

Ich bin recht mobil und vergnügt. Du Gute hoffentlich auch.

Milliardonen Gr u Küßchen   Dein oller Junge

24. Nov. 31

Mein liebes, gutes, allerbestes Muttchen!

Mit den Reinhardts, also das ist glatt zum Verzweifeln. Nun haben sie sich bereit erklärt, 7% zu zahlen. Aber nun liegt der Vertrag seit drei Tagen bei ihnen, und sie unterschreiben ihn nicht. Wenn der Chronos-Verlag anruft, lassen sie sich verleugnen. Ich komme mir maßlos veralbert vor und weiß nicht: Soll ich nun anfangen oder nicht. Augenblicklich ist Dr. Eggebrecht von der Deva wieder ins Theater gefahren, um zu sehen, ob die Bande samt und sonders der Schlag getroffen hat, oder warum sonst sie sich nicht rühren. Und der Termin rückt täglich näher. Ich weiß schon gar nicht mehr, wie ich damit fertig werden soll, wenn sie nun doch noch unterschreiben. Eine tolle Gesellschaft.

Gestern abend war von 8—2 Uhr nachts große Versammlung im Schutzverband. Da haben sie ja was zusammengeschrien! Zum Schluß waren alle heiser. . . .

Und Du sitzt nun zu Haus und schuftest, anstatt ins Herbstsönnchen zu spazieren. Ach, das tut mir so leid. Geh doch ein bißchen ins Freie, gelt?

Wenn ich nur bald wüßte, was mit Reinhardt wird, damit ich endlich weiß, wann ich nach Dresden fahren kann! Moritz will mitkommen. Aber vielleicht überlegt sie sich's noch. Na, Du mußt jedenfalls dann ganz bald herüberkommen, damit wir länger und ruhiger beisammen sind. Eine schrecklich nervöse Zeit durch dieses Theater um Pünktchen.

Paar Abschriften und ein Scheinchen leg ich meinem Muttchen bei. Und Milliardonen Grüßchen und Küßchen.

Dein oller Junge

Gestern wurde im Ufa am Kurfürstendamm «Dann schon lieber Lebertran» vorgeführt. Die Leute saßen da wie Ölgötzen.

P.   Berlin, 25. Nov. 31

Mein liebes, gutes Muttchen!...

Heute beginne ich mit Pünktchen. Endlich! Gestern war wieder alles in Frage gestellt, und die Telefone rasselten nur so. Jetzt ist's endlich perfekt. Mal sehen, wieviel ich heute und morgen fertig kriege. Da kann ich dann beurteilen, wie ich Zeit habe und wann ich kommen kann. Vor Sonnabend wird's ja wohl nichts werden. Reinhardt will jeden Tag geschickt haben, was fertig geworden ist. Denn sie wollen schon am Sonnabend mit Proben beginnen. Toll, was? Also, los geht's! Morgen berichte ich Dir gleich, wie weit ich gekommen bin!...

Milliardonen Gr u K   Dein oller Junge
Viele Grüße an Papa

Berlin, 26. Nov. 31

Mein liebes, gutes Muttchen!
Vielen Dank für Deinen Brief....

5 Karten hab ich bei der Komödie bestellt. Das wird ja ausreichen. Moritz suchte ich abzuraten. Aber sie hat sich's in

den Kopf gesetzt. Na, vielleicht überlegt sie sich es noch. Ich kann erst Sonnabend nachmittag kommen. 16 Uhr und Minuten kommt der Zug in Neustadt an. Hier fährt er 13.50 ab.

Ich bin seit gestern in toller Arbeit. Hab 2 Bilder geschrieben. 12 müssen's werden. Heute schreib ich Bild 3 und 4, morgen Bild 5 und 6, Sonnabend in der Eisenbahn Bild 7, Sonntag Bild 8. Abends werde ich zurückfahren. Es geht ja sonst alles drunter und drüber.

Reinhardt rief vorhin an, wo das Stück bliebe. Er beginnt am Montag schon mit den Proben! Und dachte scheinbar, ich schreib das Stück in einem Tag. Es strengt sehr an. Läßt sich aber nicht ändern. Vorhin hab ich & Co das erste Bild diktiert. Morgen diktier ich 2, 3 und 4. Und sobald wieder was in die Maschine geschrieben ist, geht's per Rohrpost zu Reinhardt. Sonnabend, eh ich abfahre, wird wieder diktiert. Ende nächster Woche will ich fix und fertig sein. Denn zu den 12 Bildern kommen auch noch 12 Zwischenbilder, vorm Vorhang zu spielen. Pfui, das geht über die Nerven! Gestern nacht traf ich zufällig Billie Wilder. Der «Emil»-Film solle früher aufgeführt werden. Aber Genaues wußte er auch noch nicht.

Liebes, gutes Muttchen, in großer Hetze! Eigentlich habe ich gar keine Zeit für Dresden. Aber ich hab mich so drauf gefreut, daß ich mir's nicht nehmen lasse. Ich schick Dir paar Kritiken (auch paar böse) und ein Scheinchen.

Milliardonen Gr u K   Dein oller Junge
Morgen schick ich Dir noch ein Kärtchen

P.   Berlin, 30. Nov. 31
Liebes, gutes Muttchen!
Na, wie sind die Kritiken ausgefallen? Ich hab eben mit der Ufa telefoniert. Premiere Mittwoch 5 h. Sie schicken Karten. Für 7 h werd ich Granowsky-Film-Karten besorgen.
Die Fahrt verging rasch. Ich hab fleißig gearbeitet und werde dann & Co Bild 7, 8, 9 und 10 diktieren. Dann schreib ich weiter. Ich werde nicht in die Schutzverband-Sitzung gehen,

sondern lieber arbeiten. Damit ich bald fertig werde. Und wenn ich Ende der Woche damit fertig bin, werd ich mal einen ganzen Tag schlafen.

Herr Blumenhain im «Leon» ist schon sehr aufgeregt wegen der Filmpremieren. Sicher hält er den ganzen Tag den Daumen. Sehr hübsch war's zu Hause, nur zu kurz. Am Mittwoch also auf Wiedersehen!

Milliardonen Gr u K   Dein oller Junge

                                                    Berlin, 7. Dez. 31
Liebes, gutes Muttchen!
Eben sitz ich in der Filiale der Verlags-Anstalt, um das Pünktchen-Stück abzuliefern. Und dann geht's mit Hui auf die Probe. Der junge Reinhardt und ich sind einander schon paarmal an die Karre gefahren. Er macht manchmal rechten Quatsch und bringt die Schauspieler schrecklich durcheinander. Aber es wird trotzdem sehr nett werden. Ab Sonnabend proben sie im Deutschen Theater selber. Und die Premiere soll also am 19. Dez. sein. Wann willst Du denn anspaziert kommen? Schreib doch mal, was Du denkst.

Die Jacobsohn hat immer noch kein Geld geschickt. Am 15. November war es fällig. Ist beinahe schon ungezogen.

Na, ich kann nicht jeden Tag darum telefonieren. So, das Stück ist abgeliefert. Dr. Kilpper war zufällig auch da. Ist vom Pünktchen-Buch hell begeistert. Nun bin ich gleich wieder fort. Muß zur Probe. Das ist eine Hetzerei, ich dank schön. Aber ich bin ja soweit gesund und munter.

Mittags kamen die Gardinen. Frau Kuhnke macht sie morgen auf, hat sie vorläufig übers Sofa gelegt . . .

Siehst Du Dir Zuckmayer im Schauspielhaus an?
Also, Allerbeste, ich hab rasende Eile. Winkewinke! Paar Kritiken, ein kleines Scheinchen.

Milliardonen Gr u K   Dein oller Junge

Liebes, gutes Muttchen!
Heute wenigstens paar Zeilchen. Ich hab «Pünktchen» zu
Ende diktiert. Nachher geh ich zur Probe und spreche hin-
terher mit Reinhardt durch, was er noch geändert haben will.
Hoffentlich nicht zuviel.
Ich dank Dir fürs Kärtchen, schick Dir paar Kritiken und ein
Scheinchen. Der kleine Schaufuß ist krank, erkältet. Hof-
fentlich wird er bald wieder gesund, sonst kann er doch den
Anton gar nicht sprechen!
Das Hörspiel «Pünktchen», das wieder Fricke von der Berli-
ner Funkstunde gearbeitet hat, wie auch den Emil seinerzeit,
ist ganz nett geworden.
Da kommt & Co angewackelt. Da muß ich gleich studieren,
was sie in die Maschine geschrieben hat, damit es gleich an
Reinhardt abgehen kann.
Milliardonen Gr u Küßchen   Dein oller Junge

Mein liebes, gutes Muttchen!
Hab vielen Dank für das Kärtchen. Es gefällt mir ja gar
nicht, daß Du allein gewaschen hast! Das darfst Du nicht
wieder tun! Hörst Du?
Jetzt kommen die Pünktchen-Kritiken angetrudelt, fast aus-
nahmslos sehr schön. Nun wird's die Jacobsohn wohl bald
glauben. Heute schickte sie endlich das Geld. Fast einen Monat zu spät. Und nicht mal das Geld, sondern einen Post-
scheck. Nun muß & Co im Auto in die Stadt und zurück und
sich anstellen, nur daß wir das Geld kriegen. Das sind
schreckliche Zustände.
& Co ist gestern früh, als es telefonierte, über den Teppich
gestolpert, lang in die Stube gefallen und hatte eine Art Ner-
venschock weg, heulte, konnte nicht reden, fuhr gleich zum
Arzt. Morphium und ins Bett. Heute kam sie wieder, ist aber
noch nicht in Ordnung. Sie kann nicht kauen, und der linke
Arm ist schwach . . .
Die Proben kommen langsam vorwärts. Hansalbrecht macht

nicht mehr mit. Er hat mit seinen Geschwüren zu tun. Ich
hab ihm was gegeben, weil er doch für den Umzug Geld verdienen wollte und nun nicht mitspielt. Ich hab ihm gesagt,
wenn er 25 Jahre alt ist, soll er mir's zurückzahlen. Ab morgen sind die Proben im Deutschen Theater selber. Am Mittwoch, wenn Du da bist, wird schon mehr zu sehen sein. Ich
gehe jetzt mal paar Tage nicht zur Probe, sonst komm ich
nicht zum Arbeiten. Also, da mußt Du mal als mein Stellver-
treter auf die Proben hüpfen. Die Aufführung wird sicher
sehr nett. So, und jetzt wird gearbeitet. Wiederschauen am
Mittwoch. Genaueres schreiben wir noch. Hast du die Ka-
kadu-Kritiken?
Milliardonen Gr & Küßchen   Dein oller Junge
Anbei ein paar Kritiken und ein Scheinchen.

Berlin, 12. Dez. 31
Mein liebes, gutes Muttchen!
Heute ein kurzes Sonntagsgrüßchen. Gestern kam Herr Regisseur Gottfried Reinhardt 1½ Std. zu spät zur Probe. Das
kann ja gut werden. Es klappt noch nicht, und die Zwischenbilder sind noch kein einziges Mal probiert worden. Da werden sie wohl die letzte Woche wie die Irrsinnigen proben
müssen, wenn die Premiere am Sonnabend klappen soll.
Auch morgen, am Sonntag, ist von 12—7 Uhr Probe.
Ich geh aber heute nicht hin. Ich muß endlich die Seite fürs
«Berliner Tageblatt» schreiben, denn Dr. Sinsheimer, der Re-
dakteur, will Mitte der Woche in Winterurlaub gehen.
& Co ist immer noch sehr schlapp. Ich diktiere so wenig wie
möglich. Ihr linkes Auge zuckt und ist, glaub ich, schief ge-
rutscht. Na, es gibt schon komische Sachen.
Die Scheibengardinen sehen sehr freundlich aus.
Was wirst Du Sonntag machen? Noch einmal in «Leben i. d.
Zeit» spazieren? Von der Leipziger Aufführung hab ich 170
M gekriegt, eigentlich 340 M, aber an Nick mußte ich ja die
Hälfte abgeben. Hab's ihm heute geschickt. In Dresden wird
bestimmt noch weniger herauskommen. Kümmerlich, was?
Ich schick Dir wieder ein paar Kritiken mit, z.B. die Pünkt-

chen-Kritik aus der «Voß». Das Pünktchen-Stück kam heute
früh schon gedruckt an. Fix und fertig. Nun kann's also den
andren deutschen Bühnen gesandt werden. Hoffentlich nehmen es recht viele an. Damit das Buch fleißig gekauft wird.
Es (das Stück) ist länger als das Emil-Stück. Hoffentlich
dauert die Aufführung nicht zu lange! Sonst müssen wir eben
manches fortlassen. Heute abend ist Deutsches Theater, eine
Shakespeare-Aufführung. Und in 8 Tagen wird Kästner aufgeführt. Na, sind wir aber gespannt, was? Däumchen halten,
Allerbeste. Und am Mittwoch auf fröhliches, gesundes Wiedersehen! Schönen Sonntag und ein Scheinchen!
Milliardonen Gr u Küßchen   Dein oller Junge

Berlin, 14. Dez. 31
Mein liebes, gutes Muttchen!
Jetzt muß ich nun jeden Tag in die Stadt gondeln, zum Deutschen Theater. Ich glaub noch nicht recht dran, daß die Premiere pünktlich am Sonnabend stattfinden wird. Aber beim
«Emil» dachte ich das ja auch nicht, und dann klappte es
doch. Ich will nur einen Happen zu Mittag essen. Dann
gondle ich los.
Die Jacobsohn rief an. Vom billigen Emil druckt sie das
46.—50. Tausend nach. Und die 2. Pünktchen-Auflage ist
auch schon fest im Ausliefern (7.—12. Tausend). Sie ist gar
nicht sehr froh, daß die Bücher so gut gehen, ihre andern
auch. Sie denkt nämlich, die Buchhändler werden zwar ihre
Bücher verkaufen, aber dafür kein Geld geben, weil das übrige Weihnachtsgeschäft so mies ist. Das wäre ja belämmert.
Denn im Januar möchte ich doch wieder bißchen in die Berge
rutschen und ausspannen.
Die Sache fürs «Berliner Tageblatt» ist immer noch nicht fertig. Ich muß heute noch mal nachsehen, ob mir etwas einfällt.
Die Proben halten auch so auf . . .
Wenn E. zur Premiere kommen will, schicken wir ihm am
Donnerstag Geld ab, damit er am Sonnabend rüberkommen
kann. Bis dahin wissen wir ja auch, ob die Premiere verschoben wird oder nicht. Daß das Schauspielhaus mit «Kakadu»

reingefallen ist, freut mich. Ich versteh nur nicht, daß auch nicht ein Kritiker auf den «Emil» hingewiesen hat! Da hätten sie doch alle schreiben müssen: Warum hat man den «Emil» nicht genommen! Für den Weihnachtsmann ist mir noch gar nichts eingefallen. Wir plaudern mal drüber. Vielleicht fällt uns dann was ein, ja?

Eine Kritik und ein Scheinchen leg ich meinem Muttchen bei. Wann kommst Du genau? Wieder mittags?

Milliardonen Gr u Küßchen   Dein oller Junge
...

Berlin, Silvester 1931

Ehe ich das Briefchen anfange, zunächst einmal: Milliardonen Wünsche fürs Neue Jahr, vor allem, daß Du wieder ganz richtig gesund wirst. Das ist das Wichtigste, was ich mir und Dir vom Jahre 1932 wünsche. Und wir werden alles versuchen, daß dieser Wunsch in Erfüllung geht. Geh bald zum Arzt, meine Gute!

Ich lege Dir ein Scheinchen für Blumen bei. Besorge Dir ein paar recht schöne, ja? Wenn ich Stamnitzens Geld geschickt hätte, wäre es sicher in dem Rummel verschlampt worden.

Ich werde heute gar nicht lange bummeln, sondern lieber mal ausschlafen. Sonst kommt man gar nicht dazu. Es wird wieder mächtig kalt. Zieh Dich ja warm an!

Mit Reinhardts haben wir dauernd Ärger. Nun wird «Pünktchen» am Sonntag gespielt. Und am nächsten Sonnabend und Sonntag usw. Vom Abendspielplan wollen sie noch nichts wissen. Reklame machen sie fast gar nicht. Und an diesem Sonntag spielt Kadidja Wedekind den Herrn Zeigefinger! Eben lese ich's in der B. Z. Ist das nicht unglaublich? Gottfried Reinhardt wollte ihr ja die Rolle von Anfang an geben, aber ich hab es nicht erlaubt. Und nun versucht er's hintenherum! ... Na, ich gehe hinein. Und wenn's schiefgeht, mach ich Krach. ...

Mit der Jacobsohn hab ich eben telefoniert. Sie bedauert auch, daß das Stück nicht abends gespielt wird. Das Pünktchen-Buch ist gut gegangen, sagt sie. 12 000 seien verkauft,

sagte sie erst, dann verbesserte sie sich und sagte 9000. Zum
Schluß sagte sie: 9500. Was wahr ist, weiß ich nicht. Im Januar druckt sie die 3. Auflage. Der billige «Emil» ist in 4 Wochen in 17000 Exemplaren verkauft worden. Das ist sehr
viel, was? Na, es wird schon alles klappen. Auch im neuen
Jahr. Mir ist nicht bange. Wir kommen schon wieder mit dem
Hintern an die Wand, gelt? Heute gibt's in Berlin überall
Pfannkuchen. Ich werde gleich mal einen auf Dein Wohl essen.
Hab vielen Dank für die Karte. Ich war sehr unruhig, weil
Dich das Schnell-Laufen so angestrengt hatte. Das muß ganz
bald anders und besser werden mit dem alten Lehmann!
So, mein liebes, gutes Muttchen. Nun will ich den Brief
gleich über die Straße in den Kasten tragen und dann auf
Dein Wohl einen Pfannkuchen essen.
Milliardonen Grüße, Küsse und Wünsche

                                     von Deinem ollen Jungen
Auch für Papa viele gute Neujahrswünsche.

P.   Berlin, 4. Januar 1932
Mein liebes gutes Muttchen!
Gestern war ich also im «Pünktchen». Es war wieder sehr
hübsch und beinahe ausverkauft. Da werden sie's ja wohl
noch längere Zeit spielen. Sonst laß ich klagen. Der Applaus
dauerte wieder bis zum eisernen Vorhang, und Hannele
Meierzack war wieder großartig. Meyerinck tritt ab Sonnabend wieder als Zeigefinger auf. Er hatte gestern nachmittag in der Volksbühne spielen müssen . . .
Das Wetter ist zum Speien. Ich bin bißchen erkältet. Sieh
Dich sehr vor! . . .
Milliardonen Gr u K   Dein oller Junge
Viele Grüße an Papa.

Mein liebes, gutes Muttchen!
Vielen Dank für Briefchen und Kärtchen. Ich bin jetzt wieder mal jeden Tag im Theater. Jetzt geh ich auch gleich wieder. Zum «Raub der Sabinerinnen» ins Deutsche Theater. «Pünktchen» wird vorläufig diese und nächste Woche Sonnabend und Sonntag gespielt. Ich denke, daß das Theater wieder gut besucht sein wird, und dann werden sie es sicher noch länger spielen.
«Pünktchen» wird für Norwegen übersetzt; Italien interessiert sich auch schon. Wird schon wieder klappen, denk ich mir. . . . Und zu einem Spezialarzt würde ich an Deiner Stelle nun doch endlich mal gehen! . . . Ärgre Dich nicht über E. Geh spazieren, fahre spazieren. Aber langsame Schrittchen machen.
Curts schrieben aus Döbeln. Der Emil-Film käme in den nächsten Tagen, und sie freuten sich schon drauf.
Liebes, gutes Muttchen! Wegen der Leipziger Kündigung gleich noch sparsamer werden, das gäb's grade! Daß Du ja keine Geschichten machst, ja nicht! Richtig Obstessen, Theater gehn, «Pollender», «Luisenhof» &tc! Das hole ich schon anders wieder herein. Weller kommt am Sonnabend. Außerdem ist Sonnabend/Sonntag Generalversammlung des Schutzverbands. Da gibt's wieder Rummel und Köpfchenschmerzen. Und das Wetter, was? Sieh Dich gut vor! Ein Scheinchen leg ich bei; ich hab grad nur einen Zehner hier. Ganz bald mehr. Milliardonen Gr u K   Dein oller Junge

Mein liebes, gutes Muttchen!
Ich habe mehrere Tage nichts von Dir gehört. Hoffentlich ist Dein Zustand nicht daran schuld? Geht's Dir weniger gut als bisher? . . . Arbeite, bitte, möglichst wenig mit, ja? Frau Hase soll es, wenn möglich, ganz allein erledigen.
Heute und morgen sind Pünktchen-Aufführungen. Ich werde in beide hineinschauen, damit ich weiß, wie sie besucht sind. Das Deutsche Theater benimmt sich reichlich

traurig. Nicht einmal Steuerkarten geben sie für Bekannte. . . . Inserieren tun sie auch kaum. Ich glaube trotzdem, daß es noch paar Wochen gespielt wird, wenigstens sonnabends und sonntags. . . . Mörike ist bis Montag da. Den muß ich auch noch hinter den Reinhardtleuten herhetzen.

Eben war die Jacobsohn hier im «Leon». Ich will doch nur Reisevorschuß von ihr. Sie stöhnt und hat kein Geld. Ob ich nicht einen Wechsel nehmen wolle. Das mach ich natürlich nicht. In Irland kommt auch eine Emil-Ausgabe. Und in Holland eine deutsche Schulausgabe, für den Unterricht. Tschechoslowakei hat «Pünktchen» abgelehnt. Der «Emil» ginge nicht gut. Na, denn nicht.

Heute und morgen ist Generalversammlung des Schutzverbands, von morgens bis mitternachts. Aber ich gehe wahrscheinlich überhaupt nicht hin. Am Montag ist in Altona die Premiere von «Leben in dieser Zeit». Ich wollte erst hinüberfahren, aber es gehen auch paar Tage drauf. So kurz vor der Winterreise. Ich hab mir lange Skihosen gekauft, für 17 Mark. Das hält den Schnee länger ab, beim Spazieren. Ich freue mich auf die Erholung. Ich werde heute oder morgen in 8 Tagen fahren. Vielleicht muß ich vorher noch nach Leipzig, wegen der Aussprache mit Herrn Hermann Ullstein. Am liebsten würde ich ihnen die Arbeit hinhauen, diesem unverschämten Pack . . .

Wohin ich fahre, weiß ich noch nicht genau. Vielleicht nach St. Moritz. Aber ich warte noch auf Nachricht von paar Hotels. Erstens, wie teuer sie sind, und zweitens, wie man Geld mitnehmen kann. Das ist nämlich sehr schwierig. Pro Nase darf man nur 200 M über die Grenze mitnehmen. Das ist natürlich für sone Reiserei bißchen wenig. Aber es geht, glaub ich, daß man hier in einem Reisebüro einzahlt, das wird einem dann in dem betreffenden Hotel wieder ausgezahlt. Lauter Schiebungen. Wie in der Inflation.

Heute sagte die Jacobsohn, von Pünktchen seien bis Ende Dezember 10 500 Exemplare verkauft. Jedesmal sagt die Person was andres!

Heute und morgen ist Weller da. Ich treff ihn heute abend. Mal sehen, was der wieder für Neuigkeiten weiß. . . .

176

Fischer hat noch nichts hören lassen, ob er «Pünktchen» bringt. Wäre fein: Regisseur Erich Kästner, in Dresden. Gelt?

Ich schicke Dir paar Kritiken mit und ein Scheinchen. Verleb's gesund! Wäschegeld kommt Anfang der Woche...

Frohen Sonntag, Liebe, Gute! Und Milliardonen Grüßchen und Küßchen   von Deinem ollen Jungen

Berlin, 13. Jan. 32

Mein liebes Muttchen!

Heute gab es wieder große Aufregung. «Pünktchen», das für 16. und 17. Jan. angekündigt war, soll überhaupt nicht mehr gespielt werden. Was da wieder dran schuld war, weiß ich nicht recht. Denn am vorigen Sonntag war das Theater nahezu ausverkauft. Nun geht's wieder los. Telefonate mit dem Theater, mit Stuttgart, Prozeßandrohung und andre hübsche Sachen. Mir hängt es schon zum Hals heraus.

Mit der Jacobsohn auch nichts als Ärger. Sie kann keinen Vorschuß zahlen, wollte mir einen Wechsel andrehen. Ich fürchte, sie wird pleite gehen, und ich werde von dem vielen Geld, das ich am 15. Februar zu kriegen habe, nicht viel zu sehen kriegen. Sie kümmert sich um gar nichts mehr. Mich telefonieren die Agenten an, die Pünktchen ans Ausland vermitteln wollen, und sie klagen, sie bekämen von der Jacobsohn überhaupt keine Antwort mehr.

Na, es wird ja wohl auf dasselbe herauskommen, ob ich mein Geld bei ihr oder erst im Dritten Reich verliere. Der Chronos-Verlag wird von der Verlags-Anstalt Herrn Mörike geschenkt. Er wird jetzt Besitzer des Vertriebs und kommt wieder nach Berlin. Nun bin ich dem alten Esel vollkommen ausgeliefert. Das kann auch hübsch werden.

Heute hab ich mit Kilpper verhandelt. Weller wollte Ostern meinen vierten Gedichtband herausbringen, Kilpper rät, ich solle damit warten. Aber was hat Warten für Zweck, wo man damit rechnen muß, daß das Schreiben bald nur noch unter ganz strenger Zensur möglich sein wird.

Na, wenn ich mich erst wieder richtig erholt habe, geht's wieder mit frischen Kräften an die Arbeit. Jetzt bin ich klapprig wie ein alter Gaul . . .

Kommt noch dazu, daß der Granowsky-Film umgeändert werden soll und daß ich bis zur Abreise noch drei neue Gesangstexte schreiben soll. Ich muß gleich wieder zu ihm.

Ein paar Kritiken und ein Scheinchen leg ich bei. Eh ich reise, schicke ich Dir per Post etwas. Denn ich will, daß Du Dir's recht bequem machen kannst, damit Du, bis wir ins Herzbad reisen, wieder ein bißchen gesünder bist. Schone Dich ja recht sehr, Allerbestes! . . .

Schreib mir noch mal, eh ich abreise, ja? Ich schreib Dir auch noch einmal einen Brief . . .

Milliardonen Gr u K   Dein Junge

Berlin, 15. Januar 32

Mein liebes Muttchen!

Obwohl ich seit Tagen wie ein leicht Verrückter um die «Pünktchen»-Aufführung kämpfe, wird das Stück überhaupt nicht mehr gespielt werden, falls kein Wunder geschieht. Die Reinhardt-Bühnen erklären einfach, sie verdienten nichts daran. Und da kann man nichts machen. Es ist wirklich ein Jammer. Ich hab eine Wut im Bauch, ich könnte denen das ganze Theater zerhacken. Na, Mensch, ärgere Dich nicht. 8 Aufführungen waren es im ganzen. Es ist zum Heulen.

Ich fahre morgen, Sonnabend, abend. Und zwar allein. Und zwar nach Kitzbühel. Ich bin außerordentlich mit den Nerven herunter. . . . Ich werde mich in Kitzbühel wieder ganz abschließen und so lange für mich allein sein, bis mir's wieder vernünftiger geht. Das bringt die Nerven am ehesten wieder hoch. Über die Jacobsohn ärgere ich mich besonders. Sobald es möglich ist, gehe ich von ihr weg, damit der Ärger endlich aufhört. Es ist zuviel: Ärger über Reinhardt, Ärger über Mörike, Ärger über die Jacobsohn. Alles muß man selber machen, wozu hat man Verleger?

Na, wenn ich ausgeruht zurückkomme, sollen sie was von mir zu hören bekommen!

Liebes Muttchen, heute ein Scheinchen. Morgen schick ich
Dir per Post bißchen mehr. Mach Dir's mit dem Geld, bitte,
recht bequem! ...
Milliardonen Gr. u. K.   Dein oller Junge

                                          Berlin, 16. Januar 1932
Mein liebes, gutes Muttchen!
... «Pünktchen» ist also tatsächlich abgesetzt worden. Es ist
einfach ein Skandal. das «Pünktchen»-Buch ist bis jetzt von
Schweden, Norwegen, Dänemark und Italien angenommen
worden. Ganz hübscher Anfang, was? & Co schickt Dir ein
paar neue Emil-Übersetzungen, die ich gestern bekam. Das
Geld (250 M) ist abgeschickt. Spar es nicht, sondern mach
Dir's gemütlich damit! Nicht vergessen!
Die Abrechnung von der DD-Albertplatz kam heute; ich
schicke sie Dir mit. Den Brief über den Röntgenbefund heb
gut auf! Das kurieren wir alles. Ganz weg wird's nicht gehen.
Aber viel besser muß es werden. Das wird schon alles klappen. Nur Mut, junge Frau! Kopf hoch! Ich schreib Dir sehr
oft von unterwegs, mein Allerbestes! Halte Dich ja recht
stramm. Schone Dich bittebitte! Ja?
Milliardonen Gr u Küßchen   Dein oller Junge

                                                    19. Jan. 32
Mein liebes, gutes Muttchen!
Die erste Nacht in Kitzbühel geschlafen. Gegen 11 Uhr aufgestanden. 12 Uhr in Marsch gesetzt. Nun bin ich, seit 1 Uhr,
in Obholz. Die Sonne scheint wundervoll. Eben hab ich 1½
Stunden auf einer Holzpritsche gelegen und gedöst. Jetzt tut
mir aber der Allerwerteste weh, und da setz ich mich wieder
auf die Bank. Obholz — davon hast Du die eine Vergröße-
rung an der Wand, wo ich mit Preßburger und dem kleinen
Jungen sitze. Ohne Preßburger ist es aber noch schöner. Mal
ganz ruhig und für sich sein, ist die beste Erholung ... Ich
hatte mit meinem Berliner Ärger soviel zu tun, daß ich an
nichts andres dachte. Gemein von den Reinhardts. Na, die

Sonne scheint. Mir ist es nun schon egal. Kriegst Du jeden Tag einen ausländischen «Emil»? Ich hab mir das ausgedacht und mich bei dem Gedanken sehr gefreut.

Gestern sah ich in ein Hamburger Blatt. «Leben in dieser Zeit» wird dort, im Altonaer Stadttheater, jeden Abend 8 Uhr gespielt. Fein. Kritiken hab ich noch nicht gesehen. Es müssen welche von Altona, Darmstadt und Erfurt kommen.

Und in Berlin wird wohl «Pünktchen» bald im Rundfunk gegeben. Ende Januar oder Anfang Februar, glaub ich.

Ach, ich fühl mich schon wieder so wohl, und fast sauwohl. Die Sonne brennt richtig im Gesicht. Und die Berge ringsum! Schnee ist weniger als in früheren Jahren. Aber mir reicht's, da ich ja nicht Ski fahre. Ich hab keinen Schreibblock mit. Nur einen Roman, aus dem ich die leeren Blätter herausgerissen habe, um Dir hier in der Sonne schreiben zu können, meine Gute.

Nachher, wenn ich wieder unten bin, werde ich der Firma nach Wien schreiben, daß sie mir Geld von der Jacobsohn schicken. Die Mark ist hier weniger wert, 10 Prozent ziehen sie wohl ab beim Wechseln in Schillinge. Und die Jacobsohn zieht mir das bei der Märzabrechnung ab, hat sie gesagt. Anstatt froh zu sein, daß ich hierher gefahren bin und österreichisches Geld verbrauche, das sie nicht nach Deutschland geschickt kriegen kann, wegen der Devisenausfuhrverbote! ... Mein Herz ist nicht schlechter als andre Jahre. Ich hab's beim Bergsteigen gemerkt. Bißchen mitnehmen tut's mich ja, aber es geht schon.

Nun, Allerbestes, klettre ich wieder ins Tal. Gute, gute Besserung! Sieh Dich ja vor! Milliardonen Gr u K

Dein oller Junge

Ja, wir wollen füreinander gesund werden u. bleiben!

Kitzbühel, 24. Jan. 32

Mein liebes, gutes Muttchen! Gestern war hier großer Trachtenball. Die Einheimischen haben bis früh 8 Uhr solchen Krach gemacht, daß ich nicht einschlafen konnte. Ich hab die Bande aber verwünscht! Na, nun ist wieder mal eine

Woche Ruhe. Gott sei Dank! Daß die neuen Mieter von Stefans Wohnung Dich mit Kleinkindergeschrei unterhalten, ist ja auch alles andere als schön. Können die Leute ihr Kind nicht in einem entlegeneren Zimmer schreien lassen? Wenn das zu schlimm wird, würde ich ihnen das mal sagen ... Eben habe ich 50 M gewechselt und 83 Schillinge dafür gekriegt. In Deutschland bekommt man 100 Schillinge dafür. Das ist ein happiger Verlust, was? Aber man kriegt eben nur für 200 M gewechselt, wenn man fortfährt. Mehr wird streng bestraft. Das sind schon Zustände heutzutage! Die Staaten treiben mit den Menschen richtiggehend Schindluder! ... Das «Hamburger Echo» ist kein Rechtsblatt, sondern eine sozialdemokratische Zeitung. Ja, ja, sie fallen jetzt von allen Seiten über den kleinen Kästner her. Na, ich habe Hornhaut, wenn ich erst wieder erholt bin. Damit hat es aber noch gute Weile, merk ich. Ich bin, obwohl ich nun eine Woche von Berlin weg bin, noch immer nervös wie ein Wald voll Affen.
Moritz ist gestern, schrieb sie, nach Wien gefahren. Zu ihren alten Freunden. Hoffentlich bleibt sie recht lang dort. Obwohl sie mir im Bett mächtig fehlt. Aber daran gewöhnt man sich vielleicht.
Na, mein Liebes, Gutes, da will ich mir doch mal den Pelz anziehn und bißchen an die frische Luft gehn. Vor einer Woche kam ich in München an. Die Zeit hat Eile und vergeht wie der Wind.
Milliardonen Gr u K und Wünsche für Deine Gesundheit
Dein oller Junge

Kitzbühel, 31. 1. 32
Mein liebes, gutes Muttchen! Morgen soll Schnee kommen, wird hier erzählt. Das wäre nun zwar für die Skifahrer eine große Freude. Nicht aber für mich. Denn wenn es schneit, sind Wolken am Himmel. Und wenn Wolken am Himmel sind, scheint die Sonne nicht. Und wenn die Sonne nicht scheint, guck ich in den Mond ...
Weller will, daß ich im März, zu Ostern, einen neuen Gedichtband herausbringe. Aber ich werde ihm wohl abschrei-

ben. Es geht zu rasch hintereinander. Von «Herz auf Taille» und «Ein Mann gibt Auskunft» sind jetzt je 15 000 Exemplare gedruckt. Von «Fabian» 20 000 voll. Wenn das so weitergeht, ist es gut. Da brauch ich nicht schon wieder einen Gedichtband herauszubringen. Da warte ich lieber, bis ich noch bessere Gedichte zusammenhabe. Denn die Kritiker warten ja nur drauf, daß man sich eine Blöße gibt. Ich werde mich hüten . . . Wenn die Jacobsohn richtig zahlt, hab ich genug zum Leben. Sonst auch.

Milliardonen Gr u K

Ärgre Dich nicht über ihn.

Dein oller Junge

Geh auf den Hirsch, nimm Dir ein Auto hinauf.

7. Febr. 1932

Mein liebes, gutes Muttchen Du!

Also, heute war es ein Tag zum Hineinbeißen. Ich bin schon ½ 9 Uhr auf den Hahnenkamm gefahren, mit dem Pelz, die Sonne ging erst hinter den Bergen hoch, ich hab mich in einen Lehnstuhl gepflanzt und bis 3 Uhr Sonnenbad gemacht. Natürlich immer mal pausiert, was gegessen und getrunken, einfach großartig. So etwas von Wetter! Gestern abend hat Moritz von Wies aus telefoniert, und sie wird wohl in paar Tagen angerutscht kommen. Das ist im Grunde ganz gut. Drei Wochen ohne Frau ist eine verflixte Sache. Vor allem, wo ja in so einem Hotel alle anderen beweibt sind oder rumpoussieren.

Paar Tage bleibe ich auf alle Fälle noch hier, wenn dieses Kaiserwetter bleibt. Heut schau ich aus wie ein Mulatte! Das große Künstlerfest gestern war sehr laut und fidel. Ich machte allerdings den Sonderling und bin immer für mich allein aus einem Saal in den anderen gestiefelt. «Nun, haben Sie Stoff genug für einen neuen Roman?» fragte ein junges Mädchen, das ich gar nicht kannte.

Zwei andere Hotelgäste hab ich mit «Fabian» herumlaufen sehen. Und ein kleiner Junge liest «Pünktchen». Er geht erst zwei Jahre zur Schule und fährt mit dem Finger die Zeilen nach, wenn er liest. Die Nachdenkereien liest er nicht, hat er gesagt.

Aber etwas Nettes hab ich zum Ball doch gemacht. Ich hab' mich bei Blitzlicht, im Frack, allein für Muttchen, fotografieren lassen. Morgen krieg ich die Bilder. Hoffentlich ist was draus geworden...

Mill Gr u K   Dein oller Junge

9. 2. 32

Mein liebes, gutes Muttchen Du! Ich hab mich eben mal im Spiegel angeschaut. Also, so ausgeruht und frisch um die Augen hab ich selten ausgesehen. Ich hab allerdings auch heute wieder bis 1 Uhr geschlafen. Und jetzt hab ich mir auf einem Spaziergang kleine Bonbons gekauft und eß sie wie ein ganz kleiner Junge.

Durchs Dorf zogen schon wieder maskierte Einwohner, auf Wagen, und die sangen komische Lieder. Die Bande scheint überhaupt nichts zu tun zu haben. Diesmal bin ich gar nicht so begierig aufs Wiederarbeiten. Sollte ich etwa plötzlich faul werden? Na, das heißt, ein Stück hab ich mir überlegt. Das schreib ich, sobald ich wieder in Berlin bin. Es wird etwas sehr Merkwürdiges. Ich erzähl Dir davon, wenn wir Geburtstag feiern. Ich fürchte, es wird nie aufgeführt werden, aber schreiben werde ich's trotzdem. Es ist eine wichtige Auseinandersetzung mit Politik etc.

Moritz kommt morgen an. Das ist ein ganz gesunder Abschluß der Reise. Ich hoffe, sie fährt dann nach Wien zurück oder nach Paris zu Bekannten. Sie weiß, daß ich mich langsam von ihr trennen will, und ich glaube, auch sie hat nichts mehr dagegen.

Anfang März soll die Hamburger Pünktchen-Aufführung sein. Die kleine Meierzack soll gastieren, und die Eltern haben angefragt, was sie verlangen sollen. Ich will Ihnen gleich schreiben. Hoffentlich kommt die Sache zum Klappen. Da sehen wir das kleine Prachtmädel noch einmal.

Heute schneit es, und der Himmel ist grau. Ich bin aber mit diesm Urlaub riesig zufrieden. Hat Dir das Frackbild gefal-

len? Es sieht gar nicht recht wie mein Gesicht aus, so gesund
und rund, was? Jetzt bin ich noch brauner.

Schluß für heute, ja? Winke winke.

Und Milliardonen Gr u Küßchen

von Deinem ollen Jungen

P. [Kitzbühel] 19. 2. 32

Mein liebes, gutes Muttchen! Vielen Dank für das Kärtchen
im Brief und die anderen Zeilen.

Wir fahren also Sonnabend nachmitag hier weg. Moritz
fährt mit, weil sie in ihrem jetzigen Zustand doch in Paris
nicht filmen kann.

Sonntag sind wir in München. Der «Simplicissimus» will was
von mir. Sonntag abend — ich weiß noch nicht, wann der
Zug geht — geht's Richtung Berlin. Montag morgen komme
ich angeturnt. Hurra!

Heute war wieder prachtvolle Sonne. Ich hab auf dem Hahnenkamm noch bißchen Nachbräune getrieben, weil die
Farbe so sehr rasch verschwindet ...

Milliardonen Gr u Küßchen Dein oller Junge

Berlin, 5. März 32

Mein liebes, gutes Muttchen! Hab vielen Dank für Deinen
Brief. Na ja, hopphopp, nun mußt Du bald den Sekt probieren. Hoffentlich schmeckt er.

Hindenburg wählen, ist im Augenblick das Beste. Noch bes-
ser ist aber: Viel in die Sonne fahren. Tu's doch täglich, ja?
Aber vielleicht besser hinterm Fenster. Draußen müßtest Du
Dir paar warme Decken geben lassen und fest hineinwickeln.
Bei Pollender gibt's doch auch Spargel und Eier und so! E.
mag essen gehen, wo's ihm Spaß macht. Seinen Geburtstag
hatte ich nicht vergessen, hab ihm 20 M für Zigarren in den
Brief getan.

In Erfurt werde ich mich schon vorsehen wegen der Nazis.
Keine Bange, junge Frau. Am Montagmittag fahr ich hin.
Am Dienstag fahr ich nach Leipzig. Am Mittwoch werde ich

zurück sein. Es ist grade Messe in Leipzig. Da kann man nichts machen…

Milliardonen Gr u Küßchen   von Deinem ollen Jungen
genannt: der väterliche Pfefferkuchen

Berlin, 10. März 32

Mein liebes, gutes Muttchen! Na, nun bin ich wieder ziemlich ausgeschlafen. Aber faul bin ich immer noch, es ist direkt eine Schande. Vielen Dank für Deinen lieben Brief. Ich freue mich schon sehr auf das Geburtstagsportemonnaie. Es wird mir sicher gefallen.

Mit NLZ ist alles wieder in Ordnung. Es bleibt, wie es war. Ich soll ein bißchen mehr schreiben, das muß ich eben machen. Paul freute sich riesig. Der Fabian hat ihm großartig gefallen. Aber er traut sich nicht, ihn in den Leipziger Neusten Nachr. zu besprechen. Sie wollen bald heiraten. Dabei hat er durch Kürzungen und Abzüge, nur 440 M im Monat.

Sie haben mir, glaub ich, im Januar gekündigt, weil Natonek nach Berlin wollte. Es scheint sich aber zerschlagen zu haben, und nun war ich wieder gut genug. Das sind Trottels! Im übrigen machen sie feste für Hindenburg Reklame. Lehmann denkt, daß Hindenburg schon im 1. Wahlgang siegt. Das glaub ich nicht. Aber im 2. sicher, der soll im April sein.

Der Sekt liegt in der Kiste. Trink nur regelmäßig. Wenn er alle ist, schick ich wieder welchen. Heute abend ist Volksbühne. Bressart und Wallburg spielen. Das wird sicher sehr komisch. Sicher bringt die Schubert Sachen von mir. Geh nur ja hin. Es wird sicher nett. Und zur 9. Sinfonie besorg ich Dir auch eine Karte. Ich leg Dir ein Scheinchen bei. Und paar Drucksachen.

Übrigens hat Fischer (Komödie) an Frau Meierzack geschrieben. Wegen der Kleinen, was sie für «Pünktchen» haben wollen. Vielleicht klappt's also. Hast du die Wiener Sendung nicht gehört? Berliner und Leipziger Rundfunk haben angenommen. Bremer Theater auch. Es läppert sich. Also, lieber Pfefferkuchen, sei recht vorsichtig, schone Dich sehr.

Milliardonen Gr u Küßchen   Dein oller Junge

Mein liebes, gutes Muttchen Du! Ich bringe jetzt mein Geld
wieder auf die Banken, allmählich, dort ist es zur Zeit besser
aufgehoben. Bei der DD hab ich über 10, bei der Danat über
7; zu Haus auch noch einiges. So ist es mir am wohlsten.
Wenn die Wahlen günstig ausgehen sollten, spar ich wieder
mehr. Andernfalls hat es keinen Zweck. Sonntag bleib ich
hübsch zu Haus. Du aber auch! Auf die Blutwurst, von der
Du schreibst, freu ich mich schon heute.
Gestern abend traf ich John im Theater. Er läßt Dich schön
grüßen und Dir gute Besserung wünschen. Er kriegt Gold-
tropfen für sein Herz und sagt, das wäre sehr gut. Vielleicht
fragst Du mal den Arzt.
Milliardonen Gr und Küßchen   Dein oller Junge

Berlin, 14. März 32
Mein liebes, gutes Muttchen! Na siehst Du, die Wahl ist
recht günstig verlaufen. Und um ein Haar hätte Papa Hindenburg die absolute Mehrheit gekriegt. Bloß 169 000 Stimmen haben gefehlt. Zur zweiten Wahl wird er glatt gewinnen. Du brauchst Dich also wegen des väterlichen Pfefferku-
chens nicht zu sorgen. Die Nazis können ihm nichts tun ...
Natonek sagte übrigens, er hätte die Koffer gepackt. Er risse
aus, wenn Hitler durchkäme. Komische Kerle, wie?
Wenn es Dich nervös macht, mit Tante Lina zu sprechen,
schreib ich ihr. Ich versteh gar nicht, daß Dich das so aufregt,
Pfefferkuchen! Ich will mir so bald wie möglich ein kleines
Grundstück kaufen und kann mein Geld nicht langfristig an-
legen. Basta! Außerdem, unter uns zwei Hübschen, was ich
schon schrieb: Mit Verwandten soll man keine Geschäfte
machen. Das gibt bestimmt Ärger.
Die Geschenke sind wieder mal großartig, mein Muttchen.
Die Frottiertücher und die Krawatte (ich hab sie stolz um)
und das Portejuchhe und die Blutwurst. Alles prima. Hab
vielvielen Dank! Ich hab mich sehr gefreut. & Co schickt Dir
morgen die Kinderbriefe ab, von der Dürerschule. Ich nehme
sie mit, wenn ich bei Dir bin. Das wird, falls ich nach Paris

gondle, wohl doch erst kurz vor Deinem Geburtstag werden. Ich hab noch so gar keine Arbeitslust, mache nur das Nötigste und möchte gern mal wieder 14 Tage nach Frankreich. Vorläufig zähle ich es mir's noch an den Knöpfen ab, ob ich reise.

Laß Dich nur von Emil gar nicht stören, nicht beim Sekttrinken und bei gar nichts! Iß öfter außerhalb! Tu's aber wirklich. Er soll auch essen gehen. Der Arzt hat Dir Ruhe und Alleinsein verordnet. Ich leg Dir ein diesbezügliches Scheinchen bei. Verleb's froh und ruhig! Und frag nach, wo wir hin zur Kur sollen!

Jetzt mach ich Nachmittagsschlummer. Winkewinke!

Milliardonen Gr u Küßchen   Dein oller Junge

Berlin, 21. März 32

Mein liebes, gutes Muttchen! Also, eh ich's vergesse: der Knopf, den Du schicktest, ist genau so groß wie die Bettdeckenknöpfe, so daß Du ein richtiges Maß hast.

Mit Paris sehe ich schwarz. Ich werde es auf Mitte April verschieben. Da ist weniger los mit Film und Theater. Jetzt ist fast jeden Tag irgendwas zu erledigen, und ich möchte mir doch die Leipziger nicht verärgern.

Von «Fabian» ist das 25. Tausend gedruckt worden. Sehr erfreulich. Morgen soll ich noch mal mit Jacobsohn verhandeln. Wegen des neuen Kinderbuches. Ich werde eine schöne Lügengeschichte schreiben, von der kleinen Petersilie im Urwald, wie ich's im Emil-Vorwort begonnen habe. Da lachen die Kinder viel.

Die Zeichnung von den lachenden Kindern ist wirklich hübsch. Das eine Mädchen fällt vor Lachen fast vom Stuhl. Stelle Dir's doch im Zimmer auf, gelt?

Zum Geburtstag Regenschirmchen und Ringelnatz ist noch nicht sehr viel. Da wirst Du fleißig weiterüberlegen müssen, glaub ich.

Heute kriegst Du wieder paar Kritiken und ein Scheinchen. Erkundige Dich nach dem besten Arzt in Nauheim, Muttchen. Denn Du mußt ganz vorsichtig baden. Ich werde nicht viel Kur machen. Nur paar Kohlensäure-Bäder gelegentlich. Hauptsache, wir sind zusammen, und ich schreib das Kinder-buch.

Milliardonen Gr u. Küßchen   Dein oller Pfefferkuchen

30. März 1932

Mein liebes, gutes Muttchen Du!

Das ist ja kindisch, die Abkürzung E übelzunehmen. Das ist ein Spitzname, wie wir uns Pfefferkuchen nennen. Nähme er auch übel. Mach Dir, bitte, ja nichts draus. Über sowas zu är-gern, lohnt nicht.

Mit «Emil»-Film in Amerika ist das so: Die Ufa hat in New York, Chikago und Washington je ein Kinogebäude, wo sie für Deutschamerikaner *deutsche* Filme spielt. Das kann ich nicht verbieten. Nur englisch dürfen sie ihn nicht drehen und vorführen, ohne mir zu zahlen. Verstehst Du den Fall? Also, deswegen ist das Geschäft noch nicht erledigt. Vielleicht ist es, im Gegenteil, eine gute Reklame. Das müssen wir mal ab-warten.

Eben stellen sie vors «Leon» zwei Tische und Stühle. Das sieht fast wie Frühlings-Anfang aus. Hurra! Ich bin recht gu-ter Laune und fühle mich gesundheitlich sehr auf der Höhe. Toi, Toi, Toi. Du schreibst mir noch, ob Du nach Döbeln fährst. Ich will spätestens am 7. April bei Dir sein. Vielleicht noch früher. Und dann machen wir mal 'ne ganze Woche blau. Was? Sekt haben wir also noch im Weinkeller.

«Pünktchen»-Sendung hab ich verschnarcht. Statt des Schaufuß hat ein anderer Junge gespielt, der sehr gut gewe-sen sein soll.

Die Ostertulpen sehn noch wunderbar aus. Zwei Vasen voll. Damit hast Du recht: Onkel Hugo kann einem leid tun, wenn alle so an ihm herumknabbern. Aber sicher wär's ihm anders gar nicht recht.

Gestern war ich in der Oper! «Die Bürgschaft» von Kurt Weill. Er hat zur Dreigroschenoper die Musik gemacht. Aber seine «Bürgschaft» hat mir nicht gefallen. Die Porten ist nett. (Aber pleite!)

Hast Du denn Geld zur Döbeln-Tournee? Ich werde morgen für alle Fälle noch ein Scheinchen schicken.
Milliardonen Gr u K und Ruhe fürs Herz
                    Dein oller Pfefferkuchen

                                        Berlin, 10. Nov. 32
Mein liebes, gutes Muttchen Du! . . . Ich leg Dir paar Kritiken bei und hab Dir den französischen und holländischen «Fabian» schicken lassen. Den englischen hab ich leider noch nicht doppelt. Ich krieg ihn aber sicher ein zweites Mal.
Gestern hörte ich aus London, daß die Jacobsohn die Zusendung der Pünktchen-Klischees (von Triers Bildern) solange verschlampt hat, daß das Buch diese Weihnachten nicht mehr erscheinen kann. Wirklich eine feine Dame! . . .
Moritz verkehrt neuerdings mit mir nur noch durch ihren Rechtsanwalt. Sie will ihre Fotos und Bilder zurückhaben. Und dann mahnt er, ich solle Geld schicken. So ist's mir viel lieber, muß ich sagen. Ende dieses Monats ist Schluß mit dem Geld. Wenn sie dann immer noch haben will, schreib ich ihrem Anwalt, sie sollen mich verklagen. Dann hab ich gleich Ruhe.
Ursula geht's wieder bißchen besser. Sie will, ich soll mich wieder mit ihr anfreunden. Aber das hat ja keinen Zweck. Es wird doch nichts Gescheites wieder. Hin ist hin!
Der «35. Mai» gefällt allen, die ihn lesen, sehr gut. Sieh mal rasch zu, ob Alsberg oder Hirsch so einen Bisamfuttermantel, mit Skunkskragen, haben, und ob er nicht zu schwer ist. Ich freu mich schon sehr drauf. Lene ist ja großartig: wir sollen ihrer Mutter Briketts schicken! Das sollen gefälligst die Kinder tun! Die haben doch auch Geld! Spielt Hoffmann nichts Neues, daß er Dir dafür mal die Karten schickt? Ein Scheinchen leg ich bei.
Milliardonen Gr u Küßchen,   Dein oller Junge

P.   Leipzig, 27. 11. 32
Liebes, gutes Muttchen! Also — fast 1000 Leute im Saal.
Ausverkauft. Viele mußten stehen. Auf dem Podium standen
sogar Stühle. Große Stimmung. Ich soll bald wiederkommen.
Hinterher war ich mit dem Ehepaar Beyer zusammen. Sie
wohnen sehr nett. Nachher treff ich Lehmann und Natonek.
Marguth ist in Düsseldorf Verlagsdirektor geworden. Hat
dieser Kerl einen Dusel.
Morgen mittag geht's nach Hannover. Mal sehn, was das für
ein Städtchen ist. Leipzig hat sich gar nicht verändert. Man
hängt doch sehr an solchen Orten, wo man jahrelang lebte!
Milliardonen Gr u K   Dein oller Junge
Viele Grüße an Papa.

P.   Berlin, 16. 12. 32
Mein liebes, gutes Muttchen! Heute früh kam das Weih-
nachtspaket mit Wurst, Äpfeln und Stollen. Hab vielen, vielen Dank. Einen Apfel hab ich gleich gegessen. Seitdem wieder viel Rennerei. Das wird wohl bis Mittwoch so weitergehen. Sei also nicht böse, wenn ich nur Karten schreib. Aber
ich hab dauernd Besprechungen und eilige kleine Aufträge,
die sich summieren. Die genaue Ankunft schreib ich noch.
Jetzt kommt gleich jemand wegen Pünktchen: französische
Filmgruppe. Nachher mit Preßburger am Kriminalstoff weiterarbeiten. Dann für «Tingel Tangel» noch eine Strophe.
Morgen früh schickt «Berl. Illustrirte» Zeichnungen zu Sil-
vester-Beitrag. Muß Montag fertig sein. Dann treff ich Weill
4 Uhr bei Robitschek. Der will bis Silvester auch noch zwei
Beiträge haben. Kurz: ich bin reif für Dresdner Ruhe. Morgen schick ich wieder einen Stoß Kritiken und paar Sonn-
tagszeilchen.
Milliardonen Gr u K   Dein oller Junge
Viele Grüße an Papa. Was macht der Ulster?

Berlin, 2. Januar 33

Mein liebes, gutes Muttchen! . . . Weller ist heute und morgen da. Eben kam die Antwort vom Finanzamt. Die scheinen das Gesuch überhaupt nicht gelesen zu haben! . . . Ich soll bis 10. Jan. 1000 M, bis 20. Jan. 3000 M einzahlen und den Rest am 1. Februar. Also mein Gesuch wegen der Höhersetzung der Werbungskosten überhaupt nicht beantwortet. Frl. Mechnigs Steuerfritze soll sich einpacken lassen. Na, ich werde morgen 1000 M einzahlen lassen, und dann wird gleich noch ein Gesuch gemacht. Ich bin richtig ärgerlich . . . Es wird schon noch klappen. Ich hab Geduld.

Mein Allerbestes: Miliardonen Gr u Küßchen

und ein Scheinchen   Dein oller Junge

Meran, 27. 3. 33

Mein liebes, gutes, besorgtes Muttchen Du! Vielen Dank für deinen Brief und die Karte. Also, mit dem Draußenbleiben, das kommt gar nicht in Frage. Ich hab ein gutes Gewissen, und ich würde mir später den Vorwurf der Feigheit machen. Das geht nicht. Außerdem bekommt mir das Fortsein immer nur paar Wochen.

Milliardonen Gr. u. Küßchen   von Deinem ollen Jungen

P.   18. 10. 33

Mein liebes, gutes Muttchen! Ich sitz auf dem Tennisplatz und warte, ob sich wer zum Mitspielen findet. Am Nachmittag kommt Karlinchen an, weil nun doch das Segelfliegerstück gespielt wird. Mit Trier ist es nun doch nach zwei Stuttgarter Gesprächen perfekt geworden. Das war eine schwere Geburt. Weller hat sich wie ein Trottel benommen. Aber nun kann, glaub ich, nichts mehr dazwischenkommen. Das Buch wird freilich später erscheinen . . . Heute abend hab ich von Hansen Theaterkarten. & Co soll nächstens in ihrer freien Zeit für ihn arbeiten . . . will ein dänisches Stück übersetzen. Da verdient sie noch bißchen was dazu.

Milliardonen Gr u K   Viele Grüße an Papa.

P.   19. 10. 33
Mein liebes, gutes Muttchen! Gestern abend trafen wir zufällig Nick, und heute werd ich ihn mal besuchen. Frau und
Kinder sind auch in Berlin. Er wurstelt sich so durch.
Weller macht mich noch irrsinnig. Wenn Trier nicht bis zum
1. 11. lieferte, käme das Buch für dieses Jahr nicht mehr in
Frage, hat er mir sagen lassen. Daß es furchtbar spät wird,
weiß ich doch von alleine! Und wenn er Trier noch ein biß-
chen nervös macht, schmeißt der den Kram hin. Na, ich
werde Trier morgen noch einmal besuchen und ihn bitten,
besonders schnell zu arbeiten . . .
Nun will ich mal Karlinchens 2. Akt lesen. So ein fleißiges
Kind!
Das Alpenveilchen blüht schön.
Milliardonen Gr. u. K.   Dein oller Junge

P.   Berlin, 26. 11. 33
Liebes, gutes Muttchen! Karlinchen kam nun also gestern
angerückt und will morgen dabei sein, wenn Wrede seine
Meinung äußert. Morgen abend fährt sie wieder zurück. Sie
grüßt Euch vielmals. Haben die Fasanen geschmeckt? Vielen
Dank fürs Briefchen.
Schick mir doch bitte sofort vom «Fl. Klassenzimmer» das
gedruckte, wenn auch noch ungebundene Umbruchexem-
plar, das in der vorderen Stube liegt. Ich traf den Stemmle
wieder, und er will's rasch lesen, wegen evtl. Verfilmung.
Und die Deva rührt sich ja nicht . . .
Schone Dich nur ja recht sehr, damit Deine Erkältung ganz
fortkommt. Ohsers geht's recht gut. Die NLZ druckt auch
wieder mehr von ihm.
Milliardonen Gr u K   Dein Eduard
Viele Grüße an Papa

Mein liebes, gutes Muttchen! Vielen Dank für Deinen Brief und Wellers Zeilen, die Du mitschicktest. Das ist eine Schlamperei! Himmeldonnerwetternochmal! Na, ich hab gestern einen Alarmbrief losgelassen. Mal sehen, was sie drauf antworten.

Mit Karlinchens Stück scheinen wir Pech zu haben. Wrede sagte, er vermißt eine spannende Handlung im Stück. Mörike sagt genau dasselbe! Wenn ich glaubte, daß die Kerle recht hätten, ginge es ja noch. Aber ich bin gar nicht ihrer Meinung.

Nachher kommt Mörike ins «Leon» herüber. Da will ich mal mit ihm reden. & Co hat das Stück eben zum Dramaturgen der Volksbühne, einem Dr. Ibach, gebracht. Der will's bis morgen lesen. Mal sehen, was er sagt. Hattest Du denn den Eindruck, daß zwischen ein paar von den Schauspielern eine Liebesgeschichte oder so eine Kiste notwendig ist? Weil es sonst nicht genug interessiert? Ich sehe das nicht ein.

Das Wetter geht mir langsam auf die Nerven. Karlinchen sieht wirklich richtig elend aus und war sehr niedergeschlagen, daß sie allein zurückfahren mußte. Hoffentlich klappt irgend etwas mit dem Stück, damit sie nicht noch trauriger wird. Rufe sie doch, bitte, mal an und frage sie, wie's ihr geht. Ja?

Milliardonen Gr u Küßchen   Dein oller Junge

Mein liebes, gutes Muttchen! Nun ist Onkel Eduard schon über eine Woche in Berlin, und es sieht noch gar nicht nach Abreise aus. Erstens muß ich wegen Karlinchens Stück bleiben. Zweitens ist Stemmle, der sehr im Film drin ist, vom «Fl. Kl.» begeistert und will mit mir, obwohl die Firmen meinen Namen nicht gern hören, in den nächsten Tagen ein Exposé für Filmproduzenten ausarbeiten. Drittens soll ich morgen zur Eckersberg, die ein Stück mit mir schreiben will. Viertens muß ich Montag den Reichsverband anrufen, wo mir Hans Richter, der 2. Vorsitzende, einen vorläufigen Bescheid privater Natur geben will, ob sie mich aufnehmen werden oder nicht. Die Fragebogen hab ich schon unterschrieben. Leute, die Mitglied der Liga für Menschenrechte waren, sind wohl eigentlich nicht statthaft. Na, wir werden ja sehen, wie der Hase läuft.

Die späten Abendstunden vertreib ich mir mit einer blonden 20jährigen Schauspielerin, die mich seit dem 15. Jahre liest und liebt. Ein nettes, frisches Mädel. Sie spielt in «Bezauberndes Fräulein» mit ...

Allerbeste! Milliardonen Gr u Küßchen   Dein oller Junge
Grüße für Papa.

8. Dezember 33

Mein liebes, gutes Muttchen! Vielen Dank für Dein Kärtchen. Geh doch recht bald zu einem Herzspezialisten, ja? Recht, recht bald. Damit wir wissen, was dagegen getan werden kann. Bitte, meine Gute!

Heute war ich mit Kilpper zusammen. Er hat einen Herrn aus dem Propagandaministerium angerufen — in meiner Gegenwart —, der auch im Präsidium der Reichsschrifttumkammer sitzt, und hat ihn gefragt, ob schon über meine Mitgliedschaft etwas bekannt sei. Nein, erst müßte der Reichsverband eine Vor-Entscheidung treffen, ehe die Kammer sich damit befasse. Das heißt also: Abwarten.

Hans Richter war gestern immer noch krank. Ich soll ihn am Montag anrufen. Mörike will mit Blunck, dem Präsidenten der Kammer, reden. Und Jürgen von Alten mit Hanns Johst. Kurz, ich tue, was ich kann, meine Allerbeste.

Mein Buch liegt in mehreren Buchhandlungen sogar im Schaufenster! Was sagst Du dazu! Kilpper sagte, er habe noch etliche tausend Exemplare nachdrucken lassen. Für alle Fälle. Das wäre sehr schön, wenn tüchtig verkauft würde. Halten wir die Däumchen!

Die Hesterberg hat 20 M zahlen lassen. Immer großzügig. Ich hab schon paar Chansons begonnen. Aber ich hab sie nicht fertig gemacht, weil sie sich nicht eignen. Vielleicht fällt mir doch noch was Passendes ein. Zum Dresdner Kinder-

stück gehen wir zusammen. Ich freu mich schon drauf. Hoffentlich kann ich hier bald weg. Mal sehen, was Richter am Montag berichtet. Berichtert, sozusagen. Das ist schon ein Geduldsspiel. Ich bin aber guter Laune und laß mich nicht aus der Ruhe bringen. Und das ist die große Hauptsache. Wenn nur Dein Herzchen bald wieder besser würde.
Hast Du bei der Wäsche zu sehr geschuftet? Duuu?
Milliardonen Gr u Küßchen   von Deinem ollen Jungen

11. Dez. 33

Mein liebes, gutes Muttchen! Ich schreib Dir heute nur paar Zeilen. Eben wollte ich auf der Bank etwas Geld abheben. Da sagten sie mir, mein Konto sei leider beschlagnahmt. Deines wohl auch, aber das wollen sie erst durch eine Rückfrage feststellen.
Morgen setz ich mich mit einem Rechtsanwalt in Verbindung. Heute wollte ich Dich nur bitten, die Dresdner Gelder abzuheben. Vielleicht kriegst Du's da noch. Damit wir wenigstens etwas haben, bis wir das andere durch einen Prozeß herauskriegen.
Kopf hoch, Allerbeste! Mir geht's trotzdem gut. In einer Buchhandlung hier standen 17 Stück «Fl. Kl» im Schaufenster. Schön, was?
Milliardonen Gr u Küßchen   Dein oller Junge

14. 12. 33

Mein liebes, gutes Muttchen! Also, ab heute soll das Geld wieder frei sein. Na, ich gehe aber erst morgen wieder hin. Denn vielleicht haben sie's doch noch nicht mitgeteilt, und dann ginge das Theater wieder los. Die polizeiliche Vernehmung war nach 1½ Stunden schon vorüber. Man dachte also, ich lebe in Prag und sei heimlich da, um Geld zu beheben. So ähnlich. Na, Schwamm drüber. Ich erzähl's Dir ausführlicher in Dresden.
Und heute gegen Abend soll ich den Reichsverband anrufen. Hoffentlich klappt das auch. Wart Ihr in «Emil und die De-

tektive»? Wie war's denn besucht? Am Sonntag werd ich noch nicht kommen können. Wenn die Reichsverbandssache klappt, versuch ich gleich, mit Stemmle wegen der Verfilmung vom «Fl. Kl.» was zu erreichen. Und wenn die Verbandssache nicht klappen sollte, muß ich natürlich versuchen, was man noch tun kann.

Ein Glück, daß der Pelz im rechten Moment kam. Das ist ja eine Saukälte, wie? Hoffentlich renkt sich Dein kleiner Magen bald wieder ein. Ja?

Heute abend bin ich wieder mit Weller zusammen. Buhre war in diesen Tagen außerordentlich nett und besorgt meinetwegen.

So, meine Allerbeste, und das Konto Nestorstraße heb ich ab, weil der Filial-Leiter so unverschämt zu mir war.

Milliardonen Gr u Küßchen   von Deinem ollen Jungen
Viele Grüße an Papa.

P.   [Berlin] 19. 2. 34
Mein liebes, gutes Muttchen Du! Nun hat Eduard den 1. Akt fertig und fängt den 2. an. Hast Du die Papiere gefunden? Sonst wüßte ich auch nicht, wo. Buhre, mein Mit-Geburtstagler, sitzt neben mir. Er läßt vielmals grüßen. Gestern war's zum Bosen wieder ganz großartig. Leider kam Stemmle, der Filmfritze, nicht hin, sondern schickte einen Ersatzmann. Motten lassen sich gar keine blicken. Vielleicht sterben sie aus? Das wäre großartig...

Milliardonen Gr u K und frohen Sonntag

                                                  Dein oller Junge
Viele Grüße an Papa

                                        Sonntag, den 8. 7. 34
Mein liebes, gutes Muttchen Du! Ich fahre heute nacht nach Frankfurt. Karlinchen hat selber angeordnet, daß man sie zur Beobachtung in eine Anstalt bringt. Es ist ganz furchtbar! Das Erbe der Eltern scheint durchzubrechen. Gestern nacht war ein Telegramm von Franzi da. Ich habe sofort mit

ihr telefoniert. Heute besucht sie Cara und ruft mich abends um 7 h an. Dann treff ich mich mit Buhre etc. wegen Film, und ½12 h geht mein Zug. Montag früh 9 h bin ich dort. Ich werde *Hotel Carlton* wohnen, wo Karlinchen gewohnt hat. Das arme, arme Ding! Sie hat während eines Anfalls alles aus dem Fenster geworfen. Die letzten Nächte nur noch geschrieben. Franzi will es mir alles geben. Eine Wahrsagerin in Dresden scheint Cara viel Zeug eingeredet zu haben. Sie sähe furchtbar schlecht aus. Und sie hat es sicher in Dresden schon geahnt, denk ich mir. Sie war so melancholisch oft. Hoffentlich geht es vorüber. Wenigstens noch einmal für ein paar Jahre. Mir ist ganz schrecklich zumute. Nun sitzt Franzi mit Hühnerchen in der neuen Wohnung. 400 M hat ihr Karlinchen noch gegeben, ehe sie mit dem Nervenarzt wegfuhr ...

Milliardonen Grüße u Küsse   von Deinem Jungen
Viele Grüße an Papa.

4. Okt. 34

Mein liebes, gutes Muttchen Du!
Endlich mal 'n paar Tage ohne die üblichen kleinen Aufregungen! Ob Kilpper inzwischen etwas erreicht hat, weiß ich nicht. Wenn alle Stränge reißen, lassen wir das Buch in der Schweiz erscheinen. Und der Schweizer Verleger darf es nämlich nach Deutschland liefern. Dann wären wir um die Schwierigkeit herum. Das ist schon ein süßes Durcheinander, was? Na, irgendwie kommt Onkel Eduard immer wieder mit dem Rücken an die Wand. Das wissen wir ja.
Freitag wollte ich mir in Altona Roberts «Kind» ansehen. Fällt aber fort. Wegen einer anderen Generalprobe. So kann ich erst am Sonntag gehn.
Wenn ich wieder in Berlin bin, schreib ich erst einmal eine Woche mit Werner am Drehbuch. Dann komm ich zum Muttchen. Bis dahin werden wir ja auch wissen, was nun mit dem Buch werden wird. Mit den Schneemännern, meine ich. Man kommt aus dem Neugierigsein nicht heraus.
Hier in Hamburg ist es wieder einmal sehr schön. Ich werde

mir einige Stücke anschauen. Und tagsüber den Hafen, die Kunsthalle usw.

Wie geht's Dir denn? Und den kleinen komischen Kniescheiben? Du mußt bestimmt zum Arzt gehen. Sonst wird es schlimmer, statt besser.

Karlinchen hat inzwischen die erste Premiere gehabt. Ich weiß noch nicht, wie sie ausgefallen ist. Na, es wird schon gut gegangen sein.

Also, meine Allerbeste, laß Dir's recht gut gehn. Die 200 M. wirst Du inzwischen gekriegt haben. Sei, bitte, nicht so sparsam! Ja? Ich will das auf keinen Fall. Viele Grüße an Papa u. a. August, den Gesangsstudenten.

Mill. Gr. u. Küßchen   Dein oller Junge

10. 10. 34

Mein liebes, gutes Muttchen Du!

Nun bin ich also wieder in Berlin. Hab vielen Dank für das Kärtchen und die Wäsche!

Was aus dem Buch wird, weiß ich noch nicht. Inzwischen ist nun die Reichsdramaturgie an der Arbeit, Roberts Stück kaltzumachen. Warum? Weil ich ihm bei der Erfindung des Stoffes mitgeholfen hätte. Na ja. Da wird wohl Dresden bald absetzen müssen. Die andern Städte auch. Außer Wien und Ausland. Berlin probiert schon ein andres Stück statt dessen. Gustav Waldau hat einflußreiche Leute mobilisiert, die Schwierigkeiten zu beheben. Aber nützen wird es wahrscheinlich nichts. Er behauptet, es sei *die* Rolle seines Lebens. Mörike u. Robert versuchen auch alles mögliche. Ich erwarte nichts davon, sondern bin trotz allem Ärger blendender Laune und spiele ab heute wieder Tennis. Ich freu mich schon so drauf! ... Hans Wilhelm geht mit Riesengehalt nach Hollywood. Das Attentat von Marseille ist auch allerhand.

Es ist natürlich schade, daß das «Kind» so kurzlebig sein soll. Aber da kann man nichts machen. Der Film ist auch in Frage gestellt. Es ist zum Kranklachen. (Sprich zu niemandem über diese Dinge.)

Ich bleibe noch etwa 'ne Woche hier, um die andern zu trösten. Dann komm ich heim und erzähle Dir alles schön ausführlich. Auch meine Zukunftspläne.... Heute früh rief die Ufa an, ob ich arbeiten dürfte. Das mußte ich nun leider ablehnen. Na ja. Tennisspielen ist ja auch gesünder.
Meine Allerbeste: Macht Euch, bitte, nichts draus, und sei genau so munter und fidel wie   Dein oller Junge
Milliardonen Gr. u. Küßchen   Dein Onkel Eduard
Viele Grüße an Papa
Heute ist eine Sitzung der Bühnenverleger & Co. wegen der Sache. Aber die haben ja auch die Hosen voll.

                                                    11. 10. 34
Mein liebes, gutes Muttchen Du!
Vielen Dank für den Plan... Die Mittwochaufführung wurde angesetzt, weil Schröder auch schon gehört hat, daß ein Verbot droht, und da will er rasch noch ein ausverkauftes Haus mehr haben. Robert tut mir recht leid. Er und der Verleger versuchen täglich, das Verbot doch noch zu verhindern. Aber wir glauben nicht mehr dran. Es wird wohl schiefgehen. Nicht drüber reden! Auch in der andern, in *meiner* Sache (Reichsverband) versuchen wir alles mögliche; heute schick ich einen Einspruch an den Präsidenten der Reichsschrifttumskammer. Weil das Buchverbot etc. unrechtmäßig geschehen ist. Vielleicht nützt das ein wenig.
Es scheint, daß man auf mich besonders schlecht zu sprechen ist, weil im Ausland Klaus Mann in seiner Zeitschrift etwas aus meinen Bänden abgedruckt hat. Und nun glauben die Behörden, *ich* hätte es hingeschickt! So ein Wahnsinn!
Na ja. Wollen wir mal die Daumen und die Ohren steif halten. Tenniswäsche ist sauber ...
Viele Grüße von Werner.
Milliardonen Gr u Küßchen
                    Dein oller unverwüstlicher Junge
Bischoffs Prozeß ist eingestellt worden. Er hat vor Freude paar Tage im Bett gelegen. Jetzt geht's ihm wieder besser.
Viele Grüße an Papa.

Mein liebes, gutes Muttchen Du!

Vielen Dank fürs Sonntagskärtchen. Robert schickt Dir eine Kritik aus Braunschweig mit, die er doppelt hat. Etliche Bühnen haben's abgesetzt. Etliche spielen es noch. Ein heilloses Durcheinander! In den nächsten Tagen sind Robert u. Mörike noch einmal beim Reichsdramaturgen. Mal sehen, ob's was nützt.

Ich war vorgestern mit Dr. Pagel von der Verlags-Anstalt beim Geschäftsführer der Reichsschrifttumskammer zum Tee. Wir haben uns ganz nett unterhalten. Er will noch einmal versuchen, ob in meiner Sache etwas zu machen ist. Na ja, Also abwarten und Tee trinken.

Herti ruft täglich aus Elberfeld an. Die Wunde eitert. Aber sie will trotzdem weg. Es ist ein katholisches Krankenhaus, und sie liegt allein und scheint sich reichlich nervös aufzuführen. Hoffentlich bleibt sie trotzdem noch ein paar Tage liegen. Denn jetzt reisen, wird ihr bestimmt nicht bekommen. In 8 Tagen möchte sie schon wieder zur Tournee stoßen, mitspielen u. Geld verdienen. Da kann man sehr schwer abraten.

Hier trägt sich fast alles mit dem Gedanken, sehr bald ins Ausland zu gehen. Filme, Stücke etc., alles wird verboten, dann erlaubt, dann wieder verboten. Da fällt das Geldverdienen schwer. Na, ich finde, man muß es eben doch versuchen, zu bleiben.

Werner läßt schön grüßen. Bischoff und Lantz u. & Co auch. Ich spiele wieder jeden Tag Tennis.

Milliardonen Gr u Küßchen   Dein oller Junge
Viele Grüße an Papa u. Augustus

P.   Charlottenburg, Silvester 1934
Mein liebes, gutes Muttchen Du! Ich bin gut in Berlin angekommen. Heute hatten sie von Dir einen Tannenstrauß u. Blümchen auf den Schreibtisch gestellt. Hab recht vielen Dank dafür. Nun sieht es sehr gemütlich u. traulich aus. Zum Neuen Jahr wünsche ich uns dreien alles Gute. Vor al-

lem, Liebes, Gesundheit und Nervenruhe! Alles andre wird sich wie immer ganz von selber zum Besten wenden.

Heute um 12 h nachts werde ich auf uns und unser Wohl im Jahre 1935 mit mir selber anstoßen. Das wird sicher helfen. Gelt? Bleib und werde mir wirklich bald wieder ganz richtig gesund!

Milliardonen Gr u K   Dein oller Junge

Viele Grüße an Papa.

9. Jan. 35

Mein liebes, gutes Muttchen Du!

Das Wetter ist ja zum Anbeißen. Nicht? Ich werde also am Freitagabend losgondeln. Hier sage ich, ich führe nach Dresden, denn es brauchen ja nicht alle zu wissen, nicht wahr?

Täglich kommen ausländische Fragen, Depeschen usw. wegen der Filmrechte von den 3 Schneemännern. Na, da ist ja nun leider nichts mehr zu verkaufen. Weil Neuner ja vor Weihnachten sein Stück zur Verfilmung verkauft hat. Nun hat sogar Mörike von ihm noch 550 M Provision gekriegt. Denn Mör. hat sehr gejammert, und er hätte am Film nicht mitverdient u. mit dem Stück nur Unkosten usw. Es war kläglich anzuhören. Na, da hat ihm Robert eben das Geld geschenkt. Mör. wollte bis vors Bühnenschiedsgericht gehn. Glatt die Nerven verloren über Geldsorgen ... Na, nun ist die Sache gütlich erledigt.

Meine Allerbeste, ich werde zirka 4 Wochen bleiben u. dann über Dresden zurückfahren. Ich habe große Lust zu arbeiten u. freue mich schon riesig auf den Schnee ...

Milliardonen Gr u. Küßchen   Dein oller Junge

Viele Grüße an Papa

P.   [Garmisch-Partenkirchen] 14. 1. 35

Mein liebes, gutes Muttchen Du!

In den Hotels gibt es keine Einzelzimmer mehr. Alles vergriffen. Na, da werde ich nachher vielleicht privat mieten. Da kann ich dann auch essen, wann u. was u. wo ich will. Das

wäre das Gescheiteste für meinen komischen Magen, was?
Es schneit ununterbrochen. Ich sah nach kurzem wie ein
Schneemann aus, und die Schnürsenkel waren wie Streich-
hölzer.

So, und jetzt geh ich weiter auf die Bettchensuche. Morgen
dann mehr.

Milliardonen Gr u K   von Deinem Onkel Eduard
Viele Grüße an Papa

                                            15. Jan. 35

Meine Allerbeste!
Ich bin also privat gezogen. Das Zimmer kostet 2.50 M. Gestern hab ich in einem Braustübl Makkaroni gespeist. Das
war sehr schön. Dann hab ich im Park-Kasino beim Roulettespiel 10 Mark gewonnen. Und um 12 h bin ich schon ins
Bett. Heute um 8 h aufgewacht und die Saarübertragung aus
dem Nebenzimmer gehört. Gott sei Dank, daß das nun so
günstig verlaufen ist.

Jetzt sitz ich in einem Café und schau auf die verschneiten
Straßen hinaus. Sehr schön.

Die Adresse ist nun also: Garmisch, Bahnhofstr. 8, bei Schli-
zio, Komischer Name, was? Schreib mir gleich, meine Gute.

Milliardonen Gr. u Küßchen   Dein oller Eduard
Viele Grüße an Papa

P.   Zugspitzhaus, 16. 1. 35
Mein liebes gutes Muttchen!
Nun bin ich hier oben am Kreuzeck. Um 12 h schon Mittag
gegessen! Was sagst Du dazu? Am Nebentisch Reichsmini-
ster Heß mit Familie usw. Und jetzt spazier ich nach Garmisch zurück. Ich finde es sehr schön hier.

Milliardonen Gr u K   Dein oller Junge

Mein liebes, gutes Muttchen Du!
Die Karte, die heute gegen Abend ankam, war gestern zwischen 17 u. 18 h in Dresden gestempelt. Also scheint die Post ja ganz hübsch flott zu funktionieren. Nur von & Co hab ich noch keine Nachricht. Wahrscheinlich hat sie nichts Wichtiges zu erzählen oder zu schicken. Von Nauke kamen 2 Briefe u. eine Karte im Laufe des Tages.
Zu dumm, daß bei Euch so schlechtes Wetter ist. Hier fahren sie den Schnee in Lastwagen fort, damit er nicht im Wege ist. Jeden Tag sind eine Menge sportlicher Veranstaltungen, denn man hält ja die Deutschen Wintersportmeisterschaften ab. Ich trolle überall ein bißchen herum, lese viel, rede mit keinem Menschen. Das tat mir schon in Kitzbühel immer so gut. Wenigstens die ersten 14 Tage.
Abgefahren bin ich *abends* in Berlin. Gegen ½11 h. Da hat sich Herti sicher verschrieben . . .
Das Roulettespiel betreib ich nur selten. Wenn man's nämlich zusammenrechnet, hat man ja doch paar Mark verloren. Im übrigen leb ich hier viel billiger als in Berlin. Esse, wo u. wann's mir paßt. Abends paar Wurstschnitten zu Hause. Sehr fein.
Daß Du Dir ein Kleidchen gekauft hast, freut mich sehr. Du weißt ja, daß ich will, Du sollst Dir mehr gönnen, als Du tust. Ja, «Regine» ist sehr schön. Na, nun will ich mal bißchen den Tanzpaaren zuschauen. Als netter, ältrer Onkel.
Milliardonen Gr u Küßchen   Dein oller Junge
Viele Grüße an Papa

P.   [Zoeppritzhaus am Kreuzeck] 23. 1. 35
Mein liebes, gutes Muttchen!
Ein Sonnentag nach dem andern. Es ist schon herrlich. Hier oben bin ich jetzt fast jeden Tag und laß mich schmorbraten. Nun verschwindet die Sonne bald hinter den Bergen. Dann wird's mit einem Schlag eiskalt. Drum verzieh ich mich schnell. Mill Gr u K   Dein oller Junge
Viele Grüße an Papa

Regina Palast Hotel, München, 6. 2. 35

Mein allerbestes Muttchen! Hab vielen Dank für Deinen lieben Brief. Die Karten, die Du mir geschrieben hast, sind alle angekommen. Heute mittag bin ich noch einmal auf dem Kreuzeck in der Sonne gewesen. Dort traf ich den SS-Mann Heinrich, also Hellbergs Bruder, mit seiner Freundin. Sie hat eine Erbschaft gemacht, und da reisen sie ein bißchen herum. Vorhin haben sie mich zur Bahn gebracht. Jetzt ist es abends, und ich sitz in München. Nachher werde ich mir mal den Fasching ein bißchen betrachten. Morgen treff ich einen Verleger. Dann will ich bald nach Berlin . . . und dann such ich ja einen zahlungsfähigen Verleger für Emil No. 2. Na ja . . .

Mill Gr u Küßchen von   Deinem jungen Papa
Viele Grüße an Papa

P.   [Garmisch-Partenkirchen] 4. 2. 35

Mein liebes, gutes Muttchen!

Hier herrscht heute wieder mal das reinste Mischwetter. Es regnet Bindfäden in den Schnee hinein. Und der Föhn, ein toller Südwind, hat Fahnen und was sonst heruntergerissen. Na, aber wenn nur noch einen Tag die Sonne schiene, wäre mein Ausharren belohnt. Momentan sieht's allerdings gar nicht danach aus. Schorsch ist heut früh zeitig wieder nach Innsbruck zurück. Es war mal sehr nett, ihn wiederzusehen. Aber allein, wie nun wieder, gefällt mir doch am besten. Jetzt trolle ich gemütlich zum Mitagessen. Winkewinke!

Mill Gr u K   Dein oller Eduard
Viele Grüße an Papa
Und an den Ritzenputzer.

P.   [Berlin] 8. 2. 35

Mein liebes, gutes Muttchen Du!

Na, ich bin gut angekommen, habe die Stullen gegessen, die Burg aufgestellt (es war gut, daß Du numeriert hattest), und nun schreib ich Dir, ehe ich ausgehe, rasch noch dieses Kärtchen.

Dem Magen geht es schon wieder besser. Schickt mir doch aus den «Dresdner Neuesten Nachr.» den Bericht von dem Flugzeugabsturz in München. Hat wohl im Sonnabendblatt gestanden. Ich will mir's als Stoff aufheben. Post ist nicht viel angekommen. Der englische Vertrag. Wieder mit Cape. Brooks rät mir zu. Wenn doch endlich einmal mehr Geld dabei zu verdienen wäre! Na ja, Geduld u. Spucke.
Mill Gr u K   Dein oller Junge
Pflege Dich gut! Grüße an Papa

P.   [Berlin] 11.2.35
Mein liebes, gutes Muttchen Du!
Vielen Dank fürs Sonntagskärtchen und die Zugspitze. Heute nachmittag waren Herti, Peter Francke und ich im Grunewald spazieren. Jetzt hab ich kalte Füßchen, war bei Nikoleit, den neuen Anzug probieren, u. jetzt ist's gleich 7 h. Ich sitze neben dem «Atrium» in einer Kneipe. Dann will ich ins Kino. «Frühjahrsparade» mit Franziska Gaal. Es soll sehr lustig sein. Brötchen u. Wurst hab ich gekauft. 9 h fahr ich heim, esse Abendbrot u. lese. Morgen bin ich bei Maschler. Das Prop.-Minist. hat sich beschwert, weil die Schneemänner in den Schaufenstern lägen. Das kann doch nicht verboten sein. Was? Na ja. Fassen wir uns in Geduld. Jeden Tag Angebote wegen Verfilmung. Heute wieder zwei Angebote. Chronos hat Robert Abrechnung geschickt. Doch kein Geld. Wird auch noch werden. Mill Gr u K   Dein oller Junge
Nauke bringt Kanappee erst im 2. Programm.

P.   [Berlin] 21.2.35
Meine Allerbeste!
Vielen Dank fürs Kärtchen. — Hör mal, & Co läßt fragen, ob mein Kaffeetopf mit dem Sieb aus Dresden ist. Ich weiß es nämlich nicht, und im Kadewe gibt es denselben nicht und auch keine passenden Ersatzteile ... Meine Gute, zum Geburtstag wünsch ich mir nichts, als daß wir gesund beisammen sind und von niemanden für die nächste Zeit geärgert

werden, damit wir schön rund und rosig aussehen. Professor Grödel ist nicht mehr in Nauheim, sondern in Amerika. Warum, kannst Du Dir denken. Das ist ein großer Verlust für den ganzen Ort. Und mein früherer Berliner Arzt schrieb mir auch von drüben. Er ist dort Universitätsprofessor geworden. Geburtstagsessen? Da weiß ich etwas ganz Neues: Makkaroni mit Schinken! Am Sonnabendmittag fahre ich hier los. Ich freu mich so. Mill Gr u K

Dein oller Junge

P. Berlin, 9. 3. 35
Mein liebes, gutes Muttchen Du! Ich war 'ne Stunde spazieren und jetzt habe ich ganz steife Finger. Ein Glück, daß der Pelz noch hier ist. Jetzt geh ich heim, abendbroten. Dein hausbacknes Speckfett schmeckt einfach hinreißend!
Vielen Dank fürs Kärtchen vom Hirsch. Heute rief Weller an, um mir mitzuteilen, daß die «3 Schneemänner» ein ganz schlechtes Buch seien. Er sei beim Lesen geradezu entsetzt gewesen!
Na, mir blieb ziemlich die Spucke weg. Aber von Büchern hat er, obwohl er Verleger war, ja noch nie sehr viel verstanden.
Herti befindet sich sehr in der Nähe eines kleinen Nervenzusammenbruchs. In dem Kabarett ist aber auch jeden Tag irgendein Krach im Gange. Immer was Neues, und nischt Gescheits . . .
Mill Gr u K Dein oller Junge
Viele Grüße an Papa

P. [Berlin] 12. 3. 35
Mein liebes, gutes Muttchen Du!
Wie geht's Dir denn? Ist die dumme Erkältung immer noch im Gange? Mir geht's ganz fidel. Am Donnerstag kommt einer aus München, wegen der Schneemänner, Film, weil sie etwas Ähnliches drehen wollen. Ich kriege vielleicht eine kleine Abfindung, damit ich nicht muckse. Auch sonst ist ei-

niges in Aussicht. Aus Paris wieder eine Anfrage wegen Verfilmung. Nun ja! Was nicht geht, geht nicht.
Mit Herti wird's langsam wieder etwas besser. Sie macht die
Proben fürs 2. Programm mit, und das wird sie wohl ein bißchen ablenken. Recht gute Besserung, mein gutes Muttchen.
Mill Gr u K   Dein oller Junge

27. 3. 35

Mein liebes, gutes Muttchen Du! Vielen Dank fürs Kärtchen. Pech, daß wir mit den vielen Losen von der Winterhilfe
keine Prämie gewonnen haben, was?
Robert schickt Dir einige Züricher Kritiken in Abschrift,
weil Du Dich doch dafür interessierst, läßt er sagen. Er arbeitet jetzt an seinen Entwürfen für Theaterstück und Film, zu
seinem Einfall von den fünf Leuten, die gemeinsam ein Los
gewinnen. Das kann recht hübsch werden. Auch sonst hat er
allerlei vor. Manchmal erzählt er mir davon.
Jetzt hat man alle Nichtarier aus dem Reichsverband der
Schriftsteller hinausgetan, und nun wissen sie gar nicht
mehr, was sie machen sollen . . .
Franzels Karte lege ich Dir bei. Grüß ihn schön, und ich
freue mich sehr, wenn er ein paar Tage bei mir wohnt. Ten-
niszeug kann er, wenn er Lust hat, auch mitbringen. Denn
ich spiele jeden Tag.
Du mußt nur mit ihm einen passenden Termin besprechen,
da ich gern möchte, daß Du zu Deinem Geburtstag wieder
einmal in unser olles Berlin kommst und etwa 'ne Woche
hierbleibst. Was hältst Du davon? . . .
Wenn hier im April die Sonne scheint, wirst Du fein braun
werden. Ich sehe, vom Tennis, sehr gesund aus. . . .
Nimm doch vorm Schlafen Baldrian! Gelt?
Mill Gr u Küßchen   Dein oller Junge
Und viele Grüße an Papa

P. [Berlin] 26. 4. 35

Mein liebes, gutes Muttchen Du! Vielen Dank für den Brief mit Mariannes Karte und für Dein Kärtchen von gestern. Ich hab Dir ein bißchen wenig geschrieben, gelt? Hatte aber ein paar Besprechungen in der Stadt, die zu nichts geführt haben. Nur Fahrgeld gekostet. Auch sonst bin ich ziemlich fleißig. Ob Dir die Kneipp-Kur gut bekommt, wirst Du ja sehen. Die Wäsche wird rechtzeitig abgezogen und geschickt.

Schreib mir doch, bitte, Karins Geschäftsadresse, damit ich ihr die «3 Männer» schicken kann. Es freut mich, daß sie gut aussah. Und Ludwig hat die letzten Bilder vergessen. Und Beyer hat eine Tochter. Was so alles passiert, während ich im Leon herumsitze und Kinderbücher schreibe. Was? Los, Onkel Eduard, an die Arbeit!

Milliardonen Gr u K   von Deinem ollen Jungen
Viele Grüße an Papa

P. [Berlin] 11. 5. 35

Mein liebes, gutes Muttchen Du! Heute geh ich mal zu Blau-Weiß. Da spielt auch die kleine Ullstein. Und das Wetter ist prima.

Hast Du in der Zeitung gelesen, daß «Katakombe» und «Tingel-Tangel» geschlossen werden mußten? Da haben Du und Franz es wenigstens vorher noch gesehen. Na, ja.

Sieh Dich bitte bei der Wäsche gut vor! Und gib acht, daß Du Dich nicht bückst! . . .

Hoffentlich kommst Du ein bißchen ins Sonnchen, am Sonntag. Und spare nicht so doll!

Mill Gr u K   Dein oller Junge

P. [Berlin] 13. 5. 35

Mein liebes, gutes Muttchen Du!
Habe vielen Dank fürs Sonntagskärtchen. Heute hab ich Dir schon wieder 3 neue Schneemänner geschickt. Diesmal die italienischen. Und Notizen zum Aufheben. Am Mittwoch kommen, glaub ich, die beiden neuen Regale. Da hab ich Ar-

beit mit Umräumen. Aber ich freu mich darauf, endlich Ordnung ins Arbeitszimmer zu kriegen.

... Ich mache mir das Leben bequem. Habe heute wieder 2 Stunden Tennis gespielt. Mach Dir's nur auch recht gemütlich! Hörst Du? Ich werde bald wegen des «Emil» an die Ostsee müssen. Nicht sehr lange. Aber ich muß mir mal wieder alles anschauen.

Mill Gr u K   Dein oller Junge
Viele Grüße an Papa

19. Mai 35

Mein liebes, gutes Muttchen Du!

Vielen Dank fürs Kärtchen. «Rienzi» kenn ich nicht. Aber ich glaub Dir's, daß so was, noch dazu auf einem schlechten Platz, nicht lustiger stimmt.

Daß das Einnehmen gegen Ischias so angreifen soll, ist ja sehr dumm. Ob Du nicht doch zu einem Spezialisten spazierst? Hm? Mach's doch mal!

In diesen Tagen schreib ich grade wieder über Frau Friseuse Tischbein und Emil. Und Wachtmeister Jeschke will Frau Tischbein heiraten! Was sagst Du dazu. Wollen wir unsre Einwilligung dafür geben?

Na ja, so ist das. «3 Männer» sind 12. u. 13. Tausend gedruckt worden. Ganz hübsch, was? Die Übersetzung einer dänischen Kritik lege ich Dir bei. Sehr fein. In Kopenhagen erschienen. ... Von den Listen, was ins Schaufenster darf, hab ich auch gehört.

... Laß Dich zu Hause nicht ärgern! Nun, meine Gute, wird gearbeitet. Mill Gr u Küßchen von   Deinem ollen Jungen

P.   [Berlin] 4. Juni 35

Mein liebes, gutes Muttchen Du!

Vielen Dank fürs Kärtchen. Falls ich noch einmal nach Rostock kommen sollte, besuche ich das Zigarrengeschäft einmal. Ich habe fast drei Tage am 20. Kapitel herumgekrebst. Aber nun geht's hoffentlich schneller weiter. Mitte des Mo-

nats möchte ich mit der Rohschrift fertig sein ... Gestern
war ich in der Rostocker Heide und bin ganz hübsch von den
Mücken gestochen worden. Mit Gr. u. K. Dein oller Junge

6. 6. 35

Mein liebes, gutes Muttchen Du!
Vielen Dank für Dein Briefchen. Die Post kommt hier immer erst mittags nach 3 h an, und dann bin ich grade irgendwo zum Schreiben. Oder wie heute auf der See. Mit
dem Motorboot, das dem hübschen weißhaarigen Kapitäns-
leutnant a. D. gehört. Erinnerst Du Dich vielleicht an den
noch?
Ich arbeite wie ein Transportarbeiter. In einer Woche etwa
bin ich fertig. Dann wird's ins Reine geschrieben.
Herti werde ich Ende der Woche auf ein paar Tage herkommen lassen. Dann bin ich mit Emil II schon fast fertig.
Heute schickte mir & Co den japanischen «Emil» mit. Ganz
reizend! Ich bring ihn mit nach Dresden. Ich denke, daß ich
Ende des Monats auf 'ne Woche anrücke. Dann mußt Du
auch das Emil-II-Manuskript lesen. Ich freue mich drauf.
Auch auf das nächste Buch, das ich vielleicht in Dresden anfangen werde. Wenn man nur schon wüßte, wo man es gut
unterbringt. Zu dumm, wie schwer das alles geworden ist,
was? Manchmal könnte man gleich den Bleistift in die Ecke
knallen und die Arbeit abbrechen. Na, ich wurstle dann doch
immer wieder weiter. Ist ja klar ...
Ich lege Dir ein Scheinchen bei. Für Döbeln zum Verjuxen.
Verjux es gesund, meine Allerbeste! Und grüße alle schön!
Hoffentlich kriegst Du noch Zimmer in der «Sonne», wenn
Du nicht bestellst. Werden doch von außerhalb welche kommen.
Mill Gr u K   Dein oller Junge
Viele Grüße an Papa

P. 15.6.35

Mein liebes, gutes Muttchen Du! Vielen Dank für Dein Kärtchen. Es tut mir so leid, daß Du mit Deinem Fuß solche Sorgen hast. Nun sage aber einmal: Wenn es so ist, wie Du schreibst, läßt sich dann die Sache nicht mit Bestrahlungen u. Bädern usw. kleinkriegen? Denn für Dein Herz wäre das doch sicher besser als ein operativer Eingriff! Ich komme am Montag nach Hause. Bis dahin will ich meine Kindergeschichte fertigkriegen, die ich für New York schreibe. Und dann besprechen wir erst alles in Ruhe. Vielleicht gehen wir auch zu einem andern Arzt, um dessen Meinung zu hören. Schone Dich inzwischen sehr. Rollen und plätten darfst Du jetzt nicht. Hörst Du? Gib die Sachen weg!

Mill Gr u K   Dein oller Junge
Viele Grüße an Papa

Warnemünde, den 16. 6. 35

Mein liebes, gutes Muttchen!
... Der Emil II ist fertig. Nur & Co hat noch damit zu tun. In einer Stunde geht das Trajekt. Mittwoch bin ich wieder in Warnemünde zurück.

Milliardonen Gr u Küßchen   von Deinem ollen Jungen
Und ein paar Fotos für Dich!

P. Kopenhagen, 17. 6. 35

Mein liebes, gutes Muttchen Du!
Gestern abend zur Ankunft regnete es mächtig. Aber heute scheint die Sonne. Und in allen Buchhandlungen liegen die dänischen «Schneemänner» im Schaufenster. Manchmal 4, 5 Stück nebeneinander. Da wird einem ganz komisch zumute.

Milliardonen Gr u K   Dein oller Junge
Viele Grüße an Papa

P.   [Berlin] 19. 6. 35
Mein liebes, gutes Muttchen Du!
So, jetzt geht's wieder mal nach Warnemünde. Es war wieder
einmal sehr schön in dieser wunderschönen Stadt. Und in jedem Fenster das Buch. Leider sind die Kritiker teilweise sehr
unfreundlich. Na, da kann man nichts machen. Viele Grüße
an Papa.
Mill Gr u K   Dein oller Junge

       Warnemünde, Hotel Hübner, 22. 6. 35
Mein liebes, gutes Muttchen Du! Gestern endlich, nach 3
Wochen, wieder einmal Tennis gespielt. 2 Stunden lang. Mit
einem Berliner Trainer, der in der Saison die hiesigen Ten-
nisplätze hat. Na, und nun hab ich einen riesenhaften Mus-
kelkater. Aber ich spiele trotzdem um 5 h wieder. Sonst wer-
den die Knochen steif.
Veit und Smetana sind mit ihrem Auto hier. Es sind zwei
Bühnenmaler aus Berlin. Ich habe ihnen Müritz, Doberan,
Heiligendamm gezeigt. Gral gefiel ihnen am besten.
Der Smetana ist der Sohn der Firma aus der Prager Straße.
Ulkig, was? ...
Morgen nachmittag geht's nach Berlin zurück. Ich muß das
Manuskript korrigieren. Und mit dem Verleger verhandeln.
Und noch so ein paar Arbeiten.
Dann aber, sobald wie irgend möglich, komm ich zu dir.
Milliardonen Gr u Küßchen   von Deinem ollen Jungen

P.   [Berlin] 24. 6. 35
Mein liebes, gutes Muttchen Du!
Also, da wär ich wieder einmal in Berlin. & Co schreibt an
den letzten Kapiteln, und am Mittwoch wird das Manuskript
abgeliefert. Dazwischen arbeite ich schon das nächste Buch
vor. Bin aber noch ein bißchen zapplig und werde mal heute
lieber Tennis spielen ...
«Drei Männer» für Schrecks bringe ich mit. Und für Dich
was ganz Feines: den Japan-Emil! Haben doch 2 Exemplare

gekriegt. Und einen echten Kimono, prächtig. Statt Tantiemen. . . .

26. 6. 35
Mein liebes, gutes Muttchen Du! . . . Aber es ist 'ne Menge zu erledigen. Buhre hat eine Filmarbeit gekriegt, und ich helfe ihm ein bißchen, damit es gut wird. Er ist mächtig stolz. Dann muß ich noch mit Trier wegen Illustrierung des neuen «Emil» reden.
Pagel will mich heute sprechen. Maschler morgen. Stemmle auch noch.
Die Hitze ist einfach toll. Ich habe gestern abend eine Stunde Tennis gespielt. Aber es ist nicht zu machen. Ich war naß wie eine gebadete Maus.
Heute schick ich Dir noch ein paar Fotos von der See. Und aus Dänemark. Zum Teil ganz nett.
Nachher kommt jemand aus Amsterdam, der drüben in Holland Sachen von mir übersetzen will. Auch Kurzgeschichten. Kleinvieh bringt auch Mist . . .
Mill Gr u Küßchen   von Deinem ollen Jungen
Viele Grüße an Papa u. gute Besserung!

P.   Berlin, 20. Juli 35
Mein liebes, gutes Muttchen Du!
Pfui, heute ist aber ein schwüler Tag! Eigentlich sollte man baden fahren. Aber es ist keiner unsrer «Chauffeure» da, mit denen wir hinausfahren können. Herti muß außerdem zum Rundfunk.
Wir sind jetzt viel mit Ohser zusammen, weil seine Frau in Marburg ist. Da ist er Strohwitwer und reißt zu Hause aus. Mit den Korrekturen bin ich noch nicht sehr weit. Wir sitzen oft im größeren Kreis zusammen und sind sehr fidel. Peter Francke hilft fleißig mit. Heute abend muß er allerdings geschäftlich nach Berchtesgaden. Ich denke noch mit Schrekken daran, wie wir damals die steilen Straßen in Berchtesgaden sahen. Oweh!

Na, und jetzt geh ich mit Ohser Lochbillard spielen. Und dann mit Pinelli Tennis.

Mill Gr u K und frohen Sonntag   Dein oller Junge
Viele Grüße an Papa

16. August 35

Mein liebes, gutes Muttchen Du! ... Herti hat am Sonnabend wieder eine Sendung mit Brausewetter. Irgend etwas mit «Sonntag» im Titel. Sie gibt sich viel Mühe mit Film und so, aber es ist noch nichts Richtiges geworden. Finck und die andern Männer vom Kabarett, die im Lager waren, dürfen wohl bis zum nächsten Jahr überhaupt nicht beschäftigt werden! Das ist natürlich sehr schlimm für die Jungen. Denn manche haben doch keinen Pfennig Geld! Aber vielleicht erlaubt man sie doch früher wieder.

Ich sitze im Kimono als Telefonfräulein im Arbeitszimmer, weil doch & Co nicht da ist. Und es klingelt sicher, wenn ich in der Badewanne sitze. Na, meine Allerbeste, da will ich mal rasch baden gehen. Winke winke.

Mill Gr u Küßchen   Dein oller Junge
Viele Grüße an Papa

P.   Berlin, 20. August 35

Mein liebes, gutes Muttchen Du! Vielen Dank für die Wäsche, das Briefchen drin und für das schöne blanke Glücksgeld. Ich hab's gleich ins Glücksfach vom Portemonnaie gesteckt. Vorgestern war ich bei Trier. Mit Ohser. Die Zeichnungen für Emil II sind sehr hübsch. Aber vom Verlag höre ich nichts. Will aber auch nicht anrufen, weil er doch herumgemeckert hatte. Na, das Glücksgeld wird schon alles in Ordnung bringen. Gelt? Wem ich das neue Buch geben soll, weiß ich auch noch nicht. Ob Rascher? Wenn er genug Vorschuß zahlt, vielleicht. Muß nächstens Klarheit schaffen, damit wieder an jedem Monatsersten etwas Geld eintrudelt.

Ich erwarte in diesem Monat noch Geld aus Stuttgart. Quartalsabrechnung u. von Rascher. Dann schicke ich Dir gleich.

214

Bis dahin sei so lieb und leg aus, ja? . . . Mache Dir keine Sorgen, Allerbeste. Und hoffentlich kriegst Du Deine Kreuzschmerzen bald gänzlich weg! . . .

Mill Gr u K   Dein oller Junge
Nachher spiel ich Tennis.
Viele Grüße an Papa

P.   Berlin, 21. 8. 35
Mein liebes, gutes Muttchen! . . . Ich habe mit dem deutschpolnischen Lesebuch viel zu tun. Dauernd wollen sie etwas andres korrigiert haben. Da wächst einem der Bart durch den Tisch.

Heute kam Ohser auf dem Fahrrad vor dem «Leon» vorgefahren. Das sah sehr fidel aus. Dann kriegte er das Sicherheitsschloß nicht auf und mußte sein neues Rad mit dem Taxi wieder ins Geschäft fahren. Wir haben sehr gelacht.

Mill Gr u K   Dein oller Junge
Viele Grüße an Papa

                                                 23. August 35
Mein liebes, gutes Muttchen Du! . . . Na, Anfang der Woche kommt & Co wieder. Da muß ich erst einmal ein paar Tage Briefe diktieren. Das Finanzamt will ferner über meine Ausgaben eine genauere Aufstellung haben. Sonst wollen sie mich höher veranschlagen. Da kennt sich & Co besser aus als ich. Am Roman hab ich wieder anderthalbe Stenogrammseiten gepinselt. Heute schreib ich's auf hochdeutsch um und leg's für & Co zurecht, damit sie's gleich abschreibt, wenn sie zurück ist. . . .

Mill Gr u Küßchen   von Deinem ollen Jungen
Viele Grüße an Papa

P.   Berlin, 20. Sept. 35
Mein liebes, gutes Muttchen Du!
Nun, ich bin gesund und munter in Berlin eingetroffen. Der
Zug war voller, als wir dachten. Aber es ging ganz gut. Hier
ist alles in Ordnung. Auch die Steuer. Herti probiert bei der
Straub und ist wieder einmal sehr unglücklich. Die andre Sa-
che, die sie wegen des Straub-Engagements aufgegeben hat,
war wohl dankbarer.
Ich habe das 7. Kapitel gestern nicht zu Ende geschrieben.
Heute fang ich das 8. Kap. an. Ob ich zu Blau-Weiß fahren
werde, weiß ich noch nicht ...
Und heute abend gibt's Schinkenfettbrote. Das wird großar-
tig. Waren sie im Albertplatz da, als Ihr hineinkamt?
Es war sehr schön zusammen. Gelt?
Pflegt Euch sehr. Das Einnehmen nicht vergessen!
Mill Gr u K   Dein oller Junge
Viele Grüße an Papa

P.   [Berlin] 25. 9. 35
Mein liebes, gutes Muttchen Du!
... Im Augenblick ist es hier im «Leon» so dunkel, daß ich
kaum sehen kann, was ich schreibe. Und dabei ist es erst um
3 Uhr.
Das Zugunglück ist ja sehr traurig. Hoffentlich hast Du
Dich nicht zu sehr aufgeregt. Ja?
Von Emil II hab ich nicht Neues gehört. M. ist, glaube ich,
gestern dorthin gefahren, wo er gedruckt wird.
Herti ist nicht mehr so nervös wie in den ersten Tagen. Sie
kann ihre Rolle nun besser, und da legt sich ja die Nervosität
rasch. Am 2. Okt. ist die Premiere im Theater am Kurfür-
stendamm. Und ich bin ziemlich fleißig. Gleich geht's weiter.
Ende 9. Kapitel.
Mill Gr u K   Dein oller Junge
Viele Grüße an Papa

P.   7. Okt. 35
Mein liebes, gutes Muttchen Du!
Entschuldige, daß ich gestern nicht schrieb. Aber bei mir ist
Großbetrieb. Jeden Tag kommt ein Paket Emil-Korrektu-
ren.
Und der Kriminalroman steht kurz vorm 15. Kapitel. Mo-
mentan verwechsle ich die zwei Bücher schon beinahe mit-
einander. Und dann immer Verträge machen und wegschik-
ken. Und das Titelbild ist noch nicht klischiert. Muß aber
auch jeden Tag kommen. Es herrscht richtiger Hochbetrieb.
Wie im Frieden. Nur daß die Post immer so weit geht. Die
Zeichnungen für das Buchinnere sind schon geätzt. Sie sehen
sehr hübsch aus.
Bald mehr. Ich bin richtig bißchen abgehetzt.
Mill Gr u K   Dein oller Junge
Viele Grüße an Papa

P.   Berlin, 8. 10. 35
Mein liebes, gutes Muttchen Du!
Heute kamen Belege der «3 Männer» vom 14. und 15. Tausend. Schön, was? Die Verhandlungen zwischen Deva und
dem neuen Verlag wegen des «Fl. Klassenz.» sind noch nicht
ganz in Ordnung. Kilpper verlangt vorläufig noch zuviel.
Emil-Korrekturen steht noch ein Teil aus. Wird wohl morgen kommen. Also es klappt alles ganz hübsch.
Seit zwei Tagen habe ich hier eine enorm wichtige Verhand-
lung. Die Leute waren deswegen schon bei Hinkel usw. Mal
sehen, ob etwas draus wird. Ich glaube zwar nicht dran. Aber
wenn's schief geht, ist es ein gutes Zeichen. Ich erzähle Dir's,
wenn ich in Dresden bin. Vorläufig wird noch feste geschuftet.
Mill Gr u K   Dein oller Junge
Viele Grüße an Papa und vielen Dank für die Karte

P.   [Berlin] 11. 10. 35
Mein liebes, gutes Muttchen Du!
Die Korrekturen waren nun alle da. Jetzt habe ich sie zurückgeschickt und hoffe, recht bald den Umbruch zu kriegen. Da muß das Ganze ja noch einmal korrigiert werden.
Der Roman ist beim Anfang des 16. Kapitels. Ich arbeite ihn
in Dresden zu Ende und überarbeite dann das ganze Manuskript noch einmal sehr gründlich.
Hat Papa Bäder und Diathermie verschrieben bekommen?
Ich wünsche ihm recht gute Besserung.
Das große Projekt hat sich zerschlagen, weil man mir's nicht
erlaubt hat. Na, ist nicht schlimm. Ich habe ja auch so genug
zu tun. Wäsche ist heute fort. Wird also pünktlich zu Hause
sein, denke ich.
Die Gelder, die anstehen, kommen wieder mal sehr unpünkt-
lich herein . . . Daß alle so trödeln, geht doch zu weit. Heute
hab ich Tennis gespielt!
Mill Gr u K   Dein oller Junge
Viele Grüße an Papa

P.   Berlin, 17. 10. 35
Mein liebes, gutes Muttchen Du!
Vielen Dank fürs Kärtchen. Franz muß sich mit der Kritik an
seinem Gedicht schon noch ein wenig gedulden. Denn ich
habe jetzt jeden Tag ein strammes Paket Korrekturen zu erledigen. Nun kommt der Umbruch mit den Illustrationen.
Da müssen Unterschriften drunter. Und das Umschlagbild
hab ich immer noch nicht gekriegt. Und alles mit Briefen hin
und her! Puh! Na . . . noch ein paar Tage. Dann hab ich's ge-
schafft. Anfang der Woche kann ich dann weg. Dienstag
oder Mittwoch, schätz ich. Der Emil II wird fast 300 Druck-
seiten stark. Das dickste Kinderbuch bis jetzt.
Beim Roman beginne ich heute mit dem 18. Kapitel. Werde
ihn in Dresden nur zu korrigieren brauchen. Das allerdings
gründlich. Weil ich ja hintereinander geschrieben habe, ohne
das Geschriebne noch einmal durchzulesen. Na ja. Es wird
schon alles klappen.

Geht's Euch halbwegs? Ich freu mich sehr auf zu Hause.
Hoffentlich haben wir schönes Wetter.
Mill Gr u K   Dein oller Junge
Viele Grüße an Papa

P.   [Berlin] 19. 10. 35
Mein liebes, gutes Muttchen Du!
Vielen Dank fürs Kärtchen. Ich sitze wegen des Titelbilds
und wegen einiger andrer Klischees wie auf Kohlen. Heute
ist wieder nichts gekommen. Und ich möchte doch unbedingt erst alles gesehen haben, ehe das Buch ausgedruckt und
gebunden wird. Sonst stimmt dann etwas nicht, und wir ärgern uns scheckig. — Spätestens Dienstag, Mittwoch, haue
ich aber hier ab. Bis dahin hab ich dann auch das neue Buch
fertig und korrigiere es komplett zu Hause. Das Wetter
möchte besser werden. Es ist stürmisch und regnerisch. Und
mit dem Tennisspielen ist es wohl für dies Jahr ziemlich aus.
. . . Euch beiden lahmen Hühnerchen wünsch ich recht, recht
gute Besserung. Winkewinke
Mill Gr u K   Dein oller Junge

P.   [Berlin] 2. 11. 35
Mein liebes, gutes Muttchen Du!
Vielen Dank für die Karte. Ja, mit dem Wetter waren wir ja
gründlich hineingefallen. Das muß man sagen. Gestern und
heute, so ein Wetter! Wir waren gestern gleich mit Böhmelts
neuem Auto in Potsdam. Schön, so durch den Herbst zu fah-
ren . . .
Die Stullen haben gut geschmeckt. Und das Schmalz ist
großartig. Gestern bekam ich auch ¼ Pfund Butter. Und am
Dienstag wieder. Du siehst, ich lebe wie ein Krösus. . . .
Herti hat sich die Haare nicht färben lassen und spricht wohl
auch die Rolle nicht. Aber nächste Woche hat sie ein paar
Tage Film. Recht frohen Sonntag!
Mill Gr u K   Dein oller Junge
Viele Grüße an Papa

P.   [Berlin] 8. 11. 35
Mein liebes, gutes Muttchen Du!
Na, die Korrekturen werden wohl inzwischen in M. Ostrau
eingetroffen sein. Sonst hätte mir's der Verlag sicher mitgeteilt. Sie schrieben, wenn das Paket bis Montag nicht einträfe,
würden sie noch einmal Korrekturen schicken. Und das haben sie nicht getan.
Daß Deine Kakteen Knospen haben, ist schön. Bei mir blüht
bloß ein Primelstock still vor sich hin. Besser als nichts,
was?
Picard war in Norddeutschld. Ist für Emil II gereist. Etwas
über 1000 Vorbestellungen. Nicht gerade viel. Heute ist er in
Dresden, bei Tamme usw. Es wird sich schon mit der Zeit zu-
sammenläppern. Butter krieg ich jetzt zweimal in der Woche
ein Achtelpfund. Schön, daß ich Schmalz dahabe. Das
schmeckt großartig. Heute abend gibt's wieder ein Achtel.
Ahnentafel machen wir bald. Sehr prächtig!
Augenblicklich arbeite ich wenig und lese viel. & Co tippt
den Kriminalroman in die letzte Fassung. Dann gehe ich ihn
noch einmal gründlich durch.
Viele Grüße an Papa
Mill Gr u K   Dein oller Junge

P.   [Berlin] 9. 11. 35
Mein liebes, gutes Muttchen Du!
. . . Heute kam wieder Geld von Rascher. Da schick ich Dir
Anfang der Woche wieder ein bißchen Wirtschaftsgeld.
Mit Emil II wird wohl auch in der nächsten Woche soweit
sein, denk ich. Neues hab ich noch nicht darüber gehört.
Heute ist eine Dame aus Amsterdam da. Die will wohl das
Emil-Theaterstück herausbringen. Ich muß sie einmal anru-
fen, damit sie sich mit Mörike in Verbindung setzt.
In Budapest läuft «3 Männer im Schnee» immer noch. Ganz
schön, was?
Na, morgen also vergnügten Eintopf-Sonntag!
Mill Gr u K   Dein oller Junge
Viele Grüße an Papa

Mein liebes, gutes Muttchen Du! Heute hab ich Dir 100 M geschickt, die ich Dir schon längst angekündigt habe. Und sei nicht so sparsam! Ja? . . .

Heute früh hab ich mit Mährisch-Ostrau telefoniert. Das Buch ist fast fertig gedruckt. Meine Korrekturen, sagte der Herr, mit dem ich telefonierte, seien alle berücksichtigt worden. Na, da werden wir's ja bald in Händen halten. Toi, toi, toi!

Herti hat neben den Straub-Vorstellungen 3 Tage Kurzfilm bei der Ufa. Dafür kriegt sie 200 M. Und heute hat sie Vertrag für die weibliche Hauptrolle in einem großen Film gemacht. Unterschrift kriegt sie morgen. Kleider schon anprobiert. 1000 Gage. Na, da kann sie ja ihre Chance wahrnehmen . . .

& Co tippt sorgfältig den Kriminalroman ins Reine. Ich beim 16. Kapitel. Wenn er fertig ist, lese ich ihn noch einmal gründlich durch. Dann wird der Titel gesucht. Was hältst Du von: «Erstens kommt es anders . . .» (Bißchen zu poplig, was?)

Ich fühle mich recht munter, Allerbeste. Du auch? Geld hab ich ein paar hundert Mark da u. erwarte täglich noch mehr von dem Zeug.

Milliardonen Gr u Küßchen   Dein oller Junge
Viele Grüße an Papa

P.   [Berlin] 21. 11. 35
Mein liebes, gutes Muttchen Du!
Vielen Dank fürs Kärtchen. Irgendwann komm ich bestimmt noch in der nächsten Zeit auf ein paar Tage nach Dresden. Erst will ich nur noch die Korrespondenz mit Kittls Verlag abwarten. Weil sie jeden Tag irgendwas wissen wollen. Der Verlag meiner Bücher heißt jetzt also: Atrium-Verlag, Basel - Wien - Mährisch Ostrau. Na, siehst Du, nun ist die Schweiz doch dabei!

Über unser kleines Weihnachten sprechen wir dann auch noch, während wir durch die Straßen bummeln.

Schön, daß Du in «Mazurka» warst. Ja, wirklich wundervoll, dieser Film.

Ich krieg nun langsam Stubenhockerfarbe. Weil das Tennishüpfen fehlt. Na, ich werde mir bald wieder das Spazierengehen angewöhnen. . . .

Mill Gr u K   Dein oller Junge
Viele Grüße an Papa

Mein liebes, gutes Muttchen Du! Vielen Dank für Dein Kärtchen. Warst Du über den Gruß aus Hamburg nicht sehr erstaunt? Nachmittags um 4 Uhr sagte Böhmelt: «Wollen wir nach Hamburg fahren?» und ½9 h standen wir schon an der Alster und suchten ein Lokal zum Abendessen. — Vorigen Sonntag nachmittag wurde in Wien «Das 1. Kind» wieder einmal gespielt. Hoffentlich spielen sie es recht bald wieder.

Wann ich für ein paar Tage wegkann, überschau ich noch nicht ganz. Aber ich hoffe, daß es klappt.

Mill Gr u K   Dein oller Junge
Viele Grüße an Papa

P.   Berlin, 14. 12. 35
Mein liebes, gutes Muttchen Du! Vielen Dank für das gestrige Kärtchen. Ich war gestern abend in einem kleinen Buchladen. Früh waren 5 Emile gekommen. Abends waren sie schon weg. Da hat er gleich 20 nachbestellt. Schön, nicht?

. . . Morgen schauen wir uns den Emil-Film an. Hoffentlich sind viele Kinder da. Das Kino ist sehr groß. Überall an den Plakatsäulen groß angekündigt. Sogar mit meinem Namen. Komisch. Ich bleib vor jeder Säule stehen u. lese es staunend.

Mill Gr u K   Dein oller Junge
Viele Grüße an Papa

P.   Berlin, 16. 12. 35
Mein liebes, gutes Muttchen Du! Na, nun haben wir ja sogar
ein bißchen Schnee bekommen. Und sonst wieder einen
neuen Ärger: Der Kriminalroman gefällt dem Verleger nicht.
Und zwar ganz und gar nicht. Den anderen Leuten im Ver-
lag auch nicht. Und mir, Dir' & Co u. Buhre gefällt er doch
nun im Gegenteil sehr gut. Er will ihn natürlich bringen.
Aber innerlich ist er dagegen. Das verdirbt einem als Autor
gründlich die Laune, muß ich schon sagen. Ende der Woche
verhandeln wir noch einmal darüber.
Emilfilm läuft nächsten Samstag und Sonntag schon wieder.
Es war sehr nett, ein paar hundert Kinder lachen zu hören.
Mill Gr u K   Dein oller Junge
Viele Grüße an Papa
Nauke hat heute im Freien Nachtaufnahmen. Bei der Kälte
im Sommerkleid. Schön, was?

P.   [Berlin] 18. 12. 35
Mein liebes, gutes Muttchen Du! Heute geht ein Bücherpa-
ket an Dich ab. Da brauch ich's nicht zu schleppen. Wird es
reichen oder soll ich noch ein paar mitbringen? & Co hat
gleich etwas Wäsche dazupacken lassen.
Darüber, daß der ganze Verlag den Kriminalroman für
schlecht hält, bin ich sehr ärgerlich. Ich lese das Manuskript
noch einmal, und wenn mir's wieder gefällt, werde ich pam-
pig. . . . Naja, Sonnabend ist endgültige Besprechung.
Mill Gr u K   Dein oller Junge
Viele Grüße an Papa

                                      31. 12. 35
Mein liebes, gutes Muttchen Du! Nun, schon Blümchen besorgt? Ich hole mir am Nachmittag welche.
Ich lege Dir die Abschrift eines amerikanischen Briefes bei,
von einem dortigen Gymnasiasten, der nicht sehr viel
Deutsch kann. Aber der Brief ist trotzdem sehr schön,
nicht?

Nun wünschen wir uns also zum Neuen Jahr alles Gute, meine Allerbeste. Vor allem Gesundheit, und daß man uns hübsch in Frieden läßt. Gelt?

Mill Grüße und Küsse   von Deinem ollen Jungen

Viele Grüße u Neujahrswünsche auch an Papa

P.   [Berlin] 4. 1. 36

Mein liebes, gutes Muttchen Du!

. . . Frau Jacobsohn ist in London am Schlag gestorben. Und Tucho in Paris auch. In einer Anstalt. So ist das Leben.

Mill Gr u K   Dein oller Junge

Viele Grüße an Papa

Ich hab Franz nicht gratuliert. Tust Du's mit?

P.   [Berlin] 15. 1. 36

Mein liebes, gutes Muttchen Du!

. . . Jetzt bin ich wieder völlig mobil und verbrauche nur noch viele Taschentücher. Ich passe schon auf meine Gesundheit auf, junge Frau . . .! Bis Weihnachten sind über 7 Tausend Zwillinge verkauft worden. Ganz schön, was?

Ohser 40 T., das schrieb ich wohl schon. Das Plauener Kreismuseum will ein Ohser-Zimmer einrichten! Wenn man das gedacht hätte, was?

Viele Grüße an Papa   Dein oller Junge

P.   [Berlin] 10.2. 36

Mein liebes, gutes Muttchen Du!

Eben habe ich eine Motte erledigt, die mir zehn Minuten vor der Nase herumtanzte und mich beim Nachdenken störte. Aber mehr als eine pro Tag zeigt sich nicht. Das geht ja soweit ganz gut.

Was machen Deine Schmerzen und das Herz dazu? Hoffentlich hat es sich gebessert. Und vergiß nicht, bei Sonnenschein in den Großen Garten zu fahren u. Dich schön ans Fenster von Pollender zu setzen. Und sieh zu, daß Du noch Bäder u.

leichte Massagen kriegst. Aber nur leicht! Und futtere tüchtig.

Mir geht's danke. Man lacht! wie's so heißt.

Mill Gr u K Dein oller Junge

Viele Grüße an Papa

P. [Berlin] 13. 2. 36

Mein liebes, gutes Muttchen Du!

... Dem dänischen Übersetzer u. Verleger hat die «Miniatur» sehr gut gefallen. In Kopenhagen soll's im Mai erscheinen. Und der Übersetzer hat auch schon, für Skandinavien, Filmverhandlungen deswegen eingeleitet. Sehr schön, was? Daß Dir der Copperfield gut gefiel, freut mich sehr. Ja, ich hab auch bißchen geheult drin. Immer mal wieder.

Mill Gr u K u. Gute Besserung! Dein oller Junge

Viele Grüße an Papa

P. [Berlin] 23. 2. 36

Mein liebes, gutes Muttchen Du!

Nun ist es also soweit: 37 Jahre alt. Huhu! Ich sitze allein zuhause, habe eben die Wundertüte, also das Geburtstagspaket, aufgemacht und Geschenk für Geschenk auf der Couch aufgebaut. Wunderschön ist alles! Vielen, vielen Dank, und da hast Du doch wohl ein bißchen allzutief in Deine Spendierhosen gegriffen! Du, Du! Ich freu mich sehr, meine Gute, und sitze zwischen Blumensträußen, Glücksmarzipan, all den wundervollen Tennissachen (so schön sind sie!) und den prächtigen Taschentüchern. Den Schal hab ich gerade vorm Spiegel anprobiert. Er paßt großartig, und ich behalte ihn gleich um, weil ich noch zum Briefkasten stiefeln will. Hab recht, recht herzlichen Dank, Beste!

Mill Gr u K Dein oller Junge

Viele Grüße an Papa

Die Staatsanleihe würde ich an Deiner Stelle verkaufen.

Alles Gute!!

P.   [Berlin] 11. 3. 36
Mein liebes, gutes Muttchen Du!
Vielen Dank für Deine zwei Kärtchen. Fein, daß ich nun so-
viel Tennis-Sachen habe. Da kann ja die Erholung im Freien
bald losgehen ...
Sonnabend, Sonntag läuft hier wieder der Emilfilm. Diesmal
steht aber mein Name nicht mehr an der Anschlagsäule.
Auch vorm Kino nicht. Aber da ja doch alle Welt weiß, von
wem's ist, wirkt das Weglassen des Namens nur komisch.
Schön, daß Ihr im Fischhaus wart. Jetzt wird's ja bald Früh-
ling geben. Heute morgen hat es sogar schon gedonnert ...
Laß das Turnen sein, wegen des Herzens, hörst Du?
Nauke ist im Rheinland, sich verbeugen. Und geht am 20. 3.
wieder ins Filmatelier mit ziemlich großer Rolle.
Gute Besserung! Mill Gr u K   Dein oller Junge
Viele Grüße an Papa
Von zwei amerikanischen Schulen hab ich Geburtstagswün-
sche gekriegt.
Bühnenkarte kündigen? Ach nein, dann kommst Du noch
seltener ins Theater als jetzt!
«Mädchenjahre einer Königin» ist ein schöner Film. An-
schauen wenn er nach Pr. kommt.

P.   [Berlin] 12. 3. 36
Mein liebes, gutes Muttchen Du!
... Und besonders herzlichen Dank für Deinen lieben Brief,
über den ich mich sehr gefreut habe. So furchtbar traurig
wollen wir nun aber nicht sein. Das ist nicht gesund u. auch
nicht notwendig. So schnell kippen wir nicht aus den Panti-
nen ...
Ich habe fast täglich Besprechungen mit Anwälten u. so.
Aber es muß alles sehr genau überlegt sein. Und wegen Geld,
keine Bange, junge Frau! Das reicht schon für uns Drei Hüb-
schen!
Mill Gr u K   Dein oller Junge
Viele Grüße an Papa
Morgen spiel ich wieder Tennis

P.   [Berlin] Samstag nachts, 23. 5. 36
Mein liebes, gutes Mutchen Du!
... Weller war sehr stolz, daß er Dich gesehen hatte. Er
kommt bald wieder mal nach Berlin. In einer Kopenhagener
Zeitung ist eine *sechspaltige* Kritik der «Miniatur» erschienen. Sehr lobend und begeistert. Es hat sich schon die zweite
dänische Filmfirma gemeldet. Na also! Wird schon werden,
meine Gute. Sonst ist hier nicht viel Neues. Kilpper soll aus
der Deva ausgeschieden sein. Und gekauft soll's der Eher-
Verlag haben (Völk. Beobachter, Angriff &tc). Die Zeiten
wandeln sich halt.
Meine Allerbeste, ich halte Dir, wie gesagt, alle Daumen! Es
ist ja glücklicherweise nur eine ganze, ganze Kleinigkeit. Ich
komme, wann Du willst, nach Dresden.
Mill Gr u K   Dein oller Junge
Viele Grüße an Papa. Er soll in den Tagen essen *gehen*.

P.   [Berlin] 5. 8. 36
Mein liebes, gutes Muttchen Du!?
Hab vielen Dank für Dein Kärtchen. Ja, hier ist richtiger
Olympia-Rummel. Heute will ich wieder versuchen, zum
Polospielen zu gehen. Hoffentlich gibt's noch Karten. Im
Stadion, wo die leichtathletischen Kämpfe stattfinden, ist im-
mer alles ausverkauft. Na, man sieht's ja im Kino auch.
«Hauptmann Sorell» hab ich nicht gesehen. Soll aber recht
interessant sein. Ja, Hugos könnte ich ja schlecht bei mir un-
terbringen. Da müßte ich noch eine Etage dazunehmen ...
Gute, gute Besserung fürs Füßchen!
Mill Gr u K   Dein oller Junge
Viele Grüße an Papa

P.   [Berlin] 10. 8. 36
Mein liebes, gutes Muttchen Du!
Ich bin ja nun ganz schön mitten in den Olympia-Rummel
hineingeraten. Gestern war ich zum Ringen in der Deutsch-
landhalle und heute gehe ich zum Fußballspiel Norwegen ge-

gen Italien ins Große Stadion. Aber was soll man andres machen. Alles spricht davon. Alle gehen hin. Da muß ich eben auch dabei sein. Vielleicht kann man's einmal für eine Geschichte brauchen.

O je, es ist ja schon Zeit, daß ich losgehe! Ehe man sich nämlich da durchgewurstelt hat, vergeht manchmal eine Stunde. So viele Menschen!

Winkewinke, meine Allerbeste. Ich wünsche Dir ein gesundes Füßchen.

Mill Gr u K   Dein oller Junge
Viele Grüße an Papa

P.   [Berlin] 14. August 36
Mein liebes, gutes Muttchen Du!

. . . Heute ist der erste richtig verregnete Olympiatag. Gestern beim Schwimmen war es nur ziemlich kalt. Heute gießt es nun in Strömen. Ganz grauslich. Da wird wohl Veschiedenes ausfallen u. morgen nachgeholt werden müssen . . .

Morgen geh ich das letzte Mal ins Stadion. Zum Fußballschlußkampf. Wenn nur das Hinaus- u. das Wiederherauskommen nicht wäre. Obwohl alles großartig organisiert ist, gibt es doch im Zug &tc viel Drängelei u. schlechte Luft. Na, am Sonntag ist's ja vorbei.

Mill Gr u K   Dein oller Junge
Viele Grüße an Papa

P.   [Berlin] Sonnabend, 12. 10. 36
Mein liebes, gutes Muttchen Du!

Wie geht's, wie steht's? «Fl Kl» werden 5 Tausend neue Exemplare gedruckt. Schön? «3 Männer» sind beim 15. Tausend neuerdings. Schön? Und heute muß ich einen Waschzettel fürs Fl Kl schreiben. Wegen Prospekt und so.

Das Wetter war grauslich heute.

Mill Gr u K   Dein oller Junge
Viele Grüße an Papa

P.   Berlin, 2. 4. 37
Mein liebes, gutes Muttchen Du!
Hab vielen Dank fürs Kärtchen. Eben hab ich Tennis gespielt, und nun geht Sekretär Kästner heim, um Post zu erledigen. Das mit der «Miniatur» ist auch eine Trödelei. Der
englische Buchverlag will 100 Pfund haben, die Metro will
sie nicht zahlen, und zum Schluß werde ich sie berappen
müssen. Außerdem will die Metro vielleicht den «Emil» neu
drehen. Aber sehr viel ändern am Stoff. Da bin ich ja nun dagegen, obwohl sie 1000 Pfund zahlen würden. Na, mal abwarten, wie die Verhandlungen weitergehen.
Berggießhübel ist ja kolossal billig. Na, wir erkundigen uns
in Dresden ganz genau. Ist's mit dem Fuß wieder besser? Ich
freu mich auf Dresden. Wie steht's denn mit dem Wirtschaftsgeld, Mamachen?
Pflege Dich gut, ja? Recht gute Besserung!
Mit Gr. u. K.   Dein oller Junge
Viele Grüße an Papa

P.   Berlin, 5. 4. 37
Mein liebes, gutes Muttchen Du!
Mir macht mein Sekretärspielen richtig Spaß. Es ist schon
viel mehr Ordnung drin, als wenn man die Briefe nur runter-
diktiert. Morgen abend ist Luftschutz. Mittwoch erledige ich
die laufende Post, und am Donnerstag mittag fahr ich ab.
Sonntag abend muß ich wieder zurücksein.
Nun überlege Dir einmal schön, was wir Dir Feines zum Ge-
burtstag schenken. Ja? Da gehen wir am Donnerstag und
Freitag hübsch einkaufen.
Wenn sich das Wetter nicht bessern sollte, lasse ich das Ten-
niszeug hier.
Ins Bad fährst Du auf alle Fälle. Das wird nicht geschwänzt!
Mit Gr. u. Kuß   Dein oller Junge
Viele Grüße an Papa

P.   Berlin, 14. 4. 37
Vielen Dank auch fürs Kärtchen. Auch heute bin ich mit der
Londoner Metro-Dame fleißig herumgestiefelt. Sie hatte
viele Einkäufe zu machen, und da habe ich den aufmerksa-
men Begleiter gespielt. Vorher haben wir Mittag gegessen.
Viktor de Kowa war auch dabei. Den kennt sie von London
her.
Mit Hollywood gibt's egalweg Theater. Das Drehbuch von
«3 Männer» ist fertig. Jetzt gibt's plötzlich Streit, weil die europäischen Firmen, die den Film schon gedreht haben, nicht
erlauben wollen, daß der amerikanische Film in ihren Ländern gezeigt wird...
Mit Gr. u. K.   Dein oller Junge
Viele Grüße an Papa

P.   12. 5. 37
Mein liebes gutes Muttchen Du!
Na, die Musterung war schnell vorüber für mich. Wer sich
nicht kriegsverwendungsfähig fühle, solle sich melden. Da
meldeten sich zehn Mann, ich auch. Drei davon durften
gleich wieder gehen, nach flüchtiger Untersuchung. Zehn
Kniebeugen, Herz behorcht, weggetreten. Na also. Nach ei-
ner Stunde war ich wieder zuhaus.
Sag mal, meine Gute: Möchtest Du nicht lieber umziehen?
Irgend wohin, wo Du richtig Diätküche hast? Das scheint
mir doch sehr wichtig zu sein für Dein Kreuz! Fühlst Du
Dich durch die Bäder sehr schlapp? Und wieso gibt es kein
Obst zu kaufen? Dann bring ich einen halben Zentner mit.
Mit Gr. u. K.   Dein oller Junge
Sehr schön sind die Fotos nicht gerade, was?

P.   [Reichenhall] 22. 8. 37
Mein liebes, gutes Muttchen Du!
Heute geht's nun zu «Jedermann», im Freien. Und übermor-
gen «Rosenkavalier». S. ist ein bezauberndes Städtchen.
Hoffentlich kann ich bald hinüberziehen. Da erlebt man's

doch noch besser. Gestern hat's wieder gegossen. Das ist da nicht anders. Jetzt werd ich mal an der Saline langgehen und tief atmen.

Mit Gr. u. K.   Dein oller Junge

[Bad Reichenhall] 26. 8. 37

Mein liebes, gutes Muttchen Du!

Ich hab' glaub ich, den 3. Tag keine Post von Dir. Hoffentlich ist zu Hause alles in Ordnung. Ja? — Ich fahre also immer noch jeden Tag mit meinem Freßpaket über die Grenze, ohne Geld, und laß mich drüben zu einer Tasse Kaffee oder einem Glas Bier einladen. Ganz lustig. Nur das Wetter könnte einem glatt die Stiefel ausziehen. Ein Glück, daß ich mir den guten Regenmantel gekauft habe. Der ist wirklich Gold wert.

Gestern hat's ein paar Stunden nicht geregnet. Das kam mir ganz komisch vor. Walter T. ist ganz wütend, weil er doch viel im Freien malen will und vor Regen kaum dazu kommt. Vielleicht hab ich heute abend Post von Dir. Schreib bald.

Mit Gr. u. K.   Dein oller Junge

Viele Gr. an Papa u. gute Besserung.

Ist der Kiefernnadel-Extrakt angekommen?

P.   [Berlin] 20. 9. 37

Mein liebes, gutes Muttchen Du!

. . . Seit heute ist Verdunklung. Berlin ist ganz düster. Nur der Vollmond scheint. Hoffentlich ist nicht gerade Alarm, wenn ich am Mittwoch zum Bahnhof fahre. Da halten alle Autos usw. auf der Stelle. Na, da käme ich mit dem Zug. Gestern und heute hab ich einen Ahnenpaß ausgefüllt. 4 bis 5 Stunden Arbeit.

Verdunklungsübung? Hier vom 20.—26. Sept.

Ich freu mich sehr auf zu Hause.

Mit Gr. u. K.   Dein oller Junge

Viele Gr. an Papa. Und gute Besserung allerseits!

P.   [Salzburg] 21. 9. 37
Mein liebes, gutes Muttchen Du!
Tr[ier] zeichnet grade das Wappen eines Erzbischofs aus
dem 17. Jahrh. ab. Es ist an einer Mauer vom Mirabellgarten
angebracht. Und ich sitze währenddem auf einer Bank im
Park. Gestern hat uns ein Verwandter von ihm im Auto
schön in der Gegend herumkutschiert. Fuschlsee u. Wolf-
gangsee u. Geisberg usw. Es war sehr schön. Bis auf ein Ge-
witter am Abend mit viel Regen . . .
Mill Gr u K   Dein oller Junge
Viele Gr an Papa
Tr grüßt auch vielmals

P.   [Berlin] 8. 12. 37
Mein liebes, gutes Muttchen Du!
. . . Hab vielen Dank fürs Kärtchen. Ich möchte das Manu-
skript bis Weihnachten fertig haben, um dann für andre Ar-
beiten Luft zu haben. Nach Davos will ich ja auch noch!
Nein, nein, überleg Dir mal richtig hübsche Weihnachtsge-
schenke. Du wirst schon was brauchen können. Und Papa
auch.
Stollen ist also auch schon fertig. Fein, fehlt nur noch der
Wau-Wau.
Na, da will ich mal weiterarbeiten und nicht verzweifeln. Es
geht ganz gut vom Fleck. Mit den Augen geht's auch. Brille
brauch ich noch nicht . . .
Mit Gr. u. K.   von Deinem ollen Jungen
Viele Gr. an Papa.

P.   [Berlin] 4. Jan. 38
Vielen Dank für Deine Karte aus Café Weseberg. Hier liegt
der Schnee seit heute früh auch sehr hoch. Es macht richtig
Spaß, obwohl zum Spazierengehen keine Zeit ist. Die Hamburger Première war sehr schön. Die in Bochum war wohl
auch ein Erfolg. Eberhard ist schon wieder in einer anderen
Premiere. Diesmal in Altona. Er kommt vor Verbeugen nicht

zum Arbeiten. Ist aber schön, daß der Tisch im «Leon» Erfolge hat. Ich freu mich neidlos mit.
Naukes Buch hat allen Kindern, die es über Weihnachten lasen, gut gefallen. Am 6. oder 7. singt sie in Stuttgart im Rundfunk. Nun, und ich arbeite still für mich. Macht ja auch Spaß. Übrigens Fahrkarte Davos krieg ich hier hin und zurück. Ich glaube, mit Schlafwagen 250 M etwa. Na, ich brauch ja dort nichts außer der 10 Mark.
Mit G. u. K.   Dein oller Junge
Viele Gr. an Papa.

P.   [Berlin], 14. 1. 38
Vielen Dank fürs Kärtchen von gestern und für Paket mit Briefchen von heute. Natürlich habe ich die Gänsebrust gegessen. War fabelhaft. Und Stollen und Schmalz gibt's auch regelmäßig bei Nauke.
Ich bin ein bißchen durchgedreht, aber frisch und guter Laune. Eben mit dem Verleger über den ersten Teil des Salzburg-Buchs geredet. Scheint ihnen, auch Walter T., recht gut zu gefallen. Werde in Davos zu Ende schreiben und gründlich durchkorrigieren. So, meine Gute. Fein, daß Dein Magen wieder in Ordnung ist. Ich bin bloß bissel müde und freu mich aufs Schlafen in Davos. Für heute Schluß.
Mit Gr. u. K.   Dein oller Junge
Viele Gr. an Papa.

P.   [Villach] 13. 7. 40
Mein liebes gutes Muttchen Du!
Heute früh sind wir mal rasch nach Kärnten gefahren. Das Wetter ist wieder schön, und auf den Bergen hat's geschneit.
Mit Gr. u. K.   Dein oller Junge
Viele Gr. an Papa.

Hab ich mich schon für Dein Kärtchen bedankt?

Mein liebes gutes Muttchen Du!

Hab vielen Dank für Deinen Brief. Schön, daß Elster gleich geschrieben hat u. daß es nun um die Monatwende herum klappen wird. Und hoffentlich hast Du in Döbeln schöne Tage. Hast Du keine Lust auf Kleinpelsen?

Hier ist auch alles ziemlich knapp. Aber schöne, dicke, frische Milch gibt's, weil doch überall auf den Bergen Kühe weiden. — Iß die Buter auf, ehe sie ranzig wird!

Gestern waren wir sieben Stunden unterwegs, 2000 Meter hochgekrabbelt. Ich habe Dir Alpenrosen gepflückt, und nachher schick ich das Päckchen damit ab. Die Honigbüchse wird täglich voller. Da kannst Du dann tüchtig schnabulieren . . .

Nun zu Deinen Kofferschlüsseln! Davon hab ich doch nur die Duplikate, wenn überhaupt, und die sind sicher im Schreibtisch, so daß & Co nicht hineinkann. Denn ich hab den Schreibtischschlüssel hier u. kann ihn & Co nicht schikken, da im Schreibtisch Briefe usw. liegen, die sie nicht zu sehen braucht.

Was machen wir denn da? Borgst Du Dir von Tante Lina Koffer? Oder versucht Ihr bei Klotz, ob sie Schlüssel haben, die zu Deinen Koffern passen? Sonst könnte Dir & Co auch Hertis Koffer schicken, den ich noch habe. Ein schöner geräumiger Lederkoffer, den wir vor Jahren in Hamburg kauften.

Hier ist es landschaftlich wunderbar. Schneeberge, Blumenwiesen usw. Und heute vor 8 Tagen ging die Reise los! Wie die Zeit vergeht!

Hoffentlich geht's Dir einigermaßen, meine Beste!

Mill Gr. u. Küßchen   Dein oller Junge

Viele Gr. an Papa.

P.   [Zell am See] 16. 7. 40
Mein liebes, gutes Muttchen Du!
Heute sind wir mal hierher gefahren, Kitzbühel ist gar nicht
weit. Aber es fahren so wenig Züge, daß man immer nur we-
nige Stunden Zeit hat, um unterwegs zu sein.
Mill. Gr. u. K.   Dein oller Junge
Viele Gr. an Papa

P.   [Bad Hofgastein] 19. 7. 40
Mein liebes gutes Muttchen Du! Vielen Dank für Deinen
Brief u. die Beilage. Aber Ihr hättet sie wirklich selber behal-
ten sollen! Hoffentlich läßt Dein Jucken nach! So etwas ist
schrecklich! Elster muß Dir tüchtig helfen ...
Mit Gr. u. K.   Dein Junge

P.   Velden, 24. 7. 40
Mein liebes, gutes Muttchen Du!
... Heute sind wir nach Kärnten gefahren und sitzen jetzt
an dem schönen Woerther See. Leider geht's ¾5 h schon wie-
der weg, da so wenig Züge im Krieg fahren. Hier ist es herr-
lich.
Mit Gr. u. K.   Dein oller Junge
Viele Gr. an Papa.

P.   Bad Hofgastein, 29. 7. 40
Mein liebes gutes Muttchen Du!
Also, morgen früh geht's hier fort u. an den Eibsee. Wenn
Du von Elster immer noch nichts gehört hast, schick doch
ein Telegramm mit bezahlter Rückantwort! Hier ist auch al-
les besetzt. Auch am Woerther See neulich. So viele Leute
unterwegs! Mit Gr. u. K.   Dein oller Junge
Viele Gr. an Papa.

P.   [Berlin] 21. 3. 41
Mein liebes gutes Muttchen Du!
Hab recht vielen Dank für das Wäschepaket und das Kärtchen. Taschentücher hab ich noch genügend hier. Eben las
ich in der Zeitung, daß nach Berlin keine Eilpostsendungen
mehr angenommen würden. Na, das werden Sie ja auf den
Dresdner Postämtern auch wissen, wenn es stimmen sollte.
Heute ist Frühlingsanfang, aber leider unfreundliches Wet-
ter. Ja, zum Erkältetbleiben langt's. Man ist ausgehungert
nach schönem Wetter. — Buhre fährt nächste Woche auf
mindestens 4 Wochen nach Norwegen. Er macht Filmauf-
nahmen für den Film «Feldzug in Norwegen». 300 M pro
Woche. Ganz tüchtig schon, was?
Arbeite nicht allzuviel, meine Gute!
Mit Gr. u. K. von   Deinem ollen Jungen
Viele Gr. an Papa.

P.   [Berlin] 22. 3. 41
Mein liebes, gutes Muttchen Du!
Frohe Sonntagsgrüßchen zuvor. Hoffentlich kommt die
Karte rechtzeitig an . . . Leider hat das Dresdner Schauspielhaus Neuners Stück nun doch abgelehnt. Mörike hat gestern
telefoniert und erhielt diesen Bescheid. Na, da wird's wahrscheinlich am Albertplatz herauskommen. Hier ist am Montag Premiere. Ich erwarte keinen Erfolg, trotz Ponto, denn
die übrige Besetzung ist teils verkehrt, teils völlig unzuläng-
lich. Läßt sich nicht ändern. Ich werde mir's Mittwoch oder
Donnerstag antun. Und schreib Dir dann darüber.
Mit Gr u. K   Dein oller Junge
Viele Grüße an Papa

Mein liebes, gutes Muttchen Du!
Gestern war ich nach der Vorstellung noch mit Buhre und
Mörike zusammen. Es soll ein sehr netter Erfolg gewesen
sein, sagten sie. Vielleicht schau ich mir's morgen oder übermorgen mal an. Die ersten Kritiken sind schon heraus. Ich
hab sie eben besorgt und lege sie Dir schnell ins Kuvert, ehe
die letzte Post geleert wird.
Also, winke, winke! Mit Gr. u. Küßchen von
                                        Deinem ollen Jungen
Viele Gr. an Papa.

P.   [Berlin] 27. 10. 41
Mein liebes, gutes Muttchen Du!
Seit Mittag sitze ich mit Albers u. den anderen Brüdern zusammen. Das [Münchhausen-]Drehbuch hat sehr gefallen,
soll aber erst im nächsten Jahr gedreht werden. Vorläufig soll
ich was anderes umarbeiten, will aber gar nicht. Na ja.
Mit Gr. u. K.   Dein oller Junge

P.   Berlin, 25. 11. 41
Mein liebes, gutes Muttchen Du!
Vielen Dank für Dein Kärtchen vom 24. 11. War Konrad
schon fort, als Du dortwarst? Für Günther wird es freilich
weit bis zur Tieckstraße. Was mag der Lehrer Lehmann ma-
chen? Das Seminarfoto hebst Du auf, daß ich mir's mal an-
sehe, gelt? Eben rief die Wien-Film an, ob ich Zeit für eine
Arbeit hätte. Na, da hab ich eben leider absagen müssen.
Denn die Münchhausen-Sache wird sich ja — toi, toi, toi —
hoffentlich günstig entscheiden, und da hab ich ja dann erst
mal zu tun, bis alles in Ordnung ist.
Wie geht's Euch denn? Sonntag waren wir gar nicht fort. Das
Wetter taugte nichts. Gruß an den Pieps.
Mit Gr. u. K.   Dein oller Junge
Viele Gr. an Papa

P.   [Berlin] 26. 11. 41
Mein liebes, gutes Muttchen Du!
Vielen Dank für Dein Kärtchen vom 25. — Ich sitze im fun-
kelneuen Anzug rum und bin sehr stolz drauf. Sehr schön ist
er. Wie ich voraussah, hat G. wegen der hohen Besuche in
diesen Tagen keine Zeit gehabt. Nun hoffen wir auf morgen.
Das Gutachten, das die Herren Beamten geschrieben haben,
sei so gut, haben sie der Ufa erzählt, daß es voraussichtlich
klappen müßte. Dann — wenn genehmigt — geht's mit Voll-
dampf an Besprechungen und Änderungen . . .
Mit Gr. u. K.   Dein oller Junge
Viele Gr. an Papa

P.   [Berlin] 27. 11. 41
Mein liebes gutes Muttchen Du!
Vielen Dank für Dein Kärtchen vom 26. 11. Heute natürlich
wieder nichts gehört. Seit Montag sitz ich nun gewissermaßen dauernd am Telefon. Zu blöde! Na, nachher werde ich
mal ein bißchen durch die Straßen wandern. Die Luft ist
schön herbstlich.
Das ist ja dumm, daß Du nun nicht mehr bei Betti einkaufen
kannst. Aber andrerseits hast Du nicht mehr so weit. Das ist
ja auch ganz praktisch.
Mit Gr. u. K.   Dein oller Junge
Viele Gr. an Papa

P.   [Berlin] 28. 11. 41
Mein liebes, gutes Muttchen Du!
Vielen Dank für Dein Kärtchen vom 27. 11. Heute war ich
schon früh um 12 Uhr in Babelsberg, um einen russischen
Film zu sehen, der gerade draußen war. Sehr interessant
war's. Ministerieller Bescheid soll heute abend erfolgen. Na,
das seh ich auch noch nicht. Wird wohl vor Montag nicht
werden. So, jetzt will ich mal bißchen zum Briefkasten spazieren.
Mit Gr. u. K.   Dein oller Junge
Viele Gr. an Papa

P. [Berlin] 29. 11. 41
Mein liebes gutes Muttchen Du!
Vielen Dank für Dein Kärtchen vom 28. Gestern spät am
Abend rief mich die Ufa noch an, daß G. den Film genehmigt
habe. Na, da kann ja nun die Arbeit losgehen. Sie freuen sich
alle drauf, weil's mal wieder was Besonderes ist.
Und heute stand in der Zeitung, daß vom 20. 12. bis 4. 1.
nicht gereist werden dürfe. Ich erkundige mich noch näher.
Das wäre ja zu ärgerlich.
Seit gestern ist es ziemlich frisch. Aber die Luft ist gesund.
Recht frohen, schönen Sonntag wünsche ich Euch.
Mit Gr. u. K. Dein oller Junge
Viele Gr. an Papa

P. [Berlin] 30. 11. 41
Mein liebes, gutes Muttchen Du!
Hab vielen Dank für Dein Kärtchen vom 29. 11. Das Weihnachtsstück, das Du Dir anschauen willst, hat Herr Mörike
im Verlag. Es soll sehr nett sein. Er will nach Dresden fahren
und sich's ansehen. Wie war's im Vereinshaus? Hoffentlich
hübsch. Ich gehe jetzt ins «Leon», mir Zigaretten holen. Ab
6. Dez. soll's nun auch in Berlin Karten geben, 6 Zigaretten
pro Tag. O weh, das ist bitter. Für Frauen 3 Stück. Aber in
der Zeitung stand noch nichts davon.
So, nun geh ich los. Anzug kostet 390. Ich rechnete mit soviel.
Mit Gr. u. K. Dein oller Junge
Viele Gr. an Papa

P. [Berlin] 11. 4. 42
Mein liebes gutes Muttchen Du!
... Wie war's zum Hochzeitskaffee? Ich bin leider riesig in
Eile, weil ich mich wegen des Rühmannfilms treffen muß.
Die Jugo hat es abgelehnt, die Rolle zu spielen, und nun ist
Rühmann ganz nervös.
Mill. Gr. u. K Dein oller Junge

P. [Berlin] 14. 4. 42
Mein liebes gutes Muttchen Du!
Eben komme ich aus Babelsberg, wo ich das Salzburg-Ex-
posé von 100 Maschinen-Seiten abgeliefert habe. Außerdem
war ich im Atelier, weil der erste Drehtag «Münchhausen»
war. Sie drehten die Szene in der Bodenwerder Schloßküche,
wo Kuchenreutter (Speelmans) rasiert wird und sich gleich
wieder einen Bart wachsen läßt. Rösemeyer wird von Franz
Stein, so einem langen hageren, dargestellt, der früher lange
am Albert-Theater war. Erinnerst Du Dich noch an ihn? Ab
Freitag muß ich wahrscheinlich den Rühmann-Film umarbeiten. Na ja.
Mill. Gr. u. K Dein oller Junge
Viele Gr. an Papa

P. [Berlin] 15. 4. 42
Mein liebes gutes Muttchen Du!
. . . Stell Dir vor: Vorgestern hat man mir im Lokal Taschen-
lampe u. Handschuhe aus dem Mantel geklaut! Der Wirt hat
mir eine neue Lampe besorgt. So wie jetzt ist noch nie ge-
stohlen worden! Beim Friseur Kämme, Zahnpasta, Parfüm.
In den feinsten Lokalen Gläser, Salzstreuer, alles, was nicht
niet- und nagelfest ist!
Mill. Gr. u. K Dein oller Junge
Viele Gr. an Papa

P. [Berlin] 19. 4. 42
Mein liebes, gutes Muttchen Du!
. . . Gestern war himmlisches Wetter. Ich bin ein Stündchen
spaziert. Heute nicht ganz so schön. Ich will trotzdem mit
Lottchen bißchen durch den Grunewald gehen. Abends beim
Regisseur vom Rühmannfilm. Macht mir gar keinen Spaß,
diese Arbeit. Ich fürchte aber, daß ich nicht drum herum-
komme.
Mill. Gr. u. K. von Deinem ollen Jungen
Viele Gr. an Papa

Mein liebes, gutes Muttchen Du!
Heute kriegst Du zur Abwechslung mal wieder ein kleines
Briefchen. Es klappt, weil ich grade eine Arbeitspause habe.
Die Ufa will mir, vermute ich, den Drehbuchauftrag erst geben, wenn das Ministerium die 3 Seiten, die ich neulich ablie-
ferte, studiert hat und daraufhin den Salzburg-Film genehmigt oder vielleicht *nicht* genehmigt. Aber ins Gesicht sagen
sie mir's nicht. Ich könnte doch schon immer, meinen sie, mit
dem Drehbuch getrost anfangen. So sehen sie aus!
Das Rühmann-Drehbuch ist vervielfältigt worden, und auf
dem Titel steht: von Lüthge und Bürger. Obwohl ich den
Brüdern ausdrücklich gesagt habe, ich wolle hierbei nicht genannt werden.
Es hat doch keinen Zweck, daß dauernd der Name Bürger
auftaucht! Es gibt schon Neider genug!
Na ja, so gibt es dauernd lauter kleinen Ärger. Das gehört
anscheinend zum Handwerk.
Ich werde, wenn's irgend klappt, also Montag mittag in
Dresden eintrudeln und Mittwoch früh wieder abzittern. Bis
dahin werden sich hoffentlich die hohen Herren wegen des
Salzburg-Films klargeworden sein. Im Juli wollen sie in Salzburg mit den Aufnahmen beginnen! Wann ich das Drehbuch
schreiben soll, danach fragt kein Aas. Es sind jetzt schon nur
6 Wochen bis dahin! Und nach der Ablieferung dauert es
doch immer Wochen, bis Ufa u. Ministerium endlich Ja sagen! Blödsinnig, was? . . .
Mit Gr. u. K.   Dein oller Junge
Viele Gr. an Papa.
Heute abend gibt's Gurkensalat mit Yogurth. Schmeckt wie
mit saurer Sahne. Heute ist ja Himmelfahrt!

P.   15. 5. 42
Mein liebes, gutes Muttchen Du!
Also, ich komme am Montag in Dresden angerückt! Die Ufa
wartet erst auf die Genehmigung des Ministeriums, ehe sie
mir den Auftrag erteilt. Na schön. Mir soll's recht sein.

Schade um die Zeit, die für die Arbeit verlorengeht . . . [Nur
Rückseite vorhanden]
  Mit Gr u K   Dein oller Junge

P.   [Berlin] 3. 6. 42
Mein liebes, gutes Muttchen Du!
Und nun geht's wieder mal nach Babelsberg, mit Albers die
Änderungen durchzusprechen. Es ist herrliches Wetter. Da
ist die Fahrt u. der Weg sehr hübsch.
Dr. Zeisig sagte, er sei im List-Verlag. Da wird er wohl nicht
mehr Soldat sein. Jannings will, daß ich ein Drehbuch für ihn
ändere. Er sitzt am Wolfgangsee und läßt mich in Salzburg
im Auto zu einer Besprechung hinholen. Dabei hab ich ja
keine Zeit!
Mill. Gr. u. K.   Dein oller Junge

P.   Berlin, 4. 6. 42
Mein liebes, gutes Muttchen Du!
Mit den Änderungen hab ich vorläufig Schluß gemacht.
Wann ich Schlafwagen kriege, ist unbestimmt, da die Wehr-
macht 10 Tage lang alle Schlafw.plätze belegt hat und die
Ufa erst am Nachmittag erfährt, wann und ob zu den Abend-
zügen eine der Karten zurückgegeben wird. Da erfahre ich
womöglich morgen ½6, daß ich um 8 fahren muß. Na, gute
Lust! Vielleicht warte ich aber auch eine Woche vergeblich.
Wenn ich nicht müßte, führe ich unter solchen Umständen
wahrhaftig am liebsten gar nicht! . . .
Mit Gr. u. K.   Dein oller Junge
Viele Gr. an Papa.

P.   Berlin, 6. 6. 42
Mein liebes gutes Muttchen Du!
. . . Eben rief Jahn, der Ufa-Chef, an. Ich soll wieder mal alle
meine Bücher «borgen». Diesmal für Dr. G. persönlich. Wegen meiner offiziellen Mitgliedsnummer. Und dann krieg ich

242

die Bücher nie wieder. Ich kenne das nun langsam. Und mit der Mitglieds-Nr. wird's wieder nichts werden. Das kenn ich nun auch langsam. Na ja.

Frohen Sonntag!

Mit Gr. u. K. von   Deinem ollen Jungen
Viele Gr. an Papa.

Eben höre ich, daß ich Montag 12.42 abfahre und in München übernachte. Dienstag dann nach Salzburg.

P.   Salzburg, 12. 6. 42

Mein liebes, gutes Muttchen Du!

Ja, das glaub ich, daß es in Gastein nicht sehr reichlich zugeht. Hier sind die Portionen auch nicht üppig. Aber die Suppen sind gut. Und im Zimmer hab ich Brot, Butter und Wurst. Messer und Salz sind auch da. Auf dem Markt gibt's Rettiche und Radieschen. Hab ich auch schon gekauft.

Mit der Arbeit geht's sehr langsam voran. Das In-der-Gegend-Herumrennen und -fahren kostet viel Zeit u. macht müde. Na, verrückt mach ich mich nicht. Da wird er eben später fertig. Rühmann ist mit dem Film schon seit dem 4. im Atelier und hat sich immer noch nicht gerührt.

Mill. Gr. u. K   Dein oller Junge

                                               14. 6. 42

Mein liebes, gutes Muttchen Du!

Geschrieben hab ich leider noch nicht viel, weil ich mir ja dauernd alles genau anschauen muß, und dann mach ich mir auch noch von allem Skizzen, damit ich's nicht wieder vergesse. Essen muß man auch paarmal, und so verfliegt die Zeit. Eine reichliche Woche werde ich wohl noch hierbleiben. Dann geht's, marsch marsch zurück. Und in Berlin wird dann mit dem Schreiben richtig losgelegt. Die drei Wochen, die die Ufa getrödelt hat, fehlen mir an allen Ecken und Enden.

Fein, daß Du Eier hast! Fleischmarken hab ich mehr als genug. Also, ja nichts mehr schicken!

Was hattest Du von der Verpflegung in Gastein gehört? Sehr schlecht soll sie sein? Lottchen war beim Arzt. Er hat Rheumatismus und Schultergelenkentzündung festgestellt. Das reicht ja. . . . Wann ist denn die Goldene, hm? Im Juli, glaube ich. Na ja, sie im großen Kreise festlich zu begehen, das ist ja heute schon rein äußerlich (mit Reisen, Marken, Getränk etc.) völlig unmöglich!

Jetzt wandre ich mal zum Gasthaus Steinlechner hinaus, um Mittag zu essen. Dann schreib ich Dir weiter . . .

Auf dem Rückweg will ich das am Weg liegende Schloß Lamberg skizzieren, weil sich das besonders gut als Schloß Raitenau für den Film eignen würde. So gibt's egal zu tun. Macht aber doch langsam Spaß. . . .

Schade, daß mir morgen Jannings dazwischenkommt. Aber an den Wolfgangsee hätte ich ja wegen des Films sowieso mal gemußt.

Mill. Gr. u. Küßchen von   Deinem ollen Jungen
Viele Gr. an Papa

Salzburg, 16. 6. 42

Mein liebes, gutes Muttchen Du!

Ich fuhr gestern mittag an den Wolfgangsee und kam heute abend gegen 9 Uhr zurück. Und, mit Ausnahme einer Stunde heute nachmittag, pausenlos gegossen! Es ist ein herrliches Anwesen am See. Mit zwei Häusern. Zwei Schweinen, vielen Hunden, Ziegen, Enten, Hühnern, Gemüsegärten, ein Gerstenfeld usw. Heute morgen waren die Berge um den See bis tief herab eingeschneit. Bootshaus, Badekabinen. Es gab gut zu essen. Vor allem: hausschlachtene Wurst, wenn auch nicht viel, und echte Butter. Oje! man weiß wirklich nicht mehr, wie sie schmeckt. Daß ich die Arbeit abgelehnt habe, nahm er gar nicht übel. Er verstand, daß mir das ganze Drehbuch nicht gefiel. Aber vielleicht mach ich im nächsten Jahr was eigenes für ihn. Er und seine Frau wollten, ich müsse unbedingt den Regierungspräsidenten vom Gau Salzburg und dessen Frau kennenlernen. Sie hätten alle meine Bücher. Es sind Freunde von ihnen. Ich wollte aber nicht . . .

Ich will auch meine Zeit hier nicht mit Besuchen vertrödeln, sondern will spätestens Anfang der Woche, zirka Dienstag, wieder in Berlin sein und dann auf Teufel komm raus! schreiben. Und in München muß ich auch einen Tag bleiben, weil Alexander Golling, der Intendant des Bayrischen Staatstheaters, sich mal gründlich mit mir unterhalten will. Er will sich für meine Erlaubnis einsetzen. Na ja, wenn ich Stücke schreiben dürfte, wär mir das ja noch lieber, als mich mit Filmleuten rumzuärgern.

Wenn das mit dem Verbot nicht gekommen wäre, hätten wir jetzt auch ein Grundstück in dieser Gegend, und Ihr könntet Euch aalen. Es war eben Pech! Aber ärgern tut's mich doch.

... So, Muttchen, jetzt will ich noch ein bißchen arbeiten. Jannings möchte, daß ich ihm in einem Brief darlege, warum ich die angebotene Umarbeitung ablehne. Wegen Filmintendant Dr. Hippler ...

Mill Gr. u. K   von Deinem ollen Jungen
Viele Gr. an Papa ...

P.   [Berlin] 8. 8. 42
Mein liebes, gutes Muttchen Du!
Salzburg-Film wird entweder sofort oder im nächsten Jahr gemacht. Ich erfahr's am Montag. Münchhausen soll beschleunigt werden, damit er Mitte Dezember, zum 25 jährigen Ufa-Jubiläum, fertig ist. Ein sehr knapper Termin! — Die Jugo möchte Turandot, meinen Vorschlag, brennend gern machen. Die Ufa kann einen so teuren Film aber erst im nächsten Jahr machen. Bis dahin soll ich mir etwas anderes einfallen lassen. Na ja.

... Heute nachmittag wird der letzte Streußelkuchen verspachtelt. Wurde täglich besser! Schlafe, soviel Du kannst, meine Gute! Frohen Sonntag!

Mill. Gr. u. K   Dein oller Junge
Viele Gr. an Papa

P.   [Berlin] 9. 8. 42
Mein liebes, gutes Muttchen Du!
Morgen früh geht's gleich wieder nach Babelsberg. Wegen
Münchhausen. Und hören, was mit Salzburg los ist.
Am Freitagmittag — wenn wir Platzkarten kriegen — nach
München. Bis Sonntag in Hotel Vier Jahreszeiten, Maximi-
lianstraße. Montag dann nach Farchant bei Garmisch. Rape-
port, so heißt der Wirt, fährt auch hin. Seine Frau ist immer
dort. Bettwäsche haben sie sicher. Sonst hätte er was davon
gesagt. & Co hat auf der Fahrt von Baden-Baden nach Aus-
see 8 Stunden auf dem Clo-Deckel gesessen. Lange Strecken
fahren, ist jetzt kein Spaß. Aber Elster, Berggießhübel oder
Lausick sind ja nicht sehr weit. Außerdem läßt man alte
Leute sich setzen, — sagen wir, ältere Leute, gelt?
Mill Gr. u. K   Dein oller Junge
Viele Gr. an Papa

P.   [Potsdam] 10. 8. 42
Mein liebes, gutes Muttchen Du!
Ich sitze in Babelsberg im Kantinengarten der Ufa, und trink
ein Bier. Eben war ich im Atelier bei Münchhausen und habe
wieder einmal eine Änderung abgeliefert. Leo Slezak als Sul-
tan mit großem, schwarzem Bart, sehr komisch.
Mill. Gr. u. K   von Deinem ollen Jungen
Viele Gr. an Papa

P.   [Berlin] 8. 9. 42
Mein liebes, gutes Muttchen Du!
Heute geht's nun wieder nach Babelsberg: Diesmal mit Di-
rektor Jahn über den Salzburg-Stoff reden. Die Besetzung
hat sich geändert. Jetzt sollen also Willi Fritsch u. Hertha
Feiler spielen, nicht die Ulrich. Mir ist schon alles ganz
wurscht. Diese ewige Änderei!
. . . Nun auf nach Babelsberg! (Dort babeln sie viel.)
Mill. Gr. u. K   Dein oller Junge
Viele Gr. an Papa

246

P. Berlin 10. 9. 42
Mein liebes, gutes Muttchen Du!
Vielen Dank fürs Kärtchen vom 9. Sept. Heute soll schon
wieder was aus München in der Illustrierten sein. Ich bin
gleich gelaufen, hab aber keine Exemplare erwischen können. Na, vielleicht wird's noch.
Schön, daß Ponto den Geheimrat Schlüter als Lieblingsrolle
angegeben hat. Ja, heb es nur auf. Wenn's klappt, komme ich
in zirka 8 Tagen. Aber genau versprechen kann ich's noch
nicht. Denn die Ufa will sich bald mit mir über ein neues
Drehbuch unterhalten. Und möglicherweise ist das dann gerade in diesen Tagen.
Winkewinke.
Mill. Gr. u. K Dein oller Junge
Viele Gr. an Papa

P. Berlin, 11. 9. 42
Mein liebes, gutes Muttchen Du!
Hab vielen Dank für das Briefchen mit dem netten Ponto-
Artikel. Die Illustrierte hab ich noch nicht für Dich auftrei-
ben können. Die Ufa läßt mich in Ruhe, so daß ich die Ände-
rungen erledigen kann. — Wegen des Bezugsscheins für die
Steppdecken-Reparatur sprech ich gleich morgen mit & Co.
Wir hatten vorgestern abend gegen 11 Uhr bis, ich glaube, 1
Uhr einen kleinen Alarm. Es war aber glücklicherweise
nichts los. Kaum daß die Flak schoß. Und das auch sehr weit
weg von der Stadt. Gestern war Ruhe.
Mill. Gr. u. K. von Deinem ollen Jungen
Viele Gr. an Papa

12. 9. 42
Mein liebes, gutes Muttchen Du!
Frohen Sonntag wünsch ich. Hoffentlich kommt das Brief-
chen rechtzeitig an. Mit der neuen Seifenkarte u. der neuen
Münchh.-Seite aus der «Berliner Illustrirten». Frl. Plage
brachte sie an.

Das Drehbuch «Der kl. Grenzverkehr» liegt schon seit ein paar Tagen auf dem Wäschekarton, der wohl bald abgehen wird. Ich bekam es selber erst nach meiner Rückkehr aus Bayern.

Morgen wollen wir nach Falkensee zu Lottchens Verwandten. Da werd ich wohl nicht zum Kärtchenschreiben kommen, sondern erst am Montag wieder.

Den Georg sollte erst Axel von Ambesser spielen und Luise Ulrich die Konstanze. Aber die Ulrich — im 4. Monat Kind unterwegs — kam nicht aus dem Urlaub zu den Kostümproben und darüber ärgerte sich Jahn mit Recht und engagierte, schwupp! Rühmanns Frau, die Hertha Feiler. Ja, die Ulrich wäre zu alt gewesen, ist aber die bessere Schauspielerin. Na, es wird schon gehen. Leider hat man noch keinen Karl u. den Franzl auch noch nicht. Und am 20. soll's losgehen.

Fritschs Frau ist Dinah Grace, eine akrobatische Tänzerin, die eigentlich Schmidt heißt.

Gestern hab ich Frau Löhr einen Brief geschrieben. Wie schwer es ist, so einer armen Mutter zu schreiben! . . .

Mill. Gr. u. K   von Deinem ollen Jungen

Viele Gr. an Papa

14. 9. 42

Mein liebes, gutes Muttchen Du!

Vielen Dank für Dein Kärtchen vom 13. 9. Wegen Zulassungskarte wird sich morgen & Co erkundigen. Wann genau ich hier paar Tage wegkann, weiß ich leider nicht. Morgen wieder Babelsberg. Ich bringe einen Teil der Änderungen hinaus.

Wer den Franzl und den Karl spielt, wissen sie immer noch nicht! Und am 20. wollen sie in Salzburg mit Drehen beginnen! Unglaubliche Leute. Ich glaube, ich werde gar nicht mit hinunterfahren. Es frißt nur Arbeitszeit!

Meine Beste, hast Du inzwischen mal wegen Rentenmark-Scheinen nachgeschaut? Sie gelten noch zwei Wochen. Da könntest Du sie einzahlen oder wechseln. . . .

Gestern waren wir in Falkensee bei Lottchens Verwandten.

Haben im Garten gesessen und Ping-Pong gespielt. Und eine
kleine Ente gegessen. War recht nett . . .
Mill. Gr. u. Küßchen   von Deinem ollen Jungen
Viele Grüße an Papa

P.   [Berlin] 15. 9. 42
Mein liebes, gutes Muttchen Du!
Vielen Dank fürs Kärtchen vom 14. 9. Ja, also der Ambesser
hat in «Annelie» den Tanzstundenherrn von der Ulrich ge-
spielt, mit der Schülermütze. Vielleicht erinnerst Du Dich.
Und die Ulrich ist eine Gräfin Kastell oder so ähnlich.
. . . Es gibt mehr Brot und Fleisch vom nächsten Mal ab? Na,
da werden sich aber die Leute freuen. — & Co hat Dir heute
wegen der Steppdecke geschrieben.
Mill. Gr. u. K   Dein oller Junge
Viele Gr. an Papa

P.   [Berlin] 16. 9. 42
Mein liebes, gutes Muttchen Du!
Vielen Dank fürs Kärtchen vom 15. 9. So, da hatte ich im
Trubel vergessen, daß Du mir wegen der RM schon geschrie-
ben hast. Es ist eben wirklich ein bißchen viel durcheinander.
In diesen Tagen kommen auch die Münchhausenleute aus
Venedig zurück. Da läuft dann neuer Albers-Ärger neben-
her . . .
Ende des Monats fangen sie in Salzburg an. Hoffentlich sind
da noch Blätter auf den Bäumen. — Zulassungskarten für
Dresden nur sonnabends und sonntags nötig. Ich werde hier
Montag früh losgondeln, damit wir uns endlich wieder ein-
mal sehen! . . .
Mill. Gr. u. K   Dein oller Junge
Viele Gr. an Papa
Wegen Hütchen können wir ja zusammen hingehen.

P.   Zürich, 25. 11. 42
Mein liebes, gutes Muttchen Du!
Hier wohn ich also. Eben hab ich mir das kleine Hotel
«Schiff» angeschaut, wo wir damals wohnten. Das Wetter ist
herrlich, aber frisch. Bei dem Verleger Rascher war ich auch
schon. Jetzt will ich mal essen gehen.
Mill. Gr. u. K   Dein oller Junge
Viele Gr. an Papa

P.   Zürich, 26. 11. 42
Mein liebes, gutes Muttchen Du!
Der Film, den wir sehen sollen, ist noch nicht da! Und wir
kriegen vor Sonntag keine Zugplätze. Da bin ich also frühe-
stens Montag mittag wieder in Berlin. — Hier ist Frost, aber
schöne klare Luft. Wie geht's Euch denn? Mir gut. Ich hab
hier zuviel gegessen. So was gibt's.
Mill. Gr. u. K   Dein oller Junge
Viele Gr. an Papa

P.   [Berlin] 15. 11. 44
Mein liebes, gutes Muttchen Du!
Mein Hexenschuß wird besser. Jetzt tut's überall ein bißchen
weh, aber nicht mehr so blöd an der einen Stelle. Morgen
wird's wohl weg sein. Ich habe den wollenen Schal ums
Kreuz gebunden. Das ist ja ein gutes Mittel. Vielleicht leg ich
mich auch am Nachmittag noch einmal ins Bett. Aber es
macht sich schon wieder mit dem ollen Lehmann!
Mill. Gr. u. K   Dein oller Junge

P.   [Berlin] 16. 11. 44
Mein liebes, gutes Muttchen Du!
Gestern über Tag und heute nacht hab ich mich mit meiner
Erkältung amüsiert. Schüttelfrost usw. Tabletten, Linden-
blütentee usw. Und nun ist wohl das Gröbste vorbei. Heute
nachmittag werd ich's mal mit Aufstehen versuchen.

Der Sohn von Lottchens Kusine aus Falkensee, ein kleiner Leutnant, hat endlich geschrieben. Er ist in Frankreich in amerikanische Gefangenschaft geraten. Jetzt ist er in Afrika. Und nun kommt er wohl nach Amerika hinüber.
Der Handschuhschein ist verlängert worden. Ich schick ihn Dir morgen.
Mill. Gr. u. K.   Dein oller Junge
Viele Gr. an Papa

P.   [Berlin] 20. 11. 44
Mein liebes, gutes Muttchen du!
Hab vielen schönen Dank für Kärtchen u. Brief vom 18. November. Was Du da mitschicktest, sollst Du doch nicht tun! Du, Du! Meine Erkältung ist wieder weg. Lottchen hat noch immer ein bißchen Hexenschuß. Sie hat keine Zeit, sich zu pflegen. Und Dir war auch nicht hübsch? Nimm Du mal das Dextropur selber! Wir haben hier auch welches auf Lottchens Rezept!
Mill. Gr. u. K.   Dein oller Junge
Viele Gr. an Papa

P.   [Berlin] 21. 11. 44
Mein liebes, gutes Muttchen Du!
Vielen Dank für Dein Kärtchen vom 19. November. Hoffentlich hast Du solche Schwächeanfälle nicht öfter? Hast Du noch Lebertran? Kriegst Du auf die alten Rezepte nicht noch welchen?
Hier in der Wohnung haben wir Zuwachs gekriegt. Eine Maus. Ich hab sie schon ein paarmal seit gestern laufen sehen. Aber dann ist sie gleich wieder weg. Wohin, wissen wir leider nicht. Na, heute will ich noch gründlicher aufpassen! Angeknabbert hat sie bis jetzt noch nichts, soweit wir feststellen konnten.
Heute mittag flog der Feind nach Sachsen ein. Hoffentlich hattet Ihr keinen Alarm!
Mill. Gr. u. K.   Dein oller Junge

P.   [Berlin] 22. 11. 44
Mein liebes, gutes Muttchen Du!
Meinen Hut hab ich nun doch nicht wieder bekommen. Der
jetzige ist dieselbe Marke, Borsalino, leider etwas zu klein, so
daß ich die Krempe runtergeklappt tragen muß. Na ja, es gibt
schlimmere Dinge. Aber ärgern tut's mich trotzdem.
Flieger bis Böhmen gekommen. Da werdet Ihr vielleicht wie-
der Alarm gehabt haben?
Mill. Gr. u. K.   Dein oller Junge
Viele Gr. an Papa

P.   [Berlin] 23. 11. 44
Mein liebes, gutes Muttchen Du!
Oje, da hattet Ihr also wieder einmal Alarm! Aber es wurde
wohl nichts abgeworfen, hoff ich? Bei Vor-Entwarnung nach
oben gehen, vor allem auf die Straße, hat schon manchen das
Leben gekostet. Die paar Minuten soll man, vor allem, wenn
vorher Abwürfe waren, getrost noch warten.
Und die gekauften Handschuhe sind, leider, nicht gut? Na
ja, das kann ich mir schon denken.
An Tante Lina hab ich noch immer nicht geschrieben. Es läßt
sich so gar nichts Tröstliches sagen. Aber ich tu's schon
noch.
Mill. Gr. u. K   Dein oller Junge
Viele Gr. an Papa

P.   [Berlin] 24. 11. 44
Mein liebes, gutes Muttchen Du!
Vielen Dank für Deine beiden Kärtchen vom 22. November.
Na, hör mal, um Sechs noch zum Bahnhof, — das ist aber
reichlich spät und dunkel!
Was war das denn für ein Schwächeanfall, den Du hattest?
Herz? oder Schwindel?, Blutleere im Kopf? Schone Dich nur
ja recht!
Du schreibst, ich soll den Einkaufschein schicken. Aber ich
habe ihn Dir neulich schon in Dresden gelassen. Du stecktest

ihn, glaub ich, in die Handtasche. Er ist weiß, und zweimal gefaltet. Du wirst ihn schon finden. Was für einen Ausweis brauchen sie denn noch? Den Fliegerschein? Ja, den hab ich hier.

Gute Besserung!

Mill. Gr. u. K.   Dein oller Junge
Viele Gr. an Papa

P.   [Berlin] 25. 11. 44
Mein liebes, gutes Muttchen Du!
Wir hatten gestern abend einen kleineren Angriff. Zweimal rumste es ganz hübsch. Wir hatten schon Sorge, in der Wohnung könnten die Fensterscheiben wieder mal kaputt sein. Aber sie waren glücklicherweise heil geblieben. Denn bei diesem Wetter ohne Scheiben, — ich danke schön!
Heute mittag war ein Kampfverband in Sachsen. Nu, ich glaube nicht, daß er bis Dresden geflogen ist. Aber vielleicht Leipzig? Es ist schon schlimm!

Mill Gr. u. K   Dein oller Junge
Viele Gr. an Papa

P.   [Berlin] 27. 11. 1944
Mein liebes, gutes Muttchen Du!
Fein, daß Du Lockenwickler, Watte usw. bekommen hast. War's schön in der Film-Matinee u. bei den Penigern?
Tante Almas Junge so lange nicht geschrieben? Ach, es ist wirklich schlimm.
Wir hatten gestern Besuch aus Oberitalien. Ein Berliner Bekannter war kurz auf Urlaub da. Brachte etwas Kaffee, Schnaps u. Zigaretten. Da haben wir fürstlich getafelt.
Hertis Tanten endlich wieder mal geschrieben. Sie leben jetzt meist auf dem Land. Kiel soll sehr schlimm aussehen.
Nun winke, winke!

Mil. Gr. u. K.   von Deinem ollen Jungen
Viele Gr. an Papa

P.   [Berlin] 28. 11. 44
Mein liebes, gutes Muttchen Du!
Gestern abend hatten wir wieder einen Störangriff. Diesmal
fielen die Bomben in anderen Stadtgegenden. Im Wehr-
machtsbericht werden kleinere Angriffe nicht mehr erwähnt.
Sonst würde er wirklich zu lang, was?
Mill. Gr. u. K.   Dein oller Junge
Viele Gr. an Papa

P.   [Berlin] 29. 11. 44
Mein liebes, gutes Muttchen Du!
Übers Wochenende sind wir in Ketzin. Hoffentlich klappt's
da auch mit dem Wetter. Heute nacht habe ich kaum geschla-
fen, weil im Radio fast alle Minuten ein so blödes Geräusch
war. Da werd ich die nächste Nacht mächtig nachholen.
Denn Schlaf gibt's ja noch ohne Marken.
Mill. Gr. u. K   Dein oller Junge
Viele Gr. an Papa

P.   [Berlin] 30. 11. 44
Mein liebes, gutes Muttchen Du!
Heute kam kein Kärtchen, dafür aber das Päckchen. Wir holen es am Nachmittag vom Postamt. Hab schönsten Dank.
Nachher will ich mit & Co mal zum Kriegsschädenamt gehen. Die Schadensaufstellung haben wir endlich fertig. Es
war eine ziemlich langwierige Arbeit. Nun will ich sehen, daß
ich Geld bekomme. Zum Bücherkaufen etc. Damit ich langsam wieder eine Bücherei zusammenbekomme. Das ist ja bei
meinem Beruf das Wichtigste. Morgen schreib ich Dir, wie's
war. Geht's Dir wieder besser?
Mill. Gr. u. K.   Dein oller Junge
Viele Gr. an Papa

P.   [Berlin] 1. 12. 44

Mein liebes, gutes Muttchen Du!

Gestern bekam ich sofort erst mal 5 T. für Bücherbeschaffungen. Als Voraus- u. Abschlagzahlung. Nun, da will ich mir mal so allerlei wieder anschaffen. Denn es fehlt ja an allen Ecken u. Enden. Morgen geht's nun wieder nach Ketzin hinaus. Aber diesmal nicht per Landstraße. Das ist zu anstrengend.

Mill. Gr. u. K   Dein oller Junge

Viele Gr. an Papa

P.   [Berlin] 2. 12. 44

Mein liebes, gutes Muttchen Du!

Heute kann noch keine Post durchsein. Es ist 8 Uhr. Ich bin schon aufgestanden, weil wir doch nach Ketzin wollten. Hab recht schönen Dank für das Päckchen. Es kam sehr gut an. Ein paar Lockenwickler sind auch für Frau Odebrecht in Ketzin, die Gattin des freundlichen Gastgebers. Am Montag gegen Abend bin ich wieder zurück. Es ist imer so nett dort draußen. Das Wetter weiß noch nicht, was es mit sich anfangen soll. Na, vielleicht wird noch ein Hut draus, wie man sagt.

Neugierig bin ich ja, ob es mit Weihnachten klappen wird. Wenn's nicht klappt, dann gleich im Januar. Was schenk ich Dir bloß, meine Gute?

Fällt Dir etwas ein? Gibt es etwas, was man heutzutage noch kaufen kann?

Mill. Gr. u. K.   von Deinem ollen Jungen

Viele Gr. an Papa

P.   [Berlin] 2. 12. 44

Mein liebes, gutes Muttchen Du!

Eben kommen Deine zwei Kärtchen vom 30. Nov. und 1. Dezember. Hab schönsten Dank. Hat Tante Lina meine Zeilen bekommen? Das ist ja entsetzlich. Durch einen eigenen Flieger! Ach, du lieber Himmel!

Und Dr. Fetscher ist leider mit Dir nicht zufrieden. Da soll er Dir wirklich mal was Vernünftiges verschreiben! Papa kriegt doch auch von seinem Arzt! Am Montag steck ich in Potsdam ein Kärtchen ein.

Mill. Gr. u. K Dein oller Junge
Viele Gr. an Papa
Wir haben ein paar Tage glücklicherweise keinen Alarm. Aber Ihr.

P. [Berlin] 5. 12. 44
Mein liebes, gutes Muttchen Du!
Hoffentlich klappt es mit Weihnachten. Und die Backzutaten solltet Ihr lieber *so* essen!
Wenn hier Alarm war, schreib ich Dir's. Wenn ich nichts schreibe, war keiner.
Heute mittag war welcher. Von ½11 bis ½12. Sehr viele Flugzeuge. Wo die abgeworfen haben, wissen wir noch nicht.

Mill. Gr. u. K Dein oller Junge
Viele Gr. an Papa

P. [Berlin] 6. 12. 44
Mein liebes, gutes Muttchen Du!
Der gestrige Großangriff hat sich im Norden Berlins abgespielt. Er betraf auch Orte in der Umgebung. Bei uns im Westen war nichts los. Die Verbände flogen nur brummend drüberweg.

Mill. Gr. u. K. Dein oller Junge
Viele Gr. an Papa

P. Berlin, 7. 12. 44
Mein liebes, gutes Muttchen Du!
Mit der Karte in Potsdam klappte es leider nicht, weil ich im Autobus paar Zeilen schreiben wollte, aber vor lauter Überfüllung keine Hand frei kriegte. Gestern abend wieder Kel-

lersport. Aber in unserer Gegend fielen zum Glück keine Bomben.

Ich werde, glaub ich, bald wieder Schmutzwäsche abschikken. Zu Weihnachten werden wir bei Scharnhorst ein paar nette Bücher bekommen, denk ich mir. Gehst Du schon mal wegen eines Hutes gucken? Aber nicht wieder in so einem Laden wie der Radeberger Hutladen!

Mill. Gr. u. K.   Dein oller Junge
Viele Gr. an Papa
Der Einkaufschein ist unbefristet verlängert worden.

P.   [Berlin] 8. 12. 44
Mein liebes, gutes Muttchen Du!

Heute keine Post. Hoffentlich hast Du meine Post nach dem Mittagsangriff wenigstens gestern gekriegt. In unserer Gegend war, wie gesagt, nichts los.

Lottchen fährt morgen früh nach Herbergen, um einiges abzuholen. Sie will versuchen, gleich von Dresden nach Pirna weiterzufahren, da sie sonst den Autobus nicht erwischt. Und am Montag fährt sie wohl auch wieder gleich durch. So werdet Ihr sie wohl gar nicht sprechen. Und den Smoking müßtest Du dann am besten im Karton schicken. Hoch versichert, oder wie macht man das am besten? Na, es hat ja noch ein bißchen Zeit. Zu Weihnachten mitnehmen möchte ich ihn nicht. Die Tragerei bekommt mir nicht besonders.

Mill. Gr. u. K   Dein oller Junge
Viele Gr. an Papa

                                    10. 12. 44
Mein liebes, gutes Muttchen Du!

Heute haben wir einen ganz richtigen, faulen Sonntag hinter uns gebracht. Gestern abend hatten wir einen kurzen Störangriff. Etwa ¾ Stunden. Wo sie abgeworfen haben, wissen wir nicht. Also, in unserer Nähe kann es nicht gewesen sein. Und da ist man ja heutzutage schon zufrieden.

Vorhin kriegten wir eine Zitrone aus Italien geschickt. Und

Lottchen ein Paar Strümpfe. Na ja, das kann man ja alles dringend gebrauchen.
Mill. Gr. u. K.   Dein oller Junge
Viele Gr. an Papa

[Beilegezettel]   11. 12. 44
Lieber Papa!
Da kommt ein Päckchen Zigarettenenden angereist. Ein paar Pfeifen Tabak sind es ja doch wieder!
Tausend herzliche Grüße   Dein Erich
Viele Grüße an Mama

P.   [Berlin] 13. 12. 44
Mein liebes, gutes Muttchen Du!
Hier wird viel von sehr strengen Reisebestimmungen gesprochen, die dieser Tage herauskämen. Nun, man muß geduldig abwarten.
Eben ist Vorwarnung. Mal sehen, wie's weitergeht. Das Wäschepaket hat & Co eben weggebracht. Zum Sm. [Smoking] packst Du, bitte, das weiße weiche Hemd, ja? Versichern mit 500 bis 1000 Mark, würde ich denken.
Geht's Dir gut? Alarm gäbe es nicht, hat der Funk eben gesagt. Das ist erfreulich.
Mill. Gr. u. K   Dein oller Junge
Viele Gr. an Papa
Am Mittwochfrüh geht nun das Paket zur Post. Hoffentlich kriegst Du's bald.

P.   [Berlin] 15. 12. 44
Mein liebes, gutes Muttchen Du!
Nun, daß ich Dir keinen Hut schenken können werde, ist gemein. Wovon leben denn die Putzmacherinnen, wenn sie nur an Fliegergeschädigte verkaufen dürfen? In Dresden gibt's doch gar keine, oder fast keine! Was schenk ich Dir denn dann? Ich habe beim besten Willen keine Ahnung, meine Al-

lerbeste! Ich hab mir auch ein Paar Strümpfe erstanden. ¾
lang. Grau. Sehr stabil, wie's scheint.
Und heute hast Du also ein Wäschepaket abgeschickt? Ich
bin ja gespannt, wie lange es diesmal läuft!
Mill. Gr. u. K.   Dein oller Junge

P.   [Berlin] 16. 12. 44
Mein liebes, gutes Muttchen Du!
Sonnabend früh. Lottchen ist vorhin nach Herbergen losge-
fahren. Nun will sie am Montagfrüh zeitig wieder von dort
zurück und den Karton mit Sm. und weißem Hemd am
Hauptbahnhof in Empfang nehmen. Und zwar unten an der
Treppe, wo wir immer hochsteigen, wenn ich abfahre. Und
zwar gegen zehn Uhr früh. Der Zug geht zwar erst gegen ½
11. Aber da hat sie ja Trasch wegen Platz im Zug.
Anfang der Woche erkundige ich mich wegen der Weih-
nachtsreise. Hoffentlich kriegst Du die Karte Montag frühzeitig. Lotte will Dich wohl auch aus Herbergen deswegen
anrufen lassen. Wenn's nicht klappen sollte mit dem Übergeben, reißen wir uns auch kein Bein aus, weißt Du! Da bin ich
Silvester eben im blauen Anzug. Heute mittag fahr ich nach
Ketzin.
Mill. Gr. u. K   Dein oller Junge
Viele Gr. an Papa

P.   [Berlin] 19. 12. 44
Mein liebes, gutes Muttchen Du!
Eben kam das Wäschepaket. Auspacken tu ich's später, weil
ich erst mal zur Polizei will. Wegen der Reise-Erlaubnis. Vielen herzlichen Dank auch für den Smoking, den Lottchen
wohlbehalten anbrachte. Ob ich ihn aufhänge? Dann kann
man ihn aber wegen Alarm schlecht mit in den Keller bugsie-
ren. Gestern früh und abend je ein Vor-Alarm. Es war zum
Glück nichts los.
Mill. Gr. u. K   Dein oller Junge
Viele Gr. an Papa

P. [Berlin] 20. 12. 44
Mein liebes, gutes Muttchen Du!
Vielen Dank für Dein Kärtchen vom 18. Dez. Gestern be-
kam ich nun also die Reisebescheinigung auf der Polizei.
Nun fehlt noch die Zulassungskarte, die & Co am Anh.
Bahnhof besorgen muß. Da werde ich also, wenn alles
klappt, Freitag nachmittag oder abend, oder wenn das schief
gehen sollte, Sonnabend früh losgondeln. Irgendwie wird's
schon klappen, denk ich.
Mill. Gr. u. K Dein oller Junge
Viele Gr. an Papa

P. [Berlin] 28. 12. 44
Mein liebes, gutes Muttchen Du!
Na, die Reise war soweit ganz gemütlich, obwohl es mächtig
voll wurde, auch unterwegs viele nicht mitkamen. Nur die
letzten 1½ Std. mußte ich stehen, weil ein Schwerkriegsbe-
schädigter keinen andren Sitzplatz angeboten kriegte.
Lottchen hat sich über alles gefreut: Muskatnuß, Seife, ge-
nähte Tasche, Streußelkuchen usw. Und ich freu mich, daß
ich wieder einmal daheim war u. daß alles so schön friedlich
war. Trotz der Voralarme.
Wir hatten eben auch wieder einen Voralarm. Wenige
schnelle Kampfflugzeuge. Sie bogen aber schon vor Berlin
wieder ab. Wie geht's Euch denn? Sind Euch die Abendbrote
mit den vielen Gängen bekommen? Es war wieder so hübsch
zu Haus!
Mill. Gr. u. K. Dein oller Junge
Viele Gr. an Papa

P. [Berlin] 29. 12. 44
Mein liebes, gutes Muttchen Du!
Wir fahren schon morgen mittag nach Ketzin hinaus. Das ist
schön. Und am 2. Januar werde ich wahrscheinlich erst zu-
rückfahren. Leider kriegst Du da ein paar Tage keine Post.
Aber ich bin ja inzwischen gut aufgehoben! Du brauchst Dir

keine Sorgen zu machen. Und Du hast mir von Deiner Butter mitgegeben. Das solltest Du doch nicht!
Ich wünsch Dir u. Papa schon heute ein gesundes Neues Jahr! Und daß es uns den Frieden bringen möge! Das beides sind meine Herzenswünsche!

Mill. Gr. u. K.   Dein oller Junge
Viele Gr. an Papa
Eben kam noch das Kärtchen vom 27., das Du am Tag meiner Abreise geschrieben hast. Vielen Dank!

P.   [Berlin] 30. 12. 44
Mein liebes, gutes Muttchen Du!
Vielen Dank für Dein Briefchen vom 28. Dezember . . . ist eine Quatschliese. Die Aktenmappe werde ich wohl noch selber tragen können! Lottchen hat selber immer wie ein Dienstmann zu schleppen. — Wie schade, daß Du Deine grauen Handschuhe nicht wiederbekommen hast! Hoffentlich strickt Dir Gerhard Kests Frau ein Paar neue. — Ich Dussel habe mir keine Taschentücher von zu Hause mitgenommen. Und ich habe gar nicht viele mehr hier. Kannst Du mir welche schicken? In einem Kuvert oder so? . . .
Es ist mittags. Nachmittags geht die Silvesterreise nach Ketzin los. Noch einmal wünsch ich Euch: Ein gesundes Neues Jahr!

Mill. Gr. u. K   Dein oller Junge
Viele Gr. an Papa

                                            2. 1. 45
Mein liebes, gutes Muttchen Du!
Vielen Dank für Dein Kärtchen. Na, da bin ich ja neugierig, ob das Paket durchkommen wird! Denn um Berlin herum wird ja jetzt alles schwierig, solange die Russen so nahe sind. Man kann schon gar nicht mehr in die nächste Umgebung mit der Eisenbahn. Jedenfalls nicht in östlicher Richtung. Wir wollen aber übers Wochenende wieder nach Ketzin hinaus. Ketzin liegt *westlich* von Berlin. Das ist vielleicht ganz

günstig in diesen Tagen. Mit dem Ausbilder vom Volkssturm hab ich zur Zeit nichts zu tun. Da kann ich also mal ein paar Tage weg. Gestern abend wollte mich einer im Luftschutzkeller anpöbeln, weil ich nie bei ihren Übungen dabei wäre. Als ich ihm dann sagte, daß ich im letzten Aufgebot sei, entschuldigte er sich. Na ja, die Menschen sind nervös. Ein Wunder ist es nicht. Gestern abend einmal; und gestern nacht ein weiteres Mal im Keller. In der Nähe war nichts los. Aber früh ¼4 h in den Keller ist allein schon Ärger genug!

Meine Allerbeste, uns geht es gut. Mach Dir keine großen Sorgen. Nach Dresden hätte man mich nicht reisen lassen. Es sind auch alte Frauen und Kinder noch hier. Wir werden schon gut aufpassen, wenn es ernst werden sollte. Nach Babelsberg können wir auch ziehen, wenn es in Berlin mal keine Heizung usw. mehr geben sollte. Denn i. Bab. hätten wir Kohlen, Wasser u. was man so braucht. Zur Not können wir zu Fuß hinaus, falls keine Bahn mehr gehen sollte.

Hoffentlich funktioniert die Post möglichst, damit wir immer Nachricht voneinander haben.

Morgen geht's also erst mal nach Ketzin. Bis Montag, Dienstag. Bis dahin sieht man wieder etwas klarer, wie sich die Dinge entwickeln werden. Laßt es Euch recht gutgehen! Wir wollen's auch versuchen! Winkewinke!

Mill. Gr. u. Küßchen   von Deinem ollen Jungen
Viele Gr. an Papa

P.   [Berlin] 3. 1. 45
Mein liebes, gutes Muttchen Du!

Vielen Dank für die Glückwunschpost und alles übrige. Heute früh kamen auch schon die Taschentücher an! Prima!

Silvester abend sahen wir den Angriff auf Berlin von Ketzin aus. Das war weniger schön. Das Postamt, wo wir letzthin immer die Pakete abgaben, ist weg. Gestern abend auf der Rückreise wieder Alarm. Da mußten wir in Falkensee alle aus dem Zug und abwarten. Es war aber außer Flak nichts zu hören. Nur kalt. Dann noch ¾ Std. auf den nächsten Zug gewartet. Und in Berlin Glatteis. Uns geht's gut. Und in Ketzin wieder sehr schön!

Mill. Gr. u. K   Dein oller Junge
Viele Gr. an Papa

P.   [Berlin] 4. 1. 45
Mein liebes, gutes Muttchen Du!
Na, nun stiefeln wir also schon im Jahre 1945 herum. Und zwar mit schmutzigen Stiefeln. Denn es taut und ist recht matschig auf den Straßen.
Hoffentlich hast Du inzwischen Post von mir gekriegt. Denn vielleicht hast Du Dich gesorgt, weil Berlin zweimal im Wehrmachtsbericht genannt wurde. Gemein war's mit dem Silvesterangriff, weil damit ja nun den Berlinern die Prosit-Neujahrs-Laune verdorben wurde.

Mill. Gr. u. K   Dein oller Junge
Viele Gr. an Papa

P.   [Berlin] 5. 1. 45
Mein liebes, gutes Muttchen Du!
Das neue Jahr fängt gut an. Im Keller erzählte eine Hausbesitzerin, die ihre Eltern in Frankfurt besucht hatte, daß sie dort fast ohne Pause Alarm haben. Und kein Wasser. Das müssen sie zehn Minuten weit weg in Eimern holen. Essen können sie immer nur mal so zwischendurch, wie's grade klappt . . .
Hast Du denn die Fleischmarken inzwischen gefunden? Hoffentlich! Uns geht's gut. Warst Du bei Hertzschuch? Richards Schwiegersohn gefallen, — es ist alles so traurig!

Mill. Gr. u. K   Dein oller Junge
Viele Gr. an Papa u. schönsten Dank für seine Neujahrs-karte!

P.   [Berlin] 8. 1. 45
Mein liebes, gutes Muttchen Du!
Mach Dir nicht zu große Sorgen! Zu blöd, daß die Post so
trödelt. Die Angriffe waren nicht sehr umfangreich. Das
Höchste waren wohl hundert Flugzeuge. Vor einem Jahr kamen bis zu tausend aufs Mal. Da war's wohl schlimmer als
augenblicklich. Natürlich muß man Glück haben und nicht
gerade dort sein, wo sie abwerfen. Fein, daß Ihr nun Salz
habt! Morgen schreib ich Dir mal wieder ein Briefchen, gelt?
Jetzt will ich zum Briefkasten, und dann mich mit *Aldo* treffen. Also, nicht zu sehr sorgen, bitte!
Mill Gr. u. K   Dein oller Junge
Viele Gr. an Papa

                                                    9. Januar 1945
Mein liebes, gutes Muttchen Du!
Hoffentlich hast Du nun endlich Post von mir, wo ich Dir
mitgeteilt habe, daß wir die Alarme gut überstanden haben.
Ich habe natürlich immer gleich geschrieben. An zwei Abenden der vorigen Woche abends insgesamt viermal im Keller.
Wir dachten schon, das würde nun so weitergehen. Aber
jetzt haben wir etliche Tage Ruhe gehabt. Das ist uns viel lieber.
Wie geht's Dir denn? Noch erkältet von dem Straßenmatsch,
als Du bei Vogels Wurst holen warst?
& Co ist seit Freitag in Pommern, um ihre Wintersachen zu
holen. Kommenden Freitag ist sie wieder zurück. Solange
muß ich mal alles selber einholen. Und abends wäscht Lottchen auf, und ich trockne ab. Zu zweit geht das ja ziemlich
rasch.
Drei Tage funktionierte jetzt unsere Heizung nicht. Da saßen wir ganz kalt. Zum Glücke hat Lottchen eine Heizsonne.
Die half uns über das ärgste hinweg.
Heute früh von 10—11 war der elektrische Strom abgestellt.
Neulich abends auch eine Stunde. Der Staat spart in den
Elektrizitätswerken Kohle. Na ja. Das muß wohl sein. Jetzt
will ich mal sehen, ob ich Kartoffeln kriege. Es waren paar

Tage keine da. Und dann hole ich Gehacktes. Für Beef-
steaks.
Mill. Gr. u. K.   von Deinem ollen Jungen
Viele Gr. an Papa

P.   [Berlin] 10. 1. 45
Mein liebes, gutes Muttchen Du!
. . . Vorgestern und gestern hat es auch in Berlin geschneit.
So etwas Schönes! Da bin ich ein bißchen herumgestiefelt.
Ach, ist Schneeluft für das Herz gut! Wenn man langsam
spaziert u. ruhig atmet! Die reinste Kurpromenade.
Mill. Gr. u. K.   Dein oller Junge

P.   [Berlin] 11. 1. 45
Mein liebes, gutes Muttchen Du!
Wie schön, daß Du das Bildchen gefunden und mir geschickt
hast! Wann wird es endlich soweit sein, daß Du mal wieder
eins der schönen Kleider anziehen kannst oder daß ich Dir
ein neues kaufen kann? Das Foto sieht so reizend aus. Der
arme Hanns Ludwig! Ach ja.
Die gestrickten Handschuhe sind sehr hübsch warm. Wenn's
richtig kalt ist, helfen mir allerdings keine Handschuhe. Das
war schon immer so. Meine Gute, dieser Tage geht ein Wäschepaket ab. Ich werde wieder langsam knapp. Noch drei
saubere Hemden. Kein Höschen mehr.
Winkewinke! Alles Gute!
Mill Gr u K   Dein oller Junge
Viele Gr. an Papa

P.   [Berlin] 13. 1. 45
Mein liebes, gutes Muttchen Du!
Das ist ja nett, daß jemand die Karte, die ich verloren hatte,
in den Briefkasten gesteckt hat, so daß Du sie doch noch be-
kamst. Na, ein anderes Mal paß ich besser auf und spiele
nicht wieder den zerstreuten Professor.

Wir wollen eben zum Fleischer gehen und für den Montag etwas einkaufen. Vielleicht ein paar Koteletts. Und etwas Kochfleisch. Am liebsten Hammel. Weil wir Wirsingkohl gekriegt haben. Es ist gleich 4 Uhr. Hoffentlich komme ich noch rechtzeitig zum Briefkasten.

Mill. Gr. u. K   Dein oller Junge
Viele Gr. an Papa

P.   [Berlin] 15. 1. 45
Mein liebes, gutes Muttchen Du!
Ihr hattet gestern, Sonntag, wohl auch Alarm? Hoffentlich ist nichts passiert. Wir hatten am Sonnabend einen und gestern, Sonntag, dreimal: mittags, abends und nachts. In unserer Nähe nirgends was passiert. Mehr in der Umgegend Berlins, glaube ich.
Für die Spinnstoffsammlung kann ich als total Ausgebombter nichts geben. Na, das können sie sich wohl von selber denken! Und Du hast schon ein Paket abgeschickt? Das ist schön. Meines ist vorhin zur Post.

Mill. Gr. u. K.   Dein oller Junge
Viele Gr. an Papa

P.   17. 1. 45
Mein liebes, gutes Muttchen Du!
Eben kamen zwei Briefchen vom 15. Januar. Hab vielen Dank! Ich bin recht in Sorgen. Hier wird erzählt, gestern mittag u. abend sei Sachsen, und zwar auch Dresden, angegriffen worden. Hoffentlich ist nichts in der Nähe passiert! Und hoffentlich war der ganze Angriff nicht etwa schlimm. Denn die Dresdner haben ja noch gar keine Erfahrung in solch scheußlichen Sachen! Ich warte nun mit Hangen und Bangen auf den Wehrmachtsbericht. Und Du wirst ja sofort schreiben! Alles, alles Gute!

Mill. Gr. u. K   von Deinem ollen Jungen
Viele Gr. an Papa

P.   [Berlin] 17. 1. 45
Mein liebes, gutes Muttchen Du!
Um zwei Uhr kein Wehrmachtsbericht. Nun warte ich, daß
er um 3 durchgegeben wird. Wir waren gestern mittags und
abends im Keller, aber die Flieger waren hauptsächlich in
Sachsen. Hier wird erzählt, auch in Dresden in der Innen-
stadt. Eine Kirche sei auch getroffen. Woher die Leute das
nur so schnell wissen wollen! Aber vielleicht stimmt es? Es
war immer so eine Beruhigung für mich, daß sie Dresden in
Ruhe ließen! Da käme nun noch eine große Sorge dazu. Ach,
so ein Elend!
Winkewinke, meine Allerbeste.
Mill. Gr. u. K.   Dein oller Junge
Viele Gr. an Papa
Eben 3 Uhr. Es wurden nur Dessau u. Magdeburg genannt.
Nun weiß man wieder nichts.

P.   [Berlin] 18. 1. 45
Mein liebes, gutes Muttchen Du!
Gott sei Dank, daß Deine zwei Karten vom 16. mittags heute
ankamen. Nun hoff ich doch, daß morgen Post kommt, wo
Du über den Abendangriff schreibst. Denn da waren sie,
wird erzählt, auch wieder in Dresden. Hecht- u. Groteshei-
mer Str. Das ist ja leider ziemlich nahe. Die Schaufenster-
scheiben gehen viel rascher entzwei, weil sie größer sind. Wir
mußten heute früh um 5 Uhr aus den Federn, wegen Alarm.
Sie flogen dann aber nur bis Magdeburg, und wir konnten
uns bald wieder hinlegen.
Alles, alles Gute wünsch ich Euch! Und Ruhe vor den Flie-
gern!
Mill. Gr. u. K   Dein oller Junge
Viele Gr. an Papa
Die Bahnhöfe sind noch in Ordnung? Eben kam Dein Paket
an! 1000 Dank!

P.   [Berlin] 19. 1. 45
Mein liebes, gutes Muttchen Du!
Leider ist heute keine Post gekommen. Und ich hatte doch
so darauf gewartet! Nun, dann hoffentlich morgen. Hier
wurde erzählt, der Hauptbhf [Dresden] sei getroffen. Ich
möchte nur wissen, woher die Leute es so schnell wissen,
oder ob es bloßes Gerede ist. Ich fasse mich also in Geduld
und warte auf die morgige Post, die hoffentlich günstig klin-
gen wird. Bis dahin also winke, winke, meine Gute.
Mill. Gr. u. K   Dein oller Junge
Viele Gr. an Papa

P.   [Berlin] 19. 1. 45
Mein liebes, gutes Muttchen Du!
Eben wurde Dein Telegramm gebracht. Gott sei Dank, da
bin ich ja erst mal beruhigt, bis ich Näheres höre!
Es ist gleich 4 Uhr. Da wird der Briefkasten geleert.
Drum schnell nur vielen Dank.
Mill. Gr. u. K.   von Deinem ollen Jungen
Viele Gr. an Papa

P.   [Berlin] 20. 1. 45
Mein liebes, gutes Muttchen Du!
Wie schön, — heute kam viel Post. Ein Brief vom 17., zwei
vom 18. und eine Karte vom 19. Januar. Ich dank Dir vielmals! Solche Glücksfälle, wie die Frau aus der Hechtstraße
einen hatte, sind hier auch vorgekommen. Trotzdem ist im
allgemeinen der Keller natürlich viel sicherer. Noch dazu,
wo Eurer so gut umgebaut worden ist. Könnt Ihr denn nicht
paar Koffer zunächst mal für ein paar Wochen wieder herun-
terstecken? Damit Ihr bei Alarm nicht so schreckliche
Schlepperei habt? Das geht ja über das letzte bißchen Gesundheit! Den Friedhof auch getroffen, — sie haben sicher
die Kasernen gemeint. Alles, alles Gute!
Mill. Gr. u. K   Dein oller Junge
Viele Gr. an Papa

P.   [Berlin] 22. 1. 45
Mein liebes, gutes Muttchen Du!
Hab schönen Dank für den Brief vom 19. und das Kärtchen
vom 20. Januar! Es war so beruhigend, daß die Depesche so
rasch kam. Die Bomben, die schräg in den Keller gehen, werden nicht absichtlich geworfen, meine Güte. Alle Bomben
fallen schräg. Und manche leider nicht auf die Dächer, sondern auf die Straße. Trotzdem ist der Keller immer noch das
Sicherste. Wenn alle oben blieben, kämen noch viel mehr
ums Leben. Es ist ein Elend! Morgen ein Briefchen!
Mill. Gr. u. K   von Deinem ollen Jungen
Viele Gr. an Papa

P.   [Berlin] 23. 1. 45
Mein liebes, gutes Muttchen Du!
Nun wollte ich Dir gerade heute ein Briefchen schreiben, —
da steht in der Zeitung, daß man nur noch Kärtchen schicken
darf. So was Dummes! Über Pakete gibt es auch neue Ein-
schränkungsbestimmungen. Ich bin noch nicht ganz schlau
draus geworden. Aber ich glaube, daß man Bekleidungs-
stücke an Ausgebombte weiter schicken darf. Heute abend
ist eine Volkssturm-Versammlung. Na, mal sehen, was uns
erzählt wird.
Mill. Gr. u. K   Dein oller Junge
Viele Gr. an Papa

P.   24. 1. 45
Mein liebes, gutes Muttchen Du!
Vielen Dank für Dein Briefchen vom 22. Januar! Da kam erst
meine Karte vom 18. an? Nun dürfen wir einander nicht mal
mehr Briefe schreiben! Das sind Zeiten! — Beim Volkssturm
war gestern abend nichts Besonderes los. Nach einer Stunde
waren wir wieder draußen. Sag mal, — Du darfst nun nicht
mehr mit Gas kochen? Wir dürfen, weil wir ja weder Herd
noch Kohlen haben.
Hier kommen viele Flüchtlinge an. Aus Posen, Ostpreußen,

Schlesien. Haben einen Rucksack auf dem Buckel oder ein
Paket in der Hand. Das ist alles. Sind sehr zu bedauern.
Geht's Euch einigermaßen gut? Übers Wochenende sind wir
in Ketzin. Da freuen wir uns drauf.
Mill. Gr. u. K   Dein oller Junge
Viele Gr. an Papa

P.   [Berlin] 25. 1. 45
Mein liebes, gutes Muttchen Du!
Ja, die Lage ist kritisch. Da wollen wir mal die Daumen hal-
ten. Reisen kann man auch nur noch 75 km, und von Berlin
bis Dresden ist 180 km. Nun, wenn die Lage sich bessern
sollte, werden die Bestimmungen auch wieder etwas gelok-
kert. Lottchen arbeitet nur noch drei Tage pro Woche. We-
gen Kohlenersparnis.
Und das Paket von mir ist noch immer nicht da? So was!
Danke Dir auch schön für die Steppdeckenrechnung!
Mill. Gr. u. K   Dein oller Junge
Viele Gr. an Papa

P.   [Berlin] 26. 1. 45
Mein liebes, gutes Muttchen Du!
Ja, das mit dem Wäschepaket ist ja merkwürdig! Bis jetzt sind
doch noch alle angekommen! Nun, hoffentlich erreichst Du
etwas auf der Kellerstraße. Und vielleicht kann man als Ausgebombter wirklich weiterschicken? Das wäre eigentlich nur
recht und billig, sollte man denken.
Uns geht's gut. Morgen mittag gondeln wir nun wieder einmal nach Ketzin hinaus. Alarme gab es in den letzten Tagen
zum Glück gar nicht. Das ist eine wahre Wohltat!
Mill. Gr. u. K   Dein oller Junge
Viele Gr. an Papa

P.   Berlin 30. 1. 45
Mein liebes, gutes Muttchen Du!
Wir sind heute, Dienstag, erst aus Ketzin gekommen. Dadurch blieben uns zwei Alarme erspart. Als wir vorhin ankamen, sahen wir, daß das Haus von unserem Fleischer über Nacht verschwunden ist. Es ist allerlei passiert. — Geht's Deinem Magen wieder besser? Hoffentlich! — Morgen lasse ich & Co fragen, ob man auch von hier 20 gr. Briefe schicken darf. Der Arzt hofft, das Auge ihrer Mutter zu retten. Es ist sehr, sehr schmerzhaft. Die Ärmste. — Hier sind auch viele Flüchtlinge. Sie haben viel durchgemacht.
Mill. Gr. u. K   Dein oller Junge
Viele Gr. an Papa

P.   [Berlin] 31. 1. 45
Mein liebes, gutes Muttchen Du!
Wir können ja hier nicht so ohne weiteres weg. Wir bekämen keine Reiseerlaubnis. Außerdem gehöre ich zum Volkssturm, wenn auch zum allerletzten Aufgebot. Aber vielleicht wird man eines Tages doch gebraucht. Für Schreibstube oder so was. Und da muß man eben hübsch dableiben. Solange die Post funktioniert, geht's ja noch. Da wissen wir ja stets übereinander Bescheid, nicht?
Mill. Gr. u. K.   Dein oller Junge
Viele Gr. an Papa

P.   [Berlin] 1. 2. 45
Mein liebes, gutes Muttchen Du!
1. Februar; die Zeit vergeht. Und die Russen kommen immer näher. Vorläufig erst mal die Panzerspitzen: Ein Teil des Berliner Volkssturms ist ihnen schon entgegen. Natürlich nur vom ersten Aufgebot, zunächst einmal. Ausgebildete Leute. Im Berliner Osten — in der Gegend, wo Du vor einem Jahr ankamst — werden, heißt es, Panzersperren usw. gebaut. Für den Fall, daß die R. bis Berlin durchbrechen können. Näheres weiß man nicht. Na ja, werden's ja merken,

wenn's soweit kommen sollte. Vielleicht gehen wir auch nach
K. hinaus, wenn's sich machen läßt. Dort sind wir ja jederzeit
willkommen. Und ich bin Lottchen in der Nähe.
Heute keine Post von Muttchen. Hoffentlich kann man weiterschicken.

Mill. Gr. u. K   Dein oller Junge
Viele Gr. an Papa

P.   [Berlin] 7. 2. 45
Mein liebes, gutes Muttchen Du!
Am Sonnabend hat's im Anhalter Bhf. usw. mächtig reinge-
hauen. Hoffentlich ist das Wäschepaket da nicht mitver-
brannt. Nun, man muß heutzutage Geduld haben wie'n Esel.
Und Geduld haben wir ja reichlich. Uns geht's gut. Berlin
wird wohl kaum geräumt werden. Wo sollten denn die Millionen Menschen alle hin? Alles Gute!

Mill. Gr. u. K.   Dein oller Junge
Viele Gr. an Papa
Mach Dir's nur schön warm im Bettchen! Eßt Ihr richtig?
«Der Führer kennt nur Kampf, Arbeit und Sorge. Wir wollen
ihm den Teil abnehmen, den wir ihm abnehmen können.»

P.   [Berlin] 8. 2. 45
Mein liebes, gutes Muttchen Du!
Mit der Post klappt's diesmal gar nicht. Na ja, der Anhalter
Bahnhof ist kaputt. Vielleicht ist dabei auch Briefpost ver-
brannt. Hoffentlich nicht das Wäschepaket!
Lottchen wäscht gerade Taschentücher, weil sie alle schmut-
zig sind. Es ist eben Krieg.
Dein Brief vom 1. 2. 45 kam am Montag. Seitdem noch
nichts wieder. Und Du wirst auch nichts bekommen haben!
Sorge Dich nicht allzu sehr.
In der Innenstadt soll es bunt aussehen. Ich schau mir's gar
nicht an. Man hat schon genug davon zu Gesicht gekriegt.
Alles, alles Gute!

Mill. Gr. u. K   Dein oller Junge

P.
Mein liebes, gutes Muttchen Du!
Wie mag's Euch denn gehen? Die letzte Post, die von Dir
kam, hattest Du am 2. Februar, also vor zehn Tagen, geschrieben und abgeschickt. Da müßte ja nun wieder mal ein
Stoß Karten u. Briefe eintrudeln! Und ob Du von mir genau
so selten was kriegst? Ich schreibe ja auch täglich!
Uns geht's gut. In Ketzin waren wir zu diesem Wochenende
nicht. Die haben auch ihre Sorgen. Überall im Osten hatten
sie Stoffe, Anzüge usw. gelagert. Das ist nun alles futsch,
weil sie keine Lastwagen zum Abholen kriegten. Einen einzi-
gen Wagen bekamen sie. Aber zu spät. Er fiel mit dem
Chauffeur usw. in russische Hände. Na ja. Alles, alles Gute!
Winke! Winke!
Mill. Gr. u. K   von Deinem ollen Jungen
Viele Gr. an Papa
& Co liegt mit Fieber zu Hause. Grippe hat sie wohl.

P.   [Berlin] 23. 2. 45
                                                    2. Karte

Mein liebes, gutes Muttchen Du!
Das war eine wahre Erlösung, als Lottchen heute früh ins
Zimmer kam und rief: «Post aus Dresden!» Was ich alles versucht habe, Nachricht zu kriegen. Nichts hat geklappt.
Nun kamen auf einmal: Brief vom 14. Brief vom 15., Karte
vom 16. mit den Zeilen: «Uns geht's gut», und die Karte vom
18. Februar. Gott sei Dank!
Was meinst Du, was aus Deinem Wäschepaket gekrabbelt
kam? Ein Herrgottschäfchen! (Marienkäfer) Das sitzt jetzt
auf dem Fensterbrett. Als Gruß von Dir. — Warum wart Ihr
denn in Rich. Naumanns Hausflur mit allen Sachen? Brannte
denn das Dach oder was? Denn bei Euch im Keller wär's
doch auch nicht kälter gewesen? Nochmals: zieh Lottchens
Mantel an! Und Papa den blauen Pullover von mir, der im
Vertiko ist! In unserer Gegend hier ist in letzter Zeit nicht
viel passiert.
Ich hatte so gehofft, daß Dresden verschont bliebe, und nun

hat man es in 2 Tagen so sehr zugerichtet! Eßt Ihr denn genug? Auch was Warmes?

Mill. Gr. u. K   Dein oller Junge

Viele Gr. an Papa

P.   [Berlin] 7. 3. 45

Mein liebes, gutes Muttchen Du!

Hurra, heute kam Post von Dir, ein Brief und ein Kärtchen vom 3. März! Nun habt Ihr wieder kein Licht und Wasser, und die Pappen sind noch von den Fenstern herunter!

Da muß aber doch in der Nähe allerhand geschehen sein! Denn von alleine purzeln doch die Pappen nicht heraus, wie? Und Du solltest doch Lottchens Pelzmantel anziehen, hörst Du! Fahre nicht wegen Depesche bis nach Coswig! Da kannst Du unterwegs in einen Alarm geraten! Ach, nun sollten sie aber Dresden in Ruhe lassen! Es soll so schrecklich viel passiert sein! 400 000 Flüchtlinge waren drüben, als die Angriffe am 14. 2. waren.

Gestern abend hatten wir den üblichen Angriff. Es sind kleinere Verbände.

Mill. Gr. u. K   Dein oller Junge

Viele Gr. an Papa

München

1945—1974

In Mayrhofen tauchten 1945 zwei Herren auf, Mister Kennedy und Peter de Mendelssohn, dieser ein gebürtiger Dresdner und Bekannter von Erich Kästner, um ihn aufzufordern, nach München zu kommen, an einer «Neuen Zeitung» mitzuwirken und der Leiter ihres Feuilletons zu werden.

Die Übersiedlung erfolgte plötzlich im Morgengrauen mittels eines blitzschnell gecharterten Lastwagens, der die vorm Kriegsgeschehen geflüchteten Filmleute abtransportieren sollte. Veränderungen in den Besatzungsverhältnissen ergaben, daß die Amerikaner ab- und französische Marokkaner einzogen.

Um neuen Schwierigkeiten aus dem Weg zu gehen, verließ die Filmgruppe Tirol.

München war das Ziel.

Es wurde Erich Kästners letztes Wohnziel.

P.   [München] 13. 3. 45
Mein liebes, gutes Muttchen Du!
Jetzt sind wir also bei München gelandet, wo wir auf einem
Gut bis morgen bleiben, das Freunden von EG Schmidt gehört. Morgen soll's dann mit der Eisenbahn weitergehen,
Richtung Innsbruck, nach *Mayrhofen im Zillertal, Tirol.* Näheres schreib ich Dir, sobald wir dort angekommen sind.
Wenn Du schon ein Lebenszeichen schicken kannst, dann
richte es, unter meinem Namen, an den dortigen *Verkehrsver-
ein.* Da hol ich's dann ab. Mir geht's sehr gut.
Heute war ein herrlicher Frühlingstag, und ich hab ein bißchen im Garten mitgeholfen. Ein Gänseblümchen hab ich
mir ans Knopfloch gesteckt. Hoffentlich geht's Euch einigermaßen gut? Die Karte kann ich heute leider nicht einwerfen,
da hier weit und breit kein Briefkasten ist.
Mill. Gr. u. K.   von Deinem ollen Jungen
Viele Gr. an Papa

                                              27. 1. 46
Mein liebes, gutes Muttchen Du!
Heute kamen zwei Briefchen von Dir an. Einer vom 18. und
einer vom 14./15. Januar, mit einer Theaterkritik vom «Le-
benslänglichen Kind». Hab recht schönen Dank, meine Allerbeste! Und ich freu mich so, daß schon ein paar Päckchen
angekommen sind. Die anderen werden schon auch ankommen. Und wenn es auch nicht viel ist, ein wenig hilft es doch,
was, meine Gute?
Es kam auch ein Brief von Grüttners wegen Gerhard Käst.
Da hab ich ihm gleich 100 M ins Lazarett geschickt. Und
gleichzeitig kam ein Brief von Hugos Heinz. Er ist in der
Nähe von Straubing. Und weil er nicht viel Geld hat, hab ich
ihm auch gleich 100 M per Einschreiben geschickt. Das kann
er sicher brauchen. 3 Jahre war er nicht zu Hause, schreibt er.
Nun, heute muß man nun eben erst mal froh sein, daß man
trotz Bomben usw. am Leben geblieben ist! Er möchte auch
furchtbar gern heim, kann aber nicht. Ich werde ihm, wenn
er's braucht, öfter mal was schicken. Hoffentlich helfen

Euch Hugos mal bißchen mit der Futterei. Und wenn's mal paar Knochen für Suppe sind.

Daß das Brot so knapp ist, tut mir so schrecklich leid. Wenn man welches schickt, kommt es doch hart an!

Lottchen sagt, wir wollten immer mal ein Pfund Mehl schikken. Bekommst Du da vom Bäcker Brot dafür? Oder Mehlsuppe draus machen?

Es ist, um vor Wut die Wände hochzulaufen, mein liebes Muttchen.

Wie schön, daß Enderles aus Leipzig etwas Butter und Schokolade geschickt haben! Habt Ihr denn noch Kartoffeln?

Steht eigentlich Wirths Haus noch, oder geht Ihr zu einem anderen Bäcker? . . .

Wenn jetzt Einnahmen in Berlin sind, laß ich das Geld an Dich schicken. Denn ich verdiene hier genug, und von Berlin nach München kann ja Geld nicht geschickt werden. Etwas mag & Co behalten. Bei denen wird das Geld auch knapp sein. Und das meiste soll an Dich gehen. Ja, wenn nur der Winter bald vorbei wäre!

Ich soll nächstens geschäftlich in die Schweiz: Nach Zürich. Also ins Ausland. Dort werde ich, wenn die Reise zustande kommt, alle Hebel in Bewegung setzen, daß man Euch Paketchen schickt!! Hoffentlich ist das erlaubt.

Und sobald es geht, komm ich zu Besuch, meine liebe gute Mutti! Du weißt doch, wie gerne ich käme! Aber es ist verboten, und von denen, die's versuchen, werden viele unterwegs festgenommen, und dann hört man lange nichts mehr von ihnen. Das wäre ja nun auch nicht gerade hübsch. Sobald es möglich ist, komme ich an. Das weißt Du doch. Ich hab ja auch so Sehnsucht. Und ich möchte mich so gründlich um alles kümmern. Man darf nur eben noch nicht. Und solange müssen wir uns noch gedulden und die Zähne zusammenbeißen und gesund bleiben, so gut es irgend geht. Es wird bestimmt bald alles erleichtert werden. Wenn's nur schon soweit wäre! . . .

Das Wirtschaftsamt will Euch also keine Kohlen geben. Das ist sehr, sehr traurig. Und eine Schweinerei ist es außerdem. Zwölf Jahre hat man den Kopf hingehalten, und nun wollen sie Euch nicht einmal ein paar Kohlen geben. So eine Bagage!

Nun muß ich aber lossausen. In die Zeitung. Winkewinke, meine Allerbeste! Eine Fotografie lege ich bei. Nächstens schick ich wieder eine. Mill Gr u Küßchen

von Deinem ollen Jungen

Viele Gr. an Papa

28. 1. 46

Mein liebes, gutes Muttchen Du!

Heute kamen Deine Briefchen vom 21. und 22. Januar. So schön schnell gegangen — das ist ja fabelhaft! Und Du hast wieder ein paar Päckchen gekriegt. Wie schön! Schade, daß der Grieß ausgelaufen ist! Wir schicken bald wieder allerlei los. Auch wieder Brotscheiben und Mehl und einiges andere. Es kann auch sein, daß wir, wenn man viel hartes Brot dahaben, davon ein Paket schicken. Für eine Brotsuppe. Das ist ja auch mal was Hübsches, nicht? Eßt nur die Kleinigkeiten, die wir schicken, immer gleich auf! Nicht erst lange aufheben, gelt?

Schön, daß Arnos bißchen was spendiert haben. Hat sich der Papa sehr schleppen müssen? Wie ist es denn mit Richard in Döbeln und Tante Greißer, können die Euch nicht auch mal was zustecken? Und Linda Rittmeier in Herbergen? Und Hugos?

Wenn man wieder Geld schicken kann, schick ich gleich welches. Sie sollen nur immer gleich sagen, was sie dafür kriegen. Ich schreib mir's auf, und sobald es geht, schick ich es per Post.

Heute war unser freier Tag. Aber da hatte ich auch ab mittags geschäftlich zu tun, und nun ist es schon wieder abends. Und nun beginnt wieder eine Woche voll Schufterei. Aber, wie gesagt, es macht schon Freude, an einer guten Zeitung mitzuarbeiten. Wenn man auch manchmal nicht weiß, wo einem der Kopf steht. Vor allem kommen Berge von Briefen an mich in die Redaktion. Jeder will irgend etwas andres wissen. Doch das muß nun eben auch sein.

In der möblierten Wohnung ist es sehr hübsch. Man müßte nur öfter da sein können. Ein Pflaster gegen Hexenschuß schick ich Dir auch ...
Winkewinke! Mill Gr u Küßchen   Dein oller Junge
Viele Grüße an Papa

5. 2. 46

Mein liebes, gutes Muttchen Du!
Heute hab ich, weil ein freier Tag ist, lange geschlafen. Der Schlaf ist das Wichtigste, was mir ein bißchen fehlt. Mit dem Essen kommen wir in Bayern ganz gut zurecht. Wenn wir nur recht, recht viel an Euch schicken könnten! Am liebsten jeden Tag fünf Päckchen, wenn's ginge! Aber ganz so toll ist es hier natürlich auch nicht. Hoffentlich hilft das Wenige, was wir schicken, ein bißchen. Es ist ja so schön, daß alles ankommt. Morgen geht wieder Brot ab an Dich.
Ja, daß es die Päckchen zum Schicken gibt und daß auch die Briefpost funktioniert, ist schon eine rechte Herzenserleichterung. Und so wird, wenn auch leider langsamer als wir wünschen, mit der Zeit alles wieder besser werden. Vielleicht klappt es Anfang März, daß ich auf einen Sprung nach Berlin und Dresden komme! Bis dahin will ich auch in der Schweiz gewesen sein. Das ist eben auch wichtig. Ich muß wieder die Beziehungen mit dem Ausland aufnehmen. Wegen der Bücher und Filme usw ...
Mill Gr u Küßchen   von Deinem ollen Jungen
Viele Grüße an Papa

11. 2. 46

Mein liebes, gutes Muttchen Du!
Heute kam Dein lieber Brief, den Du am 31. Januar und am 1. Februar geschrieben hast. Er ist also zehn Tage gegangen. Na, das geht ja noch, nicht? Lottchen hat Dir gleich eine Antwort geschrieben, während ich noch an einem Artikel herumgefummelt habe. Und nun hab ich meinen Artikel endlich fertig und schreib Dir noch ein paar Zeilchen, bevor ich ins

Bett hüpfe. Damit ich morgen früh ausgeschlafen habe. —
Wie schade, daß Du Deine Brille verloren hast; denn heute
eine neue zu kriegen, ist verflixt schwierig. Hoffentlich
kriegst Du Anfang März wirklich eine! . . .
Ach ja, nun erleben wir schon den zweiten verlorenen Krieg
miteinander! Und verlorene Kriege sind leider gar nicht
hübsch . . . Hoffentlich öffnen sich bald die Zonengrenzen,
damit man sich manchmal besuchen kann und damit wir uns
bald überlegen können, wie wir's künftig machen. Ob Ihr
nach Bayern zieht. Viele wollen allerdings, daß ich nach Berlin zurückkomme. Ich würde dort nötiger als in München gebraucht. Doch zuvor muß ich mir erst mal die Situation in
Berlin beschnarchen. Vielleicht klappt's mal im März, daß
ich mit Major Wallenberg hinfahren kann. Dann käme ich
auch rasch mal nach Dresden gehuscht.
Schön, daß Du schon zwei Fotos bekommen hast! Heute
schick ich wieder eins. Die Bäckchen sind ein bißchen hohl
geworden. Aber im Grunde fühl ich mich trotz der vielen Arbeit gesundheitlich sehr wohl. Mein Herz macht keine Spe-
renzchen. Ich muß nur tüchtig schlafen. Alles andere macht
mir nichts aus. . . .
Mill Gr u Küßchen   von Deinem ollen Jungen
Viele Gr und alles Gute für die Gesundheit wünsch ich
Papa

                                            München. 19. 2. 46
Mein liebes, gutes Muttchen Du!
Ist denn von den hübschen Päckchen mit Öl, Gänseleber und
Ölsardinen noch nichts angekommen? Das sind noch Sa-
chen, die wir im Rucksack aus Berlin mitgeschleppt haben,
und Ihr könntet es jetzt so gut brauchen! Na, hoffentlich
kommt es alles ordnungsgemäß an.
Ja, es ist so ärgerlich und traurig, daß ich noch immer nicht
hab nach Euch gucken können! Wie gerne wäre ich nur zum
Geburtstag gekommen! Es funktioniert nicht. Ich kriege
auch von vielen Lesern Briefe, die wissen wollen, wie sie nach
Sachsen heimkommen können. Aber da müssen sie nach Hof

im Vogtland, ins Durchgangslager. Dort liegen sie oft wochenlang herum, bis sie Wanzen und Läuse haben. Und viele kehren schließlich wieder um und wollen das Frühjahr abwarten. Wenn ich fahren kann, komm ich mit Major Wallenberg. Da geht es über Berlin und viel einfacher. Ich muß nur warten, bis er fährt! Und muß mit ihm, acht Tage drauf, wieder zurück. Da kann ich also nur zwei Tage Dresden rausschinden. Aber es ist ja besser als nichts, meine Allerbeste. Und man wird nur allmählich wohl auch öfter kommen können.

Wir haben heute frei. Lottchen geht's nicht sehr gut. Sie muß mal zum Arzt. Jetzt iß sie gerade Einbrock mit ein bißchen Zucker drauf.

Sie sagt gerade, Du solltest doch ja ihren Pelzmantel anziehen, läßt sie Dir sagen! Vergiß es nur ja nicht!

P.   [München] 7. 3. 46
Mein liebes, gutes Muttchen Du!
Heute nur ein Grüßchen. Ich habe etwa eine Woche keine Post von Dir bekommen. Ist etwas nicht in Ordnung?
Winkewinke!
Mill Gr u K   Dein oller Junge
Viele Gr an Papa

                                          Bruchsal, 8. April 46
Mein liebes, gutes Muttchen Du!
Eben hält das Auto in einer kleinen Stadt, um Benzin zu tanken. Ich war in Darmstadt und Heidelberg und bin jetzt auf der Fahrt nach Stuttgart, wo ich heute noch eine Besprechung habe und über Nacht beim Verlag Rowohlt bleibe. Hast Du die Neuausgabe vom «Fl. Klassenzimmer» bekommen? Hoffentlich. Sonst schick ich Dir ein anderes Exemplar. . . .
Mill Gr u K   Dein oller Junge
Viele Gr an Papa
Gerade, als ich ankam, fand ich drei Briefe von Muttchen

vor. Hab vielen Dank. Ich schreibe morgen, spätestens übermorgen einen Brief.

P. Frankfurt, 25. 4. 46
Mein liebes, gutes Muttchen Du!
Ich bin mit Hängen und Würgen in München in den Zug gelassen worden, zehn Stunden die Nacht durch bis Frankfurt gefahren u hier von Pontius zu Pilatus gelaufen, um heute abend nach Berlin mitfahren zu dürfen. Es geht aber nicht. Ich bekomme keine Erlaubnis dazu. Und so muß ich heute abend wieder die Reise nach München zurück machen. Es ist zum Ausderhautfahren! Nun, sobald ich in München bin, versuch ich das ganze Theater von neuem. Vielleicht klappt es endlich das nächste Mal! Jetzt sitz ich bei Änne Kortejohann, die Dich und Papa schön grüßen läßt, und verschnaufe ein Weilchen, bis die Rückreise losgeht. Franzi war auch gerade da. Hühnerchen hat gestern ihre Gesellenprüfung als Friseuse bestanden, erzählen sie mir gerade.
Winkewinke, Ihr Guten! Ich lasse nicht locker und komme sicher bald mal an.
Mill Gr u K Dein oller Junge
Viele Gr an Papa

P. [München] 4. 5. 46
Mein liebes, gutes Muttchen Du!
Weil ich gerade auf einen Wagen warte, um jetzt, am Samstagabend, aus dem Verlag in die Wohnung zu fahren und weil der Wagen auf sich warten läßt, schreib ich Dir gleich mal ganz schnell ein Kartengrüßchen. — Lottchen soll am Montag wegen ihrer Magen- und Darmsache geröntgt werden. Hoffentlich ist es nichts Schlimmes. Sonst geht es uns gut. Ich wünschte nur, ich könnte Euch öfter was schicken.
Mill Gr u K von Deinem ollen Jungen
Viele Gr an Papa

Mein liebes, gutes Muttchen Du!
Gestern kam Dein Brief vom 26. April und heute der vom 3.
Mai. Hab vielen Dank, meine Gute. Wir haben etwas Nuß-
butter weggeschickt und Butter. Und morgen wohl etwas
Schweinefett. Im Augenblick können wir gerade kein Brot
oder Mehl schicken. Das ist sehr schade. Aber es gibt auch
hier seit etwa 8 Wochen wenig Brot, und wir haben noch
keine Quelle. Doch das wird sich auch bald einrenken. Lottchen kümmert sich schon. Und wir werden wieder kleine
Päckchen Kartoffeln schicken lassen. Es ist besser als gar
nichts? Das Schmalz lassen wir erst aus und gießen es in ein
Blechbüchschen. Da kann nichts herauslaufen. Und die Öl-
Verpackung möchtest Du wieder zurückschicken, ja? Damit
wir wieder welches an Euch schicken können. Also nicht vergessen, meine Allerbeste.
Daß Schmalfuß wieder was geschickt hat, ist sehr schön.
Und daß Ihr mal 14 Tage zu ihm nach Rittersgrün kommt,
haben wir hier in München besprochen. Ich fände das großartig! Ein bißchen in der Natur sein und keine Trümmer sehen! Und vielleicht auch nicht selber kochen müssen, was?
Und Sonne und mittags in der Wiese schlafen. Ach, das
gönnte ich Euch sehr im Sommer. Schmalfuß schlug es mir
von selber vor. Und ich könnte ihm das Geld, wenn er wieder
mal hier ist, wiedergeben. Das ist ja ganz einfach . . . Ich lege
eine Pünktchen-Kritik aus Berlin bei!
Alles, alles, alles Gute!
Mill Gr u Küßchen   von Deinem ollen Jungen
Viele Gr an Papa

München, 29. 5. 46
Mein liebes, gutes Muttchen Du!
. . . Und wer kam heute früh in München an? Johnny Rappe-
port, der Euch neulich etwas abgeben ließ! (Eßt alles auf!
Nichts für mich aufheben! Ja nicht! Sonst gibt's Dudu!)
Johnny ist mit dem amerikanischen Militärzug gekommen,
um seine Frau und sein Haus bei Garmisch zu besuchen. So-

bald er wieder in Berlin ist, schickt er wieder. Er hat die Fahrkarten usw. relativ leicht gekriegt. Das scheint in Berlin viel
leichter zu gehen als in München oder Frankfurt. Na, mit
Geduld und Spucke wird's schon bald mal klappen.
Nach Stockholm bin ich zu einem Kongreß eingeladen, kann
auch nicht fahren, weil die hiesigen Behörden so langsam arbeiten.
Winkewinke! Mill Gr u K   Dein oller Junge
Viele Gr an Papa

24. 6. 46

Mein liebes, gutes Muttchen Du!
Vielen tausend Dank für Dein Briefchen vom 14. Juni. Da
freu ich mich ja mächtig, daß die Pralinés angekommen sind
und daß sie gut geschmeckt haben. Eine alte Berliner Bekannte, die jetzt in Amerika lebt — d. h. zur Zeit ist sie als
Ärztin bei der UNRRA in München —, hat sie von ihrer
Mutter aus New York geschickt bekommen, und so kamen
sie nun nach Dresden. Ja, wir waren alle Himmelfahrt bei
Johnny im Haus. Nun ist er wieder in Berlin. Heute ist auch
Major Wallenberg nach Berlin gefahren, wegen Besprechungen mit seinen Vorgesetzten. Er will mit ihnen auch meiner
Reise wegen sprechen, damit ich endlich auch nach Berlin
kann. Zeit wird's ja nun allmählich. & Co schrieb mir auch
schon, daß sie Anfang Juli nach Dresden wolle, um Euch zu
besuchen und ein bißchen was mitzubringen. Es ist wohl
noch von unseren kleinen Kriegsvorräten, die & Co im vorigen Jahr aus Lottchens Keller gerettet hat, ehe es geklaut
werden konnte.
Mill Gr u Küßchen   von Deinem ollen Jungen
Viele Grüße an Papa. Wie steht Ihr mit dem Geld?

P. [München] 28. 6. 46
Mein liebes, gutes Muttchen Du!
Seit einem Tag hat endlich das wochenlange Regenwetter
aufgehört, und die Sonne scheint einmal wieder. Das tut gut,
auch wenn man so gar keine Zeit hat, sich im Sonnenschein
aufzuhalten, sondern immer am Schreibtisch hockt. Vor allem sind es die vielen Besuche in der Redaktion, die mich so
aufhalten und die so viel Zeit kosten. Aber es kann nichts
helfen. Es muß jeder versuchen, sich nützlich zu machen.
Hast Du im «Pinguin» die Fotos «Verlorene Kinder» gesehen? Dadurch haben mehrere Eltern schon ihre kleinen Kinder wiedergefunden. Da zu helfen, macht große Freude!
Geht's Euch gut?
Mill Gr u K von Deinem ollen Jungen
Viele Gr an Papa

13. 7. 46
Mein liebes, gutes Muttchen Du!
. . . Gestern nacht hatte ich eine lange Besprechung mit Erich
Pommer, früher bei der Ufa. Jetzt kam er, von der amerikanischen Regierung, aus Hollywood und soll hier beim Neuauf-
bau des deutschen Films helfen. Da werde ich auch bald ran-
müssen. Es sind so wenig begabte Leute zur Zeit da, daß die
paar vor Arbeit nicht wissen, wohin. (Alles soll man selber
machen. Niemand kann was Rechtes.) Vorigen Sonntag war
ich in Stuttgart. Dort wurde der «Emil» im schwäbischen
Dialekt aufgeführt. Es war recht lustig. Übermorgen beginnen in München die Proben zum hiesigen «Emil». Da wird er
bayrisch gespielt werden. Nun, unser Emil ist ein gesunder
kleiner Junge. Der verträgt jeden Dialekt. Nur war ihnen der
Vorname «Emil» nicht bayrisch genug. Sie wollen den armen
Kerl tatsächlich «Sepperl» nennen. «Sepperl und die Detektive», — nee, das hab ich mir nun doch nicht gefallen lassen!
Das ging mir über die Hutschnur. Doch der Regisseur ist ein
netter Kerl. Mit dem werde ich mich schon einigen.
Ich habe neulich einen Interzonen-Paß beantragt und hoffe,
daß ich ihn bewilligt bekomme. Dann könnte ich bequem

und ohne ewige Bettelei reisen. Hoffentlich klappt es. — Schmalfuß hat mir aus Weimar geschrieben, wo er geschäftlich zu tun hat. Er hat sich an eine Stelle in Dresden gewendet, wo er jemanden kennt: sie möchten doch Kästners Eltern mit mehr Lebensmitteln bedenken! Wenn so etwas bloß mal hülfe!
Gerhard Käst schrieb auch. Er ist schon wieder operiert worden, der arme Kerl. Der Knochen scheint wohl endlich angewachen zu sein. Aber er traut dem Frieden nicht und fürchtet, daß es doch nicht richtig heilen würde. Wir wollen ihm den Daumen halten. So, meine Allerbeste, ich muß noch einen Artikel schreiben, obwohl ich tausendmal lieber ins Bett ginge. Es hilft aber nichts. Gute Nacht, meine Liebe. Draußen scheint der schöne Vollmond, genau wie daheim in Dresden. Hier waren durch den Regen in der Umgebung große Überschwemmungen. . . .
Viele Grüße an Papa. Und Lottchen grüßt Euch herzlich.

24. Okt. 46

Mein liebes, gutes Muttchen Du!
Lieber Papa!
Vorgestern kam Muttchens Brief vom 12. und heute Papas vom 17. Oktober. Das ist ja schön, daß Z. Briketts geschickt hat! Das mit der Bezahlung regle ich. Da kümmert Ihr Euch, bitte, gar nicht drum. & Co wird wohl grade bei Euch sein. Ich bin ja neugierig, ob Prof. Grohmann etwas zum Zudecken mitbringen kann. Na ja, hier wird es auch langsam kühl, da ja die hohen Berge in der Nähe sind. — Mit Glühbirnen ist es hier genau so knapp wie in Dresden. Uns fehlen auch schon paar, und wir kriegen keinen Ersatz. Muttchen soll ihre guten warmen Mäntel anziehen, wenn's jetzt kalt wird. Nicht in so leichten Sachen rumrennen! Und Papa meine Anzüge, die in Dresden hängen. Ich habe genug Zeug. Und die Arbeit bei Klinge lohnt doch gar nicht. & Co kann jederzeit aus Berlin Geld bringen oder schicken. Heute hörte ich, daß man vielleicht bald 5-Pfund-Päckchen schicken kann. Hoffentlich stimmt das. Das wäre ja großartig! Denn in so ein

Pfundpäckchen geht ja gar nichts hinein! Wir haben wieder allerlei unterwegs für Euch. Und in den nächsten Tagen geht wieder allerlei zur Post. Denn wir bekamen ein Paket aus Amerika. Und es ist schon wieder eins angekündigt. Diesmal von Pony.
Winkewinke!
Mill Gr u Küßchen   Dein oller Junge
Viele Grüße an Papa

25. 10. 46
Mein liebes, gutes Muttchen Du!
Vielen Dank für Dein Briefchen vom 18. Okt., das heute früh ankam. Na, nur eine Woche gegangen, das ist ganz schön. Es geht jetzt überhaupt schneller als in den ersten Monaten, scheint mir. Da merkt man endlich, daß es ja im Grunde gar keine Entfernung ist von Dresden bis München! Mit der Zeit wird sich schon alles einrenken. Ich bin so froh, daß Ihr was zum Heizen habt! Und daß Ihr's im Vorsaal habt, ist auch kein Fehler. In den Kellern ist das heutzutage nicht allzu sicher. Die Bezahlung braucht Euch nicht zu kümmern, das schrieb ich schon gestern. Daß Du ein Kleid usw. weggeschenkt hast, ist, wenn Du diese Sachen nicht brauchst, ganz richtig. Aber vielleicht wär es noch klüger, Ihr gäbt solche Sachen mal der Linda, damit sie eher wieder paar Kartoffeln rausrückt. Denn da oben auf ihrem Kuhdorf haben sie ja gleich gar nichts zum Anziehen. Neulich war der kleine Lothar vom Hans aus Wachwitz hier. Er sollte ausgewiesen werden mit Frau u. Baby. Ich hoffe, daß ich ihm habe helfen können. Es kommt immer mal wieder jemand angehüpft und will Hilfe. Meistens geht es dann auch. Und Gerhard Kästs Arm ist nun endlich einigermaßen in Ordnung, schrieb er mir. Leider nicht für seinen Beruf direkt, dafür zu steif geblieben.
Mill Gr u Küßchen   von Deinem ollen Jungen
Viele Gr an Papa
Vielen Dank für die Postkartenformulare, meine Gute!

Mein liebes, gutes Muttchen Du!
Vielen Dank für Dein Kärtchen vom 6. Februar, das schon
heute ankam. Die Post geht manchmal doch ganz hübsch
flott. O je, Dir ging es inzwischen einmal auch nicht gut?
Was war es denn? Was mit dem Herzen? Und Frost in den
Zehen? . . . Wenn's bloß bald Frühling würde! Wir könnten
es alle so gut und notwendig gebrauchen! . . . Ich hatte ja eigentlich Anfang März nach Berlin fahren wollen, doch das
kann ich leider nicht riskieren. Der Rheumatismus muckert
noch in mir herum. Er würde, wenn ich zu früh führe, gleich
wieder ausbrechen. Nächste Woche will ich überhaupt erst
mal richtig wieder versuchen, auf die Straße und ins Büro zu
gehen. So werde ich also leider zu Papas 80. Geburtstag nicht
ganz pünktlich sein können, sondern wohl erst gegen Ende
März für ein paar Tage daheim sein. Bis dahin sind wir alle
wieder etwas besser auf dem Damm. Bis dahin hab ich auch
ein paar Zigarren erwischt, will ich hoffen. Laßt's Euch recht
gut gehen, Ihr Lieben!
Auf bald! Mill Gr u Küßchen

von Deinem ollen Jungen

Viele Gr an Papa

P.   28. Mai 47
Mein liebes, gutes Muttchen Du!
Wie mag's Dir denn ergehen? Ich bekam gestern ein Kärtchen von Dir, das Du am 13. März abgeschickt hast. Hab
vielvielen Dank dafür! Du warst inzwischen im Krankenhaus
zur Beobachtung; und jetzt, während ich schreibe, bist Du
wohl in der Löbtauer Straße für kurze Zeit. Es wäre ja so
schön, wenn die Ärzte etwas fänden, was Dir hilft. Nun, ich
halte die Däumchen, meine Allerbeste. Es wird schon werden
mit dem alten Lehmann!
Wenn alles klappt, fahre ich in drei Tagen für ungefähr eine
Woche nach Zürich in die Schweiz. Zu einer internationalen
Schriftstellertagung, zu der man mich und zwei andere deutsche Schriftsteller eingeladen hat. Ehe ich fahre, schreib ich

Euch noch einmal. Warum sorgst Du Dich wegen der Reise?
Das ist ganz überflüssig, meine Beste.
Alles Gute! Mill Gr u K   Dein oller Junge

P.   [München] 29. 7. 47
Lieber Papa!
... Mein Bein ist wieder in Butter, und so will ich versuchen,
Mitte August nach Berlin zu fahren und auch wieder ein paar
Tage nach Hause zu kommen. Leider weiß ich noch gar
nicht, wie ich nach Berlin reisen kann. Denn den amerikani-
schen Zug, mit dem ich bisher von Frankfurt am Main nach
Berlin fuhr, dürfen Deutsche nicht mehr benützen. ... Ich
werde jedenfalls alles Mögliche versuchen. Sobald ich Ge-
naueres weiß, schreib oder depeschier ich Genaueres.
Viele herzliche Grüße   von Eurem Erich

P.   [München] 10. 8. 47
Mein liebes, gutes Muttchen Du!
Lieber Papa!
Herzlichen Dank für das Kärtchen vom 30. Juli. Ich glaube,
daß ich ziemlich sicher um den 15. August herum nach Berlin
fahren und gegen Ende des Monats nach Dresden kommen
werde. Lange wird's auch diesmal nicht sein. Denn wenn irgend möglich, will ich ja auch diesmal mit Herrn Ziller nach
Weimar, um darüber dann zu schreiben. In Berlin soll ich für
die Berliner Beilage der Neuen Zeitung einige Beiträge liefern. Es gibt immer zu tun. Lottchen will nun in den nächsten
Tagen, zum ersten Mal seit Anfang Juni, wieder versuchen,
in die Redaktion zu gehen, obwohl ihr's noch immer nicht
gut geht. Auf hoffentlich bald!   Euer Erich
Vorige Woche ist plötzlich Herr Mörike gestorben ...

P.   [Berlin] 16. 8. 47
Liebes Muttchen u lieber Papa!
Eben bin ich in Berlin angekommen. Und ich denke, Ende
des Monats oder am 1. Sept. für ein paar Tage heimzukom-
men.
Dann will ich nach Leipzig und Weimar und am 6. zurück
sein, denn da ist wohl in der Tonhalle, Glacisstraße, die Aufführung vom «Emil». Den sehen wir uns miteinander an, und
am 7. fahre ich über Berlin nach München zurück. Diesmal
habe ich nicht viele Büchsen mit, aber ein paar Brote. Lottchen hat von München aus ein paar Büchsen an Dich abgeschickt. Die kommen wohl bis zum 1. Sept. an. Zigarren
bring ich ein paar mit. Alles Gute bis zum Wiedersehen!
                                    Herzlichst Euer Junge

P.   [Berlin] 8. 9. 1947
Mein liebes, gutes Muttchen Du!
Nun bin ich also wieder in Berlin angekommen, muß mir hier
noch ein paar Theaterstücke ansehen, und dann fahre ich
nach München zurück, wo mich sehr viel Arbeit im Verlag
erwartet.
Ich bin so froh, Dich wiedergesehen zu haben. Und es beruhigt mich sehr, nun zu wissen, wo und wie vorsorglich Du
untergebracht bist. Hoffentlich sind noch viele warme
Herbsttage, damit Du nachmittags schön im Garten sitzen
kannst. Laß Dir's recht gut gehen, meine Allerbeste! Ich
schreib bald wieder.
Mill Gr u K   von Deinem ollen Jungen
Viele Gr an Papa

P.   München, 30. Sept. 47
Mein liebes, gutes Muttchen Du!
Hab vielen Dank für Dein Kärtchen vom 14. September. Das
ist ja wunderbar schnell gegangen. Gestern abend hatten wir
die neue Schaubuden-Premiere und die Nächte vorher bis in
den Morgen lange Proben. Mal sehen, wie die Kritik ausfällt.

Na, es wird schon in Ordnung gehen, denk ich. Jetzt heißt es wieder für die Zeitung fleißig sein.

Ich finde es sehr gut, daß Du noch bei Dr. Stoltenhoff bleibst. Da hast Du Deine Ordnung und mußt Dich nicht um alles selber kümmern. Ist bei Euch auch noch so schönes, warmes Wetter? Laß es Dir recht gut ergehen, meine Allerbeste!

Mill Gr u K   von Deinem ollen Jungen
Viele Gr an Papa

P.   München, 7. 10. 47
Mein liebes, gutes Muttchen Du!
Wie geht's Dir denn, meine Allerbeste? Frl. Mechnig war eben kurz zu Besuch in München. Sie war 34 Stunden mit der Eisenbahn gefahren und völlig mit den Nerven herunter. Nie wieder so eine Reise! hat sie geschworen. Nun ist sie nach Stuttgart weiter, um mit Frau Mörike wegen des Bühnenverlags zu reden, weil doch Herr Mörike gestorben ist. Und dann will sie auf der Rückfahrt nach Berlin noch in Kassel Cara Gyl besuchen, die ja dort Theater spielt. Na, und ich fahre Ende des Monats in die Schweiz, um an ein paar Universitäten zu sprechen. Vorher schreib ich Dir nochmals. Winkewinke! Alles Gute!

Mill Gr u K   Dein oller Junge

P.   [München] 20. 9. 52
Liebster Papa!
Eben zogen die Brauereien auf die Festwiese. So was herrliches an Zaumzeug! Und die schweren Pferde! Na, wir sind richtig begeistert! Das Lederzeug ist hinreißend gearbeitet.

                         Herzlichst, Dein oller Junge
Es ist so schön! Sehr herzlich, Ihre Lotte

P.   [München] 6. 4. 54
Mein lieber, guter Papa!
Lottchen hat Butter und gute Fischkonserven abschicken lassen. Ein Käsepaket folgt. Und Zigarren. Ich hab sie heute besorgt. Und zu Muttchens Geburtstag hab ich gestern einen
Blumenstrauß durch Fleurop zu Dir vermitteln lassen. Hoffentlich kommt er pünktlich. Stellst ihn vielleicht zu Muttchens Foto. Denn bei diesem Regenwetter erkältest Du Dich
nur, wenn Ihr zum Friedhof führet.
Unsere Wiese ist voller Veilchen. Man sieht sie kaum, so
klein sind sie. Auch weiße Veilchen sind darunter.
Mill Gr u K   von Deinem ollen Jungen
Viele Gr von Lottchen

P.   [München] 12. 5. 54
Lieber Papa!
Schönen Dank für Deinen lieben Brief. Schokolade für die
«Enkelin» und Zigarren hab ich sofort abschicken lassen.
Zigarren sind's nicht viele. In den nächsten Tagen folgen
mehr. Hier ist ein Foto in einer Filmpause mit Paul Dahlke
und Erich Ponto, die beide im «Klassenzimmer» mitspielen.
Seit drei Tagen ist herrliches Wetter. Die Wiese ist ein Gedicht. Wenn ich tagsüber zu Besprechungen in die Stadt
muß, könnte ich weinen. Am liebsten ließe ich mir die Blu-
menwiese einpacken und nähme sie zu den Besprechungen
mit. Morgen mittag spiel ich in diesem Jahr zum zweiten Mal
Tennis. Ich bin schon braun und, wie Du auf dem Foto
siehst, dick und rund. Gestern den ganzen Tag im Atelier zu-
gebracht. War anstrengend.
Mill Gr u K   von Deinem ollen Jungen

P.   [München] 19. 9. 57
Mein lieber, guter Papa!
Mitten im Arbeitsrummel rasch noch ein Kärtchen, bevor wir
uns in Berlin wiedersehen. Ich freu mich schon sehr darauf.
Wir fliegen am Montagmittag mit der Air France von Mün-

chen los und kommen, sobald wir die Koffer abgestellt haben, in die Niedstraße. Das ist für Dich sicher das Bequemste, ja?

Übermorgen vor einem Jahr waren wir auf der Oktoberwiese! Wie die Zeit dahinrast! Diesmal wird das Wetter nicht so gut werden, fürcht ich. Und ich muß zur Theaterprobe, aber vielleicht nehm ich mir ein Stündchen frei.

Grüß alle von uns!

Mill Gr u K   Dein oller Junge

Facsimiles

Brief der Mutter vom 22. Februar zum 27. Geburtstag ihres Sohnes

Mein lieber guter Schatz ich wollte dir eine kleine
Geschichte erzählen aber sie ist nicht gut ausgefallen.
Alles bißchen durcheinander. Es kommt daher sehr
ist das ½ 2 schlafen geht. Ich gleich den Magen
bißchen nachsorge und geschrieben. Da sind die
Gedanken auch nach bißchen im Schlaf spät ab.
Also mein Schatz ich wünsche und hoffe daß du
die Stelle bekommst, wollte dir gern haben möcht.
Bleibe mir immer gesund, u. froh. Ich fange schön
fange mal damit an. Gehe nicht so spät schlafen.
und rauch nicht soviel damit du dich nicht zu...
Denke fein lieber an mich der ich so gern lieber
noch dir zusammen wäre. Sollte besonders schönes
Wetter sein gehe ich morgen Nachmittag zur
Amberg und hole mir ein die Schatz noch...
noch Nachmittag. Sollte schön sein gehe ich...
Aber ich würde nachschauen den L mitnehmen
und bei ist besser bekannt. Aber da habe
keine Zeit hab, nochts ich das lieber lassen

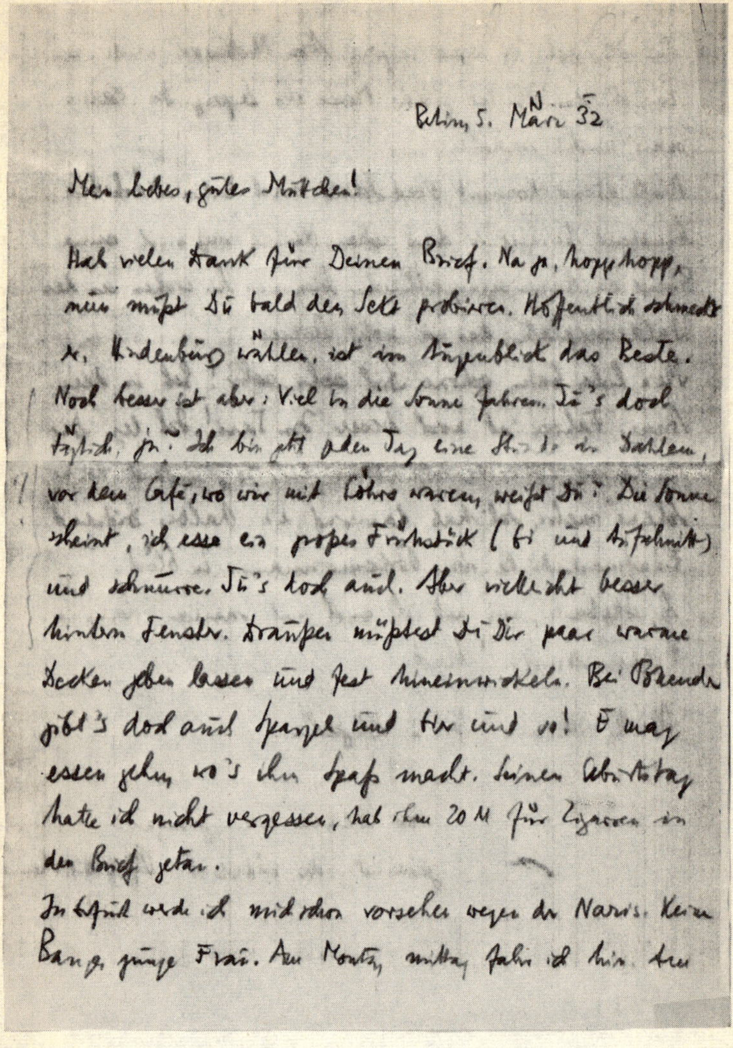
Berlin, 5. März 32

Mein liebes, gutes Muttchen!

Hab vielen Dank für Deinen Brief. Na ja, hoppehopp, nun mußt Du bald den Sekt probieren. Hoffentlich schmeckt er. Hindenburg wählen, ist im Augenblick das Beste. Noch besser ist aber: Viel in die Sonne fahren. Tu's doch täglich, ja? Ich bin jetzt jeden Tag eine Stunde in Dahlem, vor dem Café, wo wir mit Löhrs waren, weißt Du? Die Sonne scheint, ich esse ein großes Frühstück (Ei und Aufschnitt) und schnurre. Tu's doch auch. Aber vielleicht besser hinterm Fenster. Draußen müßtest Du Dir paar warme Decken geben lassen und fest hineinwickeln. Bei Baende gibt's doch auch Spargel und Ei und so! E. mag essen gehn, wo's ihm Spaß macht. Seinen Geburtstag hatte ich nicht vergessen, hab ihm 20 M für Zigarren in den Brief getan.

In Leipzig werde ich mich schon vorsehen wegen der Nazis. Keine Bange, junge Frau. Am Montag mittag fahre ich hin. Ihr

Einer der Briefe auf quadriertem M.-K.-Papier. (Der in allen Schreibwarenläden verbreitete Reklamevers hieß:
‹Schreibste ihm — schreibste ihr —
schreibste auf M.—K.-Papier›).

Dienstag fahr ich nach Leipzig. Am Mittwoch werde ich
zurück sein. Es ist grade Messe in Leipzig. Da kann
man nichts machen.

Heute abend kommt Fred Schilf nach Berlin. Nächsten
Sonnabend heiratet er doch schon. Neulich rief mich seine
Braut an. Eine sympathische Stimme. Sie wohnen an der
Walderseeplatz, das ist wohl Striesen.

Mein lieber Guter, schone Dich sehr, sehr! Leb in der
Sonne. Fahren ist noch besser. Im Taxi! Ich leg Dir
ein kleines Bückenbonbon bei; es gibt fast keine
Schere mehr. Ich hab darum ein halbes Dutzend
Fünfmarkstücke im Portemonnaie. Zu blöd.

So, Allerbeste, nun will ich mich mal rasieren lassen.
Frohen Sonntag! Und

Millionen Grüß u Küßchen

        von Deinem alten Jungen
        genannt: der väterliche Pfefferkuchen

... wir würden uns sehr sehr darüber
2.9.46 haben wir ... angekommen
zuerst ... der ... Tag ... der Zug

Mein lieber guter herzensguter Junge!

Mir gefällt es garnicht mehr in Dresden
mein oller guter Junge wir haben uns so
sehr, sehr lange nicht gesehen Papa wird
am 5 März 80 Jahr und Dein Muttchen
am 9 April 76 „„„ wie lange werden wir
noch mit machen. Papa ist noch sehr
rüstig aber Dein olles gutes Muttchen
sieht zwar noch gutes aus aber das Herz
will nicht mehr so mitmachen wie es
eben soll darum wollen wir uns doch recht
bald mal sehen; ich weis Du hast viel Arbeit
aber uns vergessen dürfen wir uns auch nicht,
öfter mal schreiben und auch mal komen
das geht doch wohl noch. Weihnachten wird
es zwei II Jahr das wir uns nicht gesehen haben.
das wir Deine Eltern große Sehnsucht haben
kann mann sich ja denken Dich herzlich
gern haben weist Du auch unser liebes gutes
einziges Kind ich danke jeden Abend unsern treuen
Gott das wir Dich haben und wir uns noch
recht lange erhalten bleiben. Papa ist manchmal

Ein Brief aus München

sehr kränklich. Aber na ich tue als würde
ichs nicht sehen und nicht merken.
und mein besonders gutes Kind hat uns
von München aus noch garnicht besucht
und wir sehnen uns uns so sehr noch
Dir. Vergangene Tage kamen zwei Päckchen
Mehl da wollen wir uns Mehlsuppe davon
kochen, da wird es uns gut schmecken.
Mein guter Junge das sie ankamen so
schicke ich Dir die beiden Zettel mit, da
fand ich auch noch einen dritten
dazu. Wie herzlich wir uns freuen
würden wen ein Telegram käme
ankomme Den Tag und die Zeit als Dein
Dein Telegramm vor einer Zeit ankam waren
wir über glücklich ich Depeschierte auch
so zurück. Nun mein unser einziges Kind
das aller erste und letzte Kind denn ich
sagte mir unser liebes einzigstes Kind
soll mal etwas werden und wir
sind nicht betrogen worden. Du bester
Zensuren hattest Du und Du konntest
etwas werden und hast uns nicht getäuscht.
Unendlich viel tausende herzlichste Grüße von
deinem so treuen Mutchen und Papa

303

DIE NEUE ZEITUNG

EINE AMERIKANISCHE ZEITUNG FÜR DIE DEUTSCHE BEVÖLKERUNG

SCHELLINGSTRASSE 41   MÜNCHEN   TELEFON: 36 01 21

München 15.2.47

Mein liebes, gutes Mütterchen Du!

Vielen Dank für Dein Kärtchen vom 6. Februar,
das schon heute ankam. Die Post geht manchmal doch schon ganz hübsch flott. O je, Dir
ging es zwischen einmal auch nicht gut?
Was war es denn? Was mit dem Herzen?
Und Frost an den Zehen? Papa mag doch
gleich mal Herrn Ministerialdirektor Zeher
anrufen und fragen, ob Ihr Fleischer nicht
mal wieder etwas zu Euch schicken könnte!
Die Telefonnummer habt Euch Fri Mechnig,
glaub ich, aufgeschrieben. Wenn es irgend
geht, werden die Herren schon was schicken.

Hier ist es auch immer noch recht hübsch
kalt. Pfui Teufel! Wenn's bloß bald Frühling
würde! Wir könnten es alle so gut und not-

Aus dem letzten Jahr der Briefe an die Mutter

Es sind recht böse *Bächlein* unterwegs, sind
in Polen und England, Westfalen & Krefeld
Oh, je, je! Wintersaale!

wendig gebrochen! Zum Reisen ist es auch
noch viel zu kitzlig mit der Witterung. Ich
hatte ja eigentlich Anfang März nach Berlin fahren wollen, doch das kann ich leider
nicht riskieren. Der Rheumatismus mückert
noch in mir herum. Er würde, wenn ich
zu früh führe, gleich wieder ausbrechen. Nächste
Woche will ich überhaupt erst mal richtig
wieder versuchen, auf die Straße und ins
Büro zu gehen. So werde ich also leider
zu Papas 80. Geburtstag nicht ganz pünktlich sein können, sondern wohl erst gegen
Ende März für ein paar Tage daheim sein.
Bis dahin sind wir alle wieder etwas besser
auf dem Damm. Bis dahin hab ich auch
ein paar Zigarren erwischt, will ich hoffen.
Laßt's Euch recht gut gehen, Ihr Lieben!
Auf bald! Mit Gr u. Küßchen
Viele Gr an Papa   Von Deinem alten Jungen

Namensverzeichnis

Albers, Hans, Bühnen- und Filmschauspieler, Hauptdarsteller in E.K.'s Film «Münchhausen», berühmt in seinen Abenteurerrollen.

Alma, Tante, Schwester von Ida Kästner.

Babelsberg: Sitz der künstlerischen Abteilung der Ufa: Intendanz, Besetzungsbüro, Kostümwerkstätten und Ateliers; hervorragende Trickfilmabteilung.

Balász, Bela, begabter Wiener Dichter, schrieb avantgardistische Drehbücher, auch Romane und viel über Film als Kunst, Librettist von Béla Bartók.

Belle-Alliance-Straße 26: E.K.'s erste Berliner Studentenbude.

Berggießhübel, Luftkurort in der Sächsischen Schweiz, unweit Dresdens.

Bischoff, Friedrich, Intendant des Breslauer Rundfunks, später des Südwestdeutschen Rundfunks; brachte E.K.'s früheste Arbeiten, blieb bis zu seinem Tod in Baden-Baden mit ihm in freundschaftlichem Kontakt.

Blau, Mitinhaber der «Neuen Leipziger Zeitung» und Geschäftsführer des «Prager Tageblatts».

«Blau-Weiß» und «Rot-Weiß»: Zwei berühmte Berliner Tennis-Clubs, die internationale Turniere austrugen. Häufiger Besucher: Tennis-Fan E.K.

Boxen: E.K. war ein begeisterter Zuschauer bei Boxwettkämpfen. Sein Neffe Manfred Egger war Leichtgewichtboxer und gelernter Fleischer.

Braun, Alfred, eine Größe des Berliner Rundfunks, Pionier des Fernsehens.

Bressart, Felix, beliebter Berliner Charakterkomiker, später Hollywood, weltbekannt durch «Ninotschka» mit Greta Garbo.

Brausewetter, Hans, Schauspieler, Operettentenor, kam aus Wien.

Brooks, Cyrus, englischer Übersetzer der Bücher E.K.'s.

Bruckner, Ferdinand, Pseudonym für Theodor Tagger, erfolgreicher Bühnenautor, u. a. «Verbrecher», «Krankheit der Jugend», emigrierte in die USA.

Buhre, Werner. Seit dem König-Georg-Gymnasium, Dresden, bis zu seinem Tod E. K.'s bester Freund. Wiederbegegnung in Berlin 1927 und nach 1945 in München.

Busch, Ernst, Schauspieler, gehörte zum Kreis Piscator, Brecht.

Byl, Cara, eine Freundin E.K.'s, Salondame in Dresden.

Carstens, Lina, Volksschauspielerin in Leipzig; trat dort im Kabarett «Retorte» auf, später auch im Kabarett in Berlin und München; sehr beliebt und erfolgreich im Theater und im Film.

& Co., Spitzname für Elfriede Mechnig (s. Mechnig).

DD Albertsplatz: Dresdner Bank in Dresden.

Decke, Hilde, «Die Decke», Chefredakteurin der im Verlag Otto Beyer, Leipzig, erscheinenden Familien-Illustrierten «Für Alle» mit der Kinderbeilage «Klaus und Kläre». E.K. war ein Mitarbeiter.

Deva, auch DVA: Deutsche Verlagsanstalt, Stuttgart.

Döbeln, Stadt am Rand des Sächsischen Mittelgebirges, industriell und kulturell interessant.

Dolbin, B. F., Zeichner. Zu seinen reizvollen Arbeiten gehören seine Zeichnungen zu Axel Eggebrechts Katzenbuch.

Dora, Cousine E.K.'s mütterlicherseits.

E. = Emil: Emil Kästner, Erich Kästners Vater. Heiratete 1892 Ida Amalia Augustin.

Ebinger, Blandine, Star des «Kabaretts der Komiker». Berühmtes Chanson u. a. «... und ich baumle mit de Beene ...»; s. a. «Tingeltangel».

Eckersberg, Else, berühmte Reinhardt-Schauspielerin, Schwester des Vortragskünstlers Erwin Eckersberg, im Dritten Reich hilfreiche Freundin bedrängter Autoren wie Werner Finck, Erich Kästner und anderer.

«Emil», Erich Kästners erstes Kinderbuch «Emil und die Detektive», erschienen bei Williams & Co., Berlin.

Enderle, Luiselotte, genannt «Lottchen», E.K.'s spätere Lebensgefährtin, arbeitete als Dramaturgin bei der Ufa; verließ im März 1945 wie Eberhardt Schmidts Gruppe Berlin, traf mit ihr und E.K. in Mayrhofen, Tirol, wieder zusammen.

Engel, Erich, Theater- und Filmregisseur.

Enoch, Dr., Gebr. Enoch Verlag, Hamburg, veröffentlichte u. a. eine Anthologie jüngster Lyrik, hrsg. v. Klaus Mann und Willi R. Fehse, 1927.

Erika, Erich Kästners Schreibmaschine «Erika».

Erler, Otto, Gymnasialprofessor in Dresden, Dramatiker, Komödienschreiber.

Felsche, berühmtes Café in Leipzig am Augustusplatz.

Finck, Werner, Kabarettist, Theater- und Filmschauspieler, Gründer und Leiter des Berliner Kabaretts «Katakombe»; 1935 Berufsverbot, seit 1948 Leiter des Kabaretts «Die Mausefalle» in Stuttgart. Seine geistreich versteckte Kritik am Nationalsozialismus zeigt sich im folgenden: Seine Antwort auf die Umfrage, «Haben wir eigentlich Humor?»: «Doch, doch! Unter uns haben wir Humor. Fragt sich nur, ob auch die über uns Humor haben ...» Das brachte ihm endgültiges und uneingeschränktes Berufsverbot ein. Kam mit fünf anderen

Kabarettisten für sechs Wochen ins KZ.

Fischer, Fritz, Theaterdirektor, damals Dresden, später Berlin und München.

Flamm, Peter, eigentlich Erich Mosse, Autor des 1933 erschienenen Romans «Ich», emigrierte in die USA.

Flesch, Dr. Hans, Autor psychologisch fesselnder Romane, machte die «Berliner Funkstunde», emigrierte nach England.

Flint, Peter, Pseudonym für E.K.

Francke, Peter, Filmautor.

Franz, Franzl, Vetter Erich Kästners, etwa zwanzigjährig im Krieg gefallen.

Franzi, Freundin E. K.'.

Fricke, Gert, bekannter Regisseur am Berliner Rundfunk.

Fritsch, Willi, Filmidol der zwanziger und dreißiger Jahre; größte Erfolge mit Lilian Harvey: «Drei von der Tankstelle», «Der Kongreß tanzt» u. a.; spielte in E.K.'s Film «Der kleine Grenzverkehr» den Liebhaber des Stubenmädels Leni Marenbach.

Gaal, Franziska, beliebte Filmschauspielerin.

Gebbing, Zoodirektor in Leipzig, Onkel von Paul Beyer.

G, Dr. Joseph Goebbels, Minister für «Volksaufklärung und Propaganda».

Geis, Manfred, Filmunternehmer.

Goetz, Curt, Schauspieler in Berlin, Autor erfolgreicher Komödien, emigrierte 1939 nach Hollywood; war verheiratet mit der Schauspielerin Valerie von Martens, mit der er nach dem Krieg in vielen seiner Stücke auch wieder in Deutschland spielte.

Granowski, Alexander, Russe, am Moskauer Jüdischen Kammertheater, inszenierte «Bourgeois bleibt Bourgeois», erlebte einen der berühmtesten Theaterdurchfälle Berlins. Mitarbeiter kratzten nachts ihre Namen von den Plakaten. E.K. und Hermann Kesten, im Publikum, lachten Tränen.

Grautoff, Christiane, das erste Pony Hütchen auf der Bühne.

Grohmann, Will, Kunstkritiker, aus Bautzen stammend, trat schon in den 20er Jahren für Klee, Kandinsky und die Brücke-Maler ein.

Großmann, Stefan, Herausgeber der literarischen Zeitschrift «Das Tagebuch».

«Grüne Post», eine wöchentlich bei Ullstein erscheinende Familienzeitung, auf blaßgrünem Papier gedruckt.

Grüttners, alte Dresdner Freunde.

Gülstorff, Max, Reinhardt-Schauspieler, großer Charakterdarsteller.

Hamm, Eugen, sehr subtiler Maler, gehörte in Leipzig zu E.K.'s Bekanntenkreis. Nach dessen Selbstmord schrieb E.K. ein Gedicht, das mit dem

Vers begann: «Ach, er war ein guter Maler und ein schlechter Steuerzahler».

Hans-Albrecht, «der kleine Löhr», spielte den Kleinen Dienstag in «Emil und die Detektive», im Krieg gefallen.

Hansen, Max, erfolgreicher Wiener Operettenstar mit dänischer Staatsbürgerschaft, eroberte Berlin mit seinem Charme. Im «Kabarett der Komiker» feierte er Triumphe. Als er einmal Richard Tauber imitierte, kam Tauber aus dem Publikum und begleitete ihn auf dem Klavier.

Heilgemayr, Redakteur bei der «Neuen Leipziger Zeitung».

Herti, Herti Kirchner, junge Schauspielerin, später auch im Film («Florentiner Hut» mit Heinz Rühmann), eine Freundin E.K.'s, kam 1939 durch Autounfall ums Leben.

Hergottsschäfchen: Marienkäfer.

Hesterberg, Trude, Schauspielerin, erfolgreich auch auf Sprech- und Operettenbühnen, gründete 1921 ein Kellertheater in Berlin, die «Wilde Bühne»; entdeckte viele Talente, u. a. den versedichtenden Conferencier Paul Nikolaus, die Tänzerin «La Jana». Außer Mehring gehörte Kästner zu «ihren» Text- und Chansondichtern; trat später im «Kabarett der Komiker» auf.

Hildenbrandt, Fred, Berliner Kritiker und Schriftsteller.

Hinkel, Hans, Nazi-Kulturfunktionär, u. a. für den «Jüdischen Kulturverband» zuständig.

«Hirsch», Weißer Hirsch, Villenvorort von Dresden mit prominenten Sanatorien.

Höllriegel, Arnold, Pseudonym für Richard A. Bermann, Mitarbeiter des «Berliner Tageblatts», schrieb eindrucksvoll über seine Weltreisen, emigrierte 1933 in die USA.

Hoffmann, Paul, Intendant und Schauspieler, Dresden, Berlin, Stuttgart, Wien; 1967 Direktor des Wiener Burg-Theaters.

Honigbüchse, Erich und Luiselotte sparten für Muttchen in Hofgastein Frühstückshonig zusammen. Honig war in Deutschland bereits rar.

Hübler, Frau Dr., eine von E.K.'s Leipziger Wirtinnen.

Hugo, Hugo Augustin, Pferdehändler, angeheirateter reicher Onkel E.K.'s in Dresden, war Besitzer der öfter erwähnten «Villa».

Huth, Weinlokal in Berlin, Potsdamer-/Ecke Linkstraße.

Ibach, Dr. Alfred, Dramaturg der Volksbühne Berlin.

Ihering, Georg v., amerikanischer Übersetzer und Freund E. K.'s.

Ihering, Herbert, Theaterkritiker und Feuilletonredakteur an S. Jacobsohns «Schaubühne» und verschiedenen

Zeitungen, förderte junge Talente wie Brecht und Zuckmayer.

Ilse, s. Julius.

Impekoven, Toni, Frankfurter Schauspieler; Niddy, seine Tochter, Tänzerin.

Jacobsohn, Edith, Frau und Erbin des Verlegers der «Weltbühne», Siegfried Jacobsohn; Inhaberin des Verlags Williams & Co., erste Verlegerin von E.K.'s Kinderbüchern.

Jannings, Emil, deutscher Charakter-Darsteller bei Bühne und Film; einer der Großen des Stummfilms und des Tonfilms (u. a. «Der letzte Mann»; «Der blaue Engel»).

Jester, das «Café Jester».

John, Ernst aus Annaberg, Erzgebirge, Verfasser kultureller und sozialer Reportagen, schrieb für modern-pädagogische Kinderzeitungen, später zeitweilig Chefredakteur der «Grünen Post». Von ihm erschien 1927 «Auch im Unglück Sachse», lustige Geschichten aus jenem Himmelsstrich».

«Die Jugend», seit 1886 in München bei Knorr & Hirth erscheinende satirische Wochenzeitschrift, nach der «L'Art nouveau» seinen deutschen Namen erhielt. E.K. war einer ihrer Mitarbeiter.

Julius, Ilse; langjährige Freundin E.K.'s.

Kabarettprogramm: «Die Schaubude» in der Reitmor-

straße, in den ersten Nachkriegsjahren gegründet. Neben Axel v. Ambesser, Herbert Witt u. a. schrieb E.K. das Programm.

Kalenter, Ossip, eigentlich J. Burckhardt, Lyriker, Erzähler, vielseitiger Literat, in Dresden geboren, lebte in Italien, emigrierte 1934 nach Prag, ging später nach Zürich.

Karin, nach Ilse, E.K.'s Leipziger Freundin.

Karlinchen = Cara, Freundin von E.K.

Katz, Richard, zunächst Redakteur der «Neuen Leipziger Zeitung», später Direktor, dann zu Ullstein, Berlin. Begründer der «Grünen Post», erfolgreicher Reiseschriftsteller.

Kesten, Hermann, enger Freund von E.K., schrieb gesellschaftskritische Romane und Essays, emigrierte, kam nach dem Krieg von New York und Rom immer wieder nach Deutschland, lebt jetzt in der Schweiz.

Ketzin an der Havel, im Regierungsbezirk Potsdam, mit Dampferstation und Kleinbahn, Wohnsitz von Freunden E.K.'s.

Kiemeyer, Sportredakteur der «Neuen Leipziger Zeitung».

Kilpper, Gustav, Direktor der Deutschen Verlagsanstalt, Stuttgart.

Kittls Verlag, Mährisch-Ostrau, Leiter Dr. Paul Fischl, gehörte dem «Prager Tageblatt», produzierte und vertrieb E.K.-Bücher, solange Kurt Maschler noch in Deutschland lebte.

Klein, Gerhard, der erste «Professor» in der Uraufführung von «Emil» im Theater am Schiffbauerdamm, 1930; spielte mit Hannelore Schroth eine der Hauptrollen im «Lebertran»-Film.

Knauf, Erich, druckte als Redakteur E.K.'s verhängnisvolles «Abendlied des Kammervirtuosen», ging zur Büchergilde Gutenberg und beschäftigte Ohser. Mit ihm im März 1944 von der Gestapo verhaftet; am 3. Mai hingerichtet.

Köster, Albert, As der Theater- und Literaturhistorie, nach Marburg bis zu seinem Tod in Leipzig; E.K. bei ihm Famulus und Senior.

Kolpe, Max, später Colpet, Schriftsteller, drehte kurze kabarettistische Wochenschauen für das Kabarett «Die Katakombe»; hatte ein kleines Kabarett «Anti», schrieb frechschmissige Chansons und provozierte, als er statt des Tell-Huts ein Braunhemd auf die bekannte Stange hing, die ersten Störaktionen der SA in der «Katakombe».

Krell, Max, Redakteur und Theaterkritiker an der Neuen Leipziger Zeitung, Leipzig; Romancier, Novellist, literarischer Lektor des Ullstein Verlags, stand E.K. nach 1933 treu

zur Seite, emigrierte nach Italien, starb in Florenz.

Lamprecht, Gerhard, Regisseur des ersten «Emil»-Films von 1931.

Landguth, Inge, spielte im Film Pony Hütchen; jetzt noch am Berliner Theater und beim Fernsehen beschäftigt.

Lehmann, Richard, Chefredakteur der «Neuen Leipziger Zeitung».

Lehrer Lehmann, ein Lehrer des Fletscherschen Lehrerseminars, Dresden.

«Léon», Café Léon, Kästners Stammcafé am Lehniner Platz, Charlottenburg.

Leipzig, Bezeichnung für Lottes Eltern.

Liga für Menschenrechte, 1898 anläßlich der Dreyfus-Affaire in Paris gegründete Gesellschaft zum Kampf für die freiheitlichen Rechte der Menschen gegenüber der Staatsgewalt. Die Deutsche Liga für Menschenrechte bestand 1918 bis 1933. Nach 1945 Neugründung in der Bundesrepublik.

Lina, Tante E.K.'s; Mutter von Vetter Franz.

Löhr, Familie, der Sohn der Familie, Hans-Albrecht.

Lorenz, Kollege aus der «Neuen Leipziger Zeitung», Leipzig.

Makkaroni mit Schinken: Erich Kästners Leibspeise, die er am liebsten täglich gegessen hätte.

Marguth, Verlagsdirektor der «Neuen Leipziger Zeitung».

Maschler, Kurt, Verleger, nach

seiner Emigration Inhaber des Atrium Verlags, den er in Basel gründete, nachdem E.K. in Deutschland verboten war. Vorher hatte er von Frau Jacobsohn den Williams Verlag erworben. Sein Engagement für E.K. war uneingeschränkt. An dessen 75. Geburtstag konnte er vor den Freunden des Autors öffentlich bekennen: «Während es Hitler nicht gelang — oder nur teilweise —, das Ausland zu erobern, gelang es mir mit Kästner. Seine Bücher erschienen in mehr als 35 Sprachen und in mehr als 12 Ländern als Schulbücher in deutscher Sprache — zur Erlernung der deutschen Sprache.»

Mechnig, Elfriede, E.K.'s Sekretärin von 1928 bis 1945, dann seine Berliner Büroleiterin, Spitzname: & Co.; hat in Berlin ein literarisches Büro.

Mehring, Walter, Schriftsteller, gehörte in Berlin der «Dada-Gruppe» an, die antibürgerlich, antiästhetisch, bürgerliche Traditionen und Konventionen mißachtend, von 1916 bis etwa 1922 Einfluß auf alle Kunstgattungen und das Schrifttum nahm. Mehrings «Wettrennen zwischen Näh- und Schreibmaschine» verhalf ihm und George Grosz in Berlin zu dem erhofften Skandalerfolg. Damit wurde er schlagartig ein prominenter Schriftsteller. Schrieb viel fürs Kaba-

rett. Seine Zeitgedichte und Chansons üben schonungslose Gesellschaftskritik. Lebte in Ascona, später bis zu seinem Tod, 1981, in Zürich.

Meierzack, Hannele, Schauspielerin, Kinderstar in «Pünktchen und Anton» im deutschen Theater; später als Hanna Maron bedeutende Schauspielerin am Habima-Theater in Israel.

Meyer, Alfred Richard (1882—1956), Verleger und Schriftsteller, Deckname «Munkepunke»; gab «Lyrische Flugblätter» heraus, schrieb Gedichte, Anthologien und Abhandlungen.

Meyerinck, Hubert v., erfolgreicher und sehr beliebter Charakterdarsteller auf der Bühne und im Film; schrieb als Memoiren «Meine berühmten Freundinnen».

Michael, Friedrich, Mitarbeiter der Zeitschrift «Für Alle» im Verlag Otto Beyer, Leipzig. Theaterkritiker, Erzähler, Komödienautor, Essayist, nach 1934 Mitarbeiter des Insel-Verlags, nach dem Krieg in Wiesbaden dessen Leiter. Korrespondierte mit E.K. bis zu dessen Tod.

MM: Montag Morgen, Berliner Tageszeitung mit Leopold Schwarzschild als Hrsg. E.K. fabrizierte lange Zeit für ihn das Montag-Morgen-Gedicht, was ihm die Sonntage verdarb.

Mörike, Martin, Leiter des

Theaterverlags der Deutschen Verlagsanstalt, dann Inhaber des Chronos-Theater-Verlags, Stuttgart; lebte später bis zu seinem Tode in Berlin.

Moritz, Freundin von E.K.

Natonek, Hans, Feuilletonchef der «Neuen Leipziger Zeitung».

Neuner, Robert, unter diesem Pseudonym E.K.'s zur Umgehung des Schreibverbots Autor des Stücks «Das lebenslängliche Kind». E.K. nannte ihn einen Freund, dessen Mitarbeiter er sei, hielt diese Version auch nach dem Krieg aufrecht.

Nick, Edmund, Musiker, Pianist, Komponist. Hat viele Gedichte von Kästner zu Chansons und Liedern komponiert. Größere gemeinsame Arbeit: «Leben in dieser Zeit», eine musikalische Revue.

Ohser, Erich, Später O. E. Plauen, Zeichner, Karikaturist und Maler, Leipzig, dann Berlin; hat viele Arbeiten und erste Gedichtbände von E.K. illustriert, Mitarbeiter bei Beyers «Für Alle» und «Klaus und Kläre», zeichnete u. a. für «Querschnitt» und «Vorwärts». Berühmt durch seine Serie «Vater und Sohn» in der «Berliner Illustrirten». Zog nach der Verhaftung durch die Gestapo im März 1944 Selbstmord dem Prozeß mit sicherem Todesurteil vor.

Onkel Eduard: selbstgewählter Spitzname von E.K.

Ophüls, Max, inszenierte in Breslau 1930 bei Barnay «Emil und die Detektive», begann bald darauf seine Filmkarriere mit E.K.'s Film «Dann schon lieber Lebertran».

Palais de Danse: berühmtes Berliner Tanz-Etablissement.

Pallenberg, Max, Reinhardt-Schauspieler, Charakterkomiker, Meister der Improvisation, Mann von Fritzi Massary, kam 1934 bei einem Flugzeugunglück ums Leben.

Paulchen Beyer, Germanistik-Student, Redakteur, wechselte von der «Neuen Leipziger Zeitung» zu den konservativen «Leipziger Neuesten Nachrichten».

Petersen, E. K.' Schneider in Dresden.

Picard, Fritz, Reisevertreter des Verlags Bruno Cassirer, nahm auch die Bücher des Verlags Curt Weller mit, emigrierte, wurde *der* deutsche Buchhändler in Paris.

Pinelli, Aldo v., Schriftsteller, Mitarbeiter der «Katakombe» für Werner Finck, dessen durchschlagendes Bonmot: «Hier steht der Finck — leicht gedrosselt» aus einem seiner Sketche stammt. E.K. war ungenannter Mitarbeiter von Pinelli, später auch für Film.

«Pinguin»: neugegründete Zeitschrift für Jugendliche. Herausgeber war Erich Kästner,

Chefredakteur war Cläre Wieth, Rowohlt Verlag, damals Stuttgart.

Piscator, Erwin, Begründer des politischen Theaters in Berlin, richtungweisend für das politisch-proletarische Revue-Theater. Bert Brecht gehörte zu Piscators «Kollektiv». War 1931—1936 in der Sowjetunion, nach dem Krieg u. a. Intendant der Freien Volksbühne in Berlin.

Pollender, hübsches, fast elegantes Lokal im «Großen Garten» in Dresden.

Pommer, Erich, früher Ufa-Chef, emigrierte, gründete nach 1945 die neue Bavaria.

Ponto, Erich, Schauspieler in Dresden, bei Bühne und Film; Charakterdarsteller; sehr liebenswert in «Das lebenslängliche Kind», nach dem Krieg zunächst in Stuttgart.

Preßburger, Emmerich, Filmunternehmer, gründete und leitete seit 1924 in Berlin die «Cine-Allianz», schrieb mit E.K. das Drehbuch zu «Dann schon lieber Lebertran» (s. a. Ophüls, Max), ging 1934 nach London, dann Paris und Hollywood, kam nach dem Krieg zurück («Lola Montez»).

Raitenau, Schloß in Österreich, erschien E.K. geeignet für einen Film nach seinem Buch «Der kleine Grenzverkehr».

Rascher, Max, wissenschaftlicher und belletristischer Verleger in Zürich.

Rappeport, Jonny, Wirt des kleinen Künstlerlokals Berlin-Charlottenburg, hatte ein Haus in Farchant bei Garmisch.

Ratkowski, Frau, E.K.'s erste Berliner Wirtin.

«Regine», ein sehr erfolgreicher Film nach einem Kapitel aus Gottfried Kellers «Sinngedicht» mit Luise Ulrich in der Hauptrolle.

Reimann-Schule, Privatschule für angewandte Kunst in Berlin, auch berühmt für seine Kostümfeste.

Reinhardt, Gottfried, Sohn von Max R., betätigte sich ebenfalls als Regisseur, inszenierte «Pünktchen und Anton» in Berlin.

Reinhardt, Max, Schauspieler und Regisseur am Deutschen Theater, Berlin, übernahm dessen künstlerische Leitung und leitete auch die berühmte Schauspielschule. Sein zweites Wirkungsfeld waren die Salzburger Festspiele («Jedermann»). Emigrierte in die USA.

Reuß, Heinrich XLV., Erbprinz, Theaterleiter, Literat, seit 1945 vermißt.

Richter, Hans, 2. Vorsitzender im «Reichsverband deutscher Schriftsteller», in den der «Schutzverband» 1933 umbenannt wurde.

Ritzenputzer, Spitzname für den Kanarienvogel der Eltern E.K.'s.

317

Robitschek, Kurt, ungarisch-österreichischer Conférencier, bestimmte die Glanzzeit des Berliner «Kabaretts der Komiker» auch als dessen Leiter entscheidend mit, emigrierte nach Wien, später nach New York.

Roscherstraße 16, Gartenhaus, Kästners erste eigene Wohnung in Berlin-Charlottenburg.

Rühmann, Heinz, bedeutender vielseitiger Schauspieler und Komiker auf der Bühne und vor allem im Film, war mit der Schauspielerin Hertha Feiler verheiratet.

Scharnhorst, Buchhändler in Dresden, bei dem Erich und seine Mutter einkauften.

Schaufuß, Hans Hermann, Schauspieler auf Berliner Bühnen, nach dem Krieg in München.

Schmalfuß, ein guter, lebenslänglicher Bekannter E.K.'s.

Schönlank, Margot, Freundin von E.K. in Berlin, nach ihr wurde Pony Hütchen in E.K.'s Kinderbuch «Pünktchen und Anton» genannt.

Scholz, Wilhelm von, Lyriker, Dramatiker, in den 20er Jahren Präsident der Preußischen Akademie für Dichtung, spielte in seinem erfolgreichsten Stück «Der Wettlauf mit dem Schatten» oft die Hauptrolle.

Schmidt, Eberhard, leitender Mann bei der Ufa, setzte sich im März 1945 mit einigen Schauspielern von Berlin nach Süden ab, angeblich, um dort einen Film zu drehen; nahm Kästner, der keine Papiere hatte und Berlin nicht verlassen durfte, als «Ufa-Mitarbeiter» mit.

Schünzel, Reinhold, Schauspieler, Regisseur, Autor und Produzent, besonders bekannt durch heitere Filme, emigrierte 1933 und arbeitete in Hollywood.

Schutzverband deutscher Schriftsteller e. V., Berlin, gegr. 1909, zur Wahrung ihrer wirtschaftlichen und geistigen Interessen, 1933 gleichgeschaltet.

Schwannecke, berühmtes Künstlerlokal während der zwanziger und Anfang der dreißiger Jahre nahe Wittenberg-Platz in Berlin.

Seidel, Kollege aus der «Neuen Leipziger Zeitung».

Seinemeyer, Meta, berühmte Sängerin damals in Dresden.

Slezak, Leo, berühmter Tenor, auch Filmdarsteller und Autobiograph; spielte den Sultan in «Münchhausen».

Sölter, Rudolf, Direktor des Paul List Verlags, Leipzig.

Speelmanns, Hermann, Charakterdarsteller, bes. für komische Rollen, spielte den Kuchenreuther, Diener Münchhausens, im gleichnamigen Film.

Spoliansky, Mischa, aus Petersburg stammend, in Berlin erfolgreich als Chansonnier und Operettenkomponist, emigrierte nach London.

Stapenhorst, Günther, in den 20er und 30er Jahren Filmproduzent der Ufa, London-Film u. a., produzierte 1931 «Emil und die Detektive», 1950 «Das doppelte Lottchen», in dem E.K. mitspielte.

Steffa, Bernhard, Freundin von E.K.

Steiner-Prag, Hugo, Leiter der Leipziger Kunst-Akademie, einer der bedeutendsten Buchkünstler seiner Zeit, gab u. a. dem Propyläen-Verlag sein Gesicht, stattete die erste Ausgabe der Werke Thomas Manns, 1925, bei S. Fischer aus.

Stemmle, R. A., Filmregisseur, Dramaturg, leitete nach 1945 das Kabarett «Schmunzelkolleg» in München, Kanalstraße, mit Werner Finck, Walther Kiaulehn, Hellmuth Krüger. Sein erster Nachkriegsfilm war die «Berliner Ballade».

Straub, Agnes, Reinhardt-Schauspielerin; leitete auch eine Schauspielschule.

«Tingeltangel», von Friedrich Holländer geleitetes polit-literarisches Kabarett in Berlin. Mitwirkende u. a.: seine Frau, Blandine Ebinger, Kate Kühl, Hedi Schoop, Hubert von Meyerinck, Hans Hermann Schaufuß.

Titelbild, der farbige Umschlag für «Die verschwundene Miniatur» von Walter Trier.

T oder Tr., Abkürzung für Trier, Walter, Karikaturist, Mitarbeiter des «Simplicissimus», der «Jugend» und der «Lustigen Blätter»; als ein Ludwig Richter des 20. Jahrhunderts stattete er viele Bücher E.K.'s aus.

Tucholsky, Kurt, Schriftsteller mit fünf Pseudonymen («Mit 5 PS»), nach Jacobsohns Tod zeitweilig Herausgeber der «Weltbühne», satirisch-polemische Gedichte und Prosa gegen Spießbürger und Reaktionäre; wurde 1933 ausgebürgert und beging 1935 Selbstmord in Hindå, Schweden.

Uhland, bis in die 30er Jahre setzten sich die Nummern der Berliner Telefonanschlüsse aus dem vorangestellten Namen eines «Amtes» (wie Uhland, Pfalzburg etc.) und darauf folgenden drei- bis vierstelligen Ziffern zusammen.

«Uhu», ein literarisch unterhaltendes Magazin mit Zeichnungen, Photos, Ullstein Verlag.

Ullstein, Hermann, jüngster der fünf Brüder Ullstein, Werbechef des Hauses. Mitinhaber und alleiniger Geschäftsführer der «Neuen Leipziger Zeitung».

Waldau, Gustav, eigentlich Baron von Rummel, in München wie in Wien und Berlin gleich beliebter Schauspieler.

Wallburg, Otto, Berliner Komiker von starkem Leibesumfang, trat viel mit dem dürren Felix Bressart auf, emigrierte wie er in die USA.

Wallenberg, Hans, Schriftsteller und Journalist, Chefredakteur der von der amerikanischen Besatzungsmacht in den ersten Nachkriegsjahren herausgegebenen «Neuen Zeitung» in München, später auch der «Welt».

Wedekind, Kadidja, Tochter von Frank Wedekind, wie ihre Schwester Pamela Schauspielerin.

Weill, Kurt, Komponist, nicht nur der «Dreigroschenoper» und von «Mahagonny», emigrierte in die USA.

Weiskopf, F. C., deutsch schreibender tschechischer Autor. Veröffentlichte seine ersten Bücher im Malik Verlag, Berlin, emigrierte 1933.

Weller, Curt, begann als selbständiger Verleger, veröffentlichte E.K.'s erste Gedichtbände, trat dann zur Deutschen Verlagsanstalt, Stuttgart, über, brachte E.K.-Rechte ein, wurde Lektor und

Prokurist der Deva und galt dort als rasanter Autofahrer und Avantgardist; schied 1934 aus.

Wennhaus, Rolf, erster Emil im Film.

Wilder, Billy, aus Krakau, Filmregisseur und -autor in Berlin; bis in die jüngste Zeit erfolgreicher Hollywood-Regisseur; arbeitete 1931 am Drehbuch zu «Emil» mit.

Winter, Hans, erster Emil auf der Bühne

Wohlbrück, Adolf, sehr beliebter Schauspieler mit großer Filmkarriere, Bonvivant; u. a. Hauptrolle in «Maskerade»; mit Paula Wessely als Partnerin; emigrierte nach London und arbeitete dort als Anton Walbrock.

Wolfgangsee, dort lag der Besitz von Emil Jannings; war mit Gussy Holl, einer unvergleichlichen Chansonsängerin, verheiratet.

Wrede, Fritz, Inhaber des 1845 von Felix Bloch gegründeten Theaterverlags Felix Bloch Erben/Berlin.